日本AV全史

安田理央

KENELE BOOKS

日本ＡＶ全史

安田理央

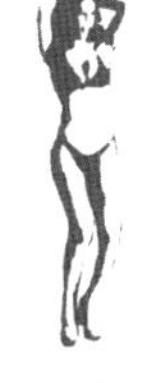

第6章 レンタルvsセル

第7章 ボーダーレス化するAV

第8章 AVと人権

はじめに

2022年、AV業界を規制する法律として「性をめぐる個人の尊厳が重んぜられる社会の形成に資するために性行為映像制作物への出演に係る被害の防止を図り及び出演者の救済に資するための出演契約等に関する特則等に関する法律」、通称「AV新法」が施行された。

この問題が国会の議題に上げられてから、わずか3カ月という異例のスピードでの施行となったのだが、その間の議論においても、法律の内容においても、AVというものは「作品」でも「文化」でもなく、刹那(せつな)的な「傷」に過ぎないのだと、一般的には受け取られていることを、改めて思い知った。

それは長年AVというものに関わってきた人間からすると、大きなショックであった。

そもそもアダルトビデオ＝AVとは、何なのか。

『広辞苑』第七版（岩波書店）によれば、

（和製語）性描写を主とした、成人向けのビデオソフト。

とある。『コンサイス カタカナ語辞典』第五版（三省堂）では、

成人用ビデオソフト、ポルノビデオ。AVとも。性描写が法にふれるものを「裏ビデオ」という。

となっている。

ライターの藤木TDCは著書『アダルトビデオ革命史』（幻冬舎新書）のなかで、「狭義のAVは基本的にビデオカメラで撮影された映像で、なおかつビデオテープやDVDの形（最近はこれにインターネットなどでの配信もふくめてもいい）での販売・レンタルを第一目的にした作品群のことを指す」と定義づけている。

この定義に基づくと、日本のAV第一号は1981年の5月に日本ビデオ映像（みみずくビデオパック）から発売された『ビニ本の女 秘奥覗き』と『OLワレメ白書 熟した秘園』となる。

つまり日本のＡＶは２０２１年をもってその誕生から40年を迎えたことになるのだ。

本書は、19世紀に最初に撮影された「ポルノ的映像」からはじまり、ブルーフィルム、そして成人映画を経て、１９８１年のＡＶの誕生から約40年にわたる歴史を綴ったものだ。

成人映画の簡易版とでもいうべき扱いからスタートした日本のＡＶは、やがてアダルトメディアの王者となり、さらには海外にまでその人気が波及するまでに成長していく。

40年の間に、その形態も内容も、そして業界の勢力図も大きく変化した。常に10年前の常識が通用しないといえるほどに、その変化のスピードは早かった。

現在では、ＡＶはかなり身近な存在となっている。様々な調査をおこなっているニュースサイト「しらべぇ」による全国20〜60代の男女１３５７人へのアンケート（２０１９年）では、全体の59・９％が「エッチな動画を見たことがある」と回答している。そのうち男性では81・２％、そして女性も39・４％がＡＶの視聴経験があるというのだ。

それほど一般に深く浸透しているＡＶだが、その歴史を把握している人はあまりに少ない。多くは、自分の好きな女優やジャンルについて断片的に認知しているだけだ。現在30代以下の人などは、「ビデ倫」という言葉すら聞いたことがないだろうし、AVでも陰毛が修正されていたことも知らないだろう。

そして現在、フェミニズムなどの社会的な観点から問題視され、AVの存在自体が危ういものとなっているという状況にも、意外に関心をもたれていない。それはAVファンを自称する人たちの間においてもだ。

もちろんAVは嗜好品に過ぎず、過去のことなど知らなくても十分楽しめるものではあるが、どんなものにも歴史はあり、それを支えた人たちが存在する。

それは、日本が歩んできた、もうひとつの文化史でもあるはずなのだ。

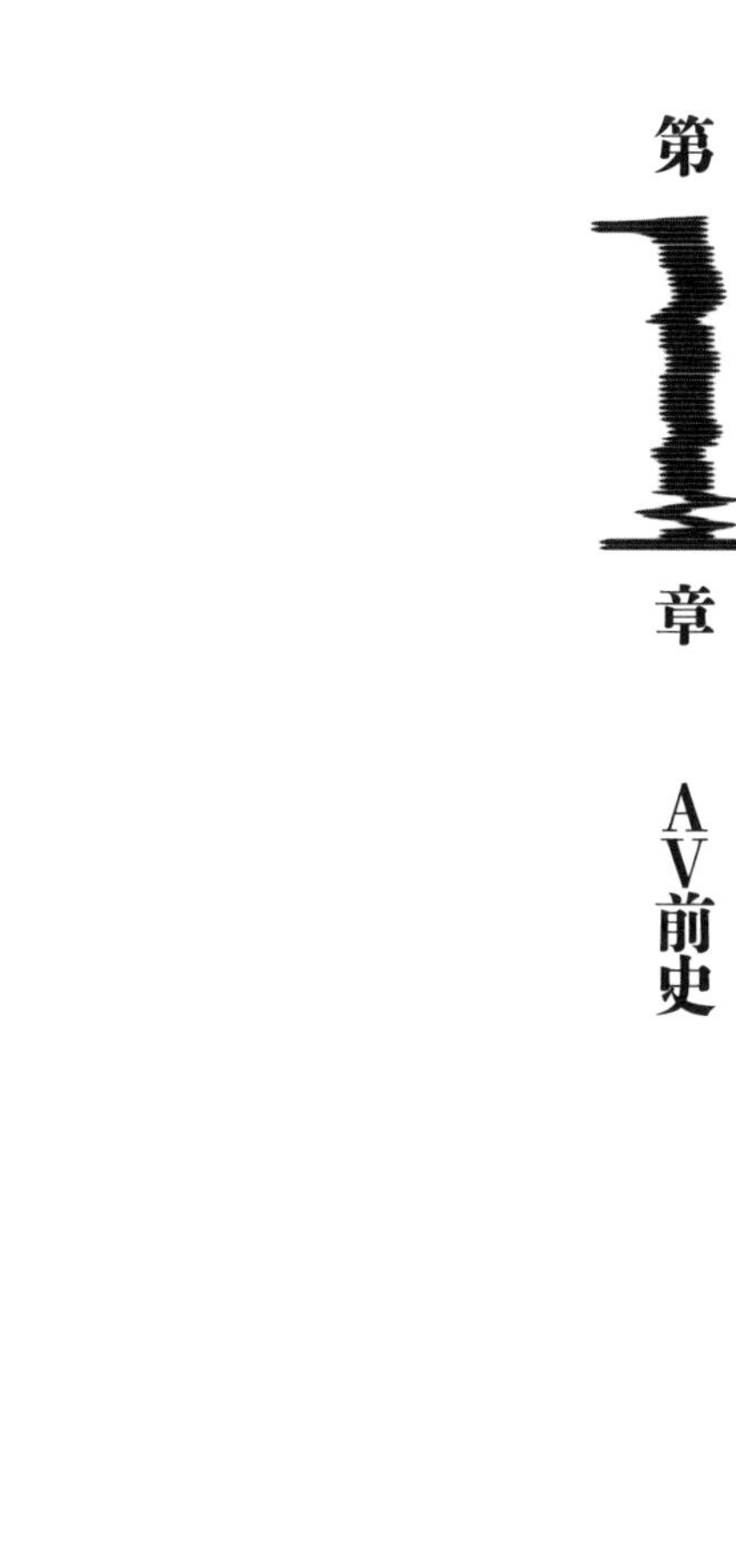

第章

AV前史

ブルーフィルムと呼ばれた映画

ポルノ映画の誕生

新しいメディアが生まれると、とりあえずそこに性的なコンテンツを入れたくなるというのは、人間のもつ本能のようだ。

1839年にフランスの画家であるルイ・ジャック・マンデ・ダゲールが公表した銀板写真法＝ダゲレオタイプが、実用的な写真術のはじまりだとされている。そしてその数カ月後には、もうヌード写真が撮影されたというのだ。

それは映画においても同じであった。1893年に発明王トーマス・エジソンが、木箱を覗き込んで映像を観る形式のキネトスコープを発明。続いて1895年にはフランスのリュミエール兄弟がスクリーンに映写して多くの人が鑑賞できるシネマトグラフを発明し、パリで有料上映会を開催した。これが映画の元祖といわれている。その翌年にはキスシーンを撮影した『ザ・キス』という映画が上映された。これはミュージカル『未亡人ジョーンズ』の最後のキスシーンを撮影したものだったが、カトリック教会などから不謹慎だと抗議を受けて公開禁止となっている。

『ザ・キス』を製作・配給したのは、エジソンの会社だった。世界最初の映画製作会社であるエジソン・スタジオは、この時期に見世物的要素の強い映画を多数作っている。そして1897年には、後に『月世界旅行』などでSFXの創始者といわれるジョルジュ・メリエス監督が『舞踏会のあとの入浴（Après le bal）』を撮る。

メイドが貴婦人の服を脱がせて、お湯をかけるというだけのショートフィルムで、実際には女優は後ろ向きで薄い布を着ていてヌードではないし、お湯も砂なのだが、その豊かな尻の形状ははっきりと見て取れる。実際には、『舞踏会のあとの入浴』以前にもヌードを撮影した映画はあったようだが、フィルムが現存する作品としてはこれが最古の「ポルノ的映画」である。以降、女性の脱衣と入浴を描いた映画が多く作られることになる。

それから10年後の1907年には、アルゼンチンで『エル・サタリオ（El Satario）』という映画が撮られた。山のなかで遊んでいた6人の女の子たち（なぜか全裸）に、角と髭を生やした悪魔が襲いかかり、そのうちのひとりが捕まって犯されてしまうのだが、これがフェラチオやシックスナインに様々な体位での本番行為と、ハードコアポルノそのものの内容なのだ。局部のアップもあり（画質が悪いため、よく見えないが）、射精された精液がこぼれ落ちる様までしっかり見せている。

『エル・サタリオ』は世界最古のハードコアポルノ映画のひとつだ。疑似ヌードの『舞踏会のあとの入浴』から、わずか10年でポルノ映画はここまで過激化していたのだ。この時期のアルゼンチンはポルノ映画のメッカであり、多くの作品が作られヨーロッパに輸出された。やがてフランス、イタリア、ドイツなどでもポルノ映画の製作は盛んになった。

戦前のブルーフィルム

日本に映画が輸入されたのは1896（明治29）年のことだ。リュミエール兄弟がシネマトグラフを発明した翌年である。1897年には一般公開もおこなわれた。明治の終わりには、ソフトなヌード映画も輸入されている。

日本最初の映画評論誌『キネマ・レコード』を創刊するなど、日本の映画評論の草分けでもある映画監督・帰山教正（かえりやまのりまさ）が1928年に書いた『映画の性的魅惑』（文久社書房）によれば、当時は検閲もなくヌード映画は浅草の常設館でも上映されたらしい。「外國人は随分露骨なもの位にしか考へていなかったのである」というから、まだ何かと寛容な時代だったのだ。そして大正時代に入ると本格的なポルノ映画も秘密裏に上映会がおこなわれていたようだ。

永井荷風が大正5年から翌年に書いた小説『腕くらべ』のなかにも「近頃は活動もさっぱり面白いのが有りませんね。もういつかのやうな会員組織の、猛烈な封切はないでせうか」という秘密上映を指すような会話が出てくる。『映画の性的魅惑』にも、こんな記述がある。

> 大正のはじめ頃、桜夜会という会員組織で秘密映画を観る会合が催されたことがあった。前後三回ほど行われたが遂に検挙された。これがこうした映画の鑑

賞会の最初だったのかもしれない。
その後こういう会合が時々極秘のうちに行われ遂に日本でも撮影されるという
ことになったが、その都度ほとんど検挙されている。
（筆者が旧仮名遣いを現代仮名遣いに直した）

このように国内でポルノ映画がはじめて制作されたのは、大正時代ともいわれているが、盛んになったのは昭和の初頭あたりからだ。

こうした非合法のポルノ映画は、当時は猥褻映画、エロ映画などと呼ばれていた。はじめは会社のオフィスなどを利用して秘密上映会が開かれていたが、そのうち料亭の奥座敷を使うようになった。このような上映会の客には大会社の社長や有名医師、有名俳優などもいたという。やがて繁華街などで、これぞと思う客に声をかけて秘密上映会に呼ぶという商売も生まれていく。当時の猥褻映画に出演していたのは、売春婦や芸者、不良少女などで、本職の映画女優はほとんどいなかった。

一方、男優の方は、ヤクザ者や不良少年のほか、人力車夫やボクサーくずれなど体格や体力に自信のあった者が起用されたようだ。現代風俗研究家・長谷川卓也の『ぶるうふいるむ物語――秘められた映画史70年』（三木幹夫名義、立風書房、1975年）には、ブルーフィルムの制作に関わっていた人物による証言が掲載されている。

Fは、秘密撮影の現場に立ち会ったこともあり、その記憶によれば、1本撮るのに1週間はかかったそうだ。男優にはペパーミントを飲ませたり、生卵を飲ませたりしておかないと持続できない。へたすると、1日で仕上げるべきものが、4〜5日かかってしまう。そうすると、場面が違ってしまって、編集がうまくいかないという。

「だいたい、私の体験では、どんなことをしたって男のものってェのは15分はもちませんよ。どうも男役のほうが、思うようにいかないのが泣きどころでね。その点、女のほうは便利なもんで……」とFは苦笑していた。出演者以外のスタッフは、活動写真屋くずれを入れて、だいたい4人くらいだったそうだ。

この当時から考えると、現在のAV男優の技量は格段の進化を遂げていることになる。これはAV女優においても同じことだが……。

驚かされるのは、昭和初期の段階でポルノアニメが作られているという事実だ。『すゞみ舟』(1932年)というタイトルのこの作品は、黎明期のアニメーション作家である木村白山がたったひとりで3年の歳月をかけて作り上げたものだった。内容は江戸時代の隅田川の川開きの夜を舞台に、お嬢さんとその乳母というふたりの女性のそれぞれの痴態を描いたもの。10分ほどの作品だが、当初は二巻物として構想されたものの、一巻の完成直後に当局に押収され、幻の作品となってしまった。それでも、押収された原盤の35ミリフィルムを複製した16ミリフィルムがヤミに流れ、密かに流通した。

長谷川卓也は終戦直後に偶然この『すゞみ舟』を観る機会に恵まれており、「いまどきの洗練されたカラーアニメに比べたら、稚拙のひとことに尽きるかもしれない。しかし、細部はともかくとして、筆者にもいまだに強く印象に残る場面がいくつかあるというのは、やはり並々ならぬ作品といえよう。純日本情緒を漂わせ、ほのかなユーモアをまじえた作者の浮世絵タッチの構想は、みごとであった」（『ぶるうふいるむ物語』）と感想を記している。長らく幻の作品といわれていた『すゞみ舟』だが、２０１７年に東京国立近代美術館フィルムセンター（現・国立映画アーカイブ）へ35ミリフィルム版が寄贈され、その存在が確認された。ただし非公開となっており、残念ながら観ることはできない。

ブルーフィルムの隆盛と衰退

そして戦後、ブルーフィルムは黄金期を迎える。終戦から2年後の１９４７年頃には、もう上映会をする業者が登場していた。一部の指定店以外では営業を禁止する「飲食営業緊急措置令」が発令されていたが、それでもこっそりと営業する店もあり、そうした料亭などで上映会はおこなわれていたようだ。上映されるのは、もちろん戦前の国内外の作品で、吉行淳之介の体験談によれば、鑑賞料はひとり５００円ほどだったという。この頃、

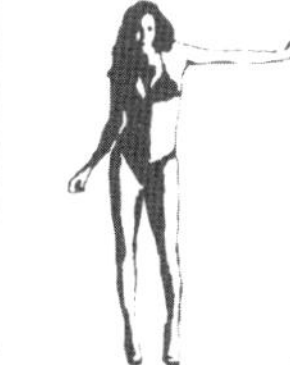

公務員の初任給が５４０円であったことから考えるとかなりの金額だが、それでも上映会は満員だったそうだ。

戦後国内で最初に撮影された作品は、１９４８年の『情慾』（「強盗」の別名もある）だといわれている。京都で作られたこの作品は、空き巣に入った復員兵が女学生を犯すという内容。主演の女優は映画会社のスターにしてやるからと騙されて出演し、その後自殺してしまったと伝えられている。50年代に入ると、「シキ」と呼ばれる常設館も登場。浅草から吉原にかけて１００軒もの秘密の常設館があった。こうしてブルーフィルムは人気を集め、国内でも新作が次々と作られるようになる。

そんななかでも、最も有名な作品が１９５１年の『風立ちぬ』だ。潮来を舞台にした情緒あふれる作品で、ブルーフィルムにも造詣が深かった野坂昭如はこの『風立ちぬ』と『柚子っ娘』（１９５２年）を二大名作と評している。この両作品を撮影したのは高知の制作グループで、監督は「土佐のクロサワ」「ブルーフィルムのクロサワ」などと呼ばれ、その後も数々の名作を撮り続けた。特に『戦国残党伝』（制作年不詳）という作品は、マルチカメラ撮影や即席クレーン撮影まで取り入れた時代物の大作であり、監督本人も自身のベスト1に挙げている。

しかし60年代に入るとブルーフィルムも作品の質が低下していくようになる。そのきっかけは、１９５７年に施行された売春防止法だった。売春業に代わる新しい資金源として暴力団がブルーフィルムに目をつけたのだ。こうして暴力団関係者が業界を牛耳るようになり、粗製乱造の時代がやってくる。また家庭用8ミリカメラが普及し、誰でも手軽に映像が撮れるようになったことも大きかっただろう。

「土佐のクロサワ」は、業界引退後の取材で、当時のブルーフィルムについて、このように憤慨している。

まったく、いまのブルーフィルムいうたらひどいもんですわ。[……] あんなのが売れるんやったら、もう、わしらみたいな職人の出る幕じゃありません。

昔に比べて、機械や色彩はようなった。だけど内容があれじゃや、どうにもならん。わしらは一本三百五十フィートの作品を作っとった。それがいまはどうじゃや。二百フィート・十三分のものがほとんど。これじゃや、ちゃんとしたストーリーなんか組めやしない。

（桑原敏「ブルーフィルム界の「黒沢明」監督一代記」『宝石』1975年4月号）

こうした映画が日本でブルーフィルムと呼ばれるようになったのは、1960年にグレアム・グリーンの短編小説『ブルーフィルム』が翻訳されたのがきっかけといわれてい

る。つまりすでに黄金期を過ぎてからなのだ。ちなみに、アメリカではスタッグ・フィルム、ブルー・ムービーズという呼び名が一般的であった。

70年代に入ると国産の新作は次第に作られなくなり、ブルーフィルムの主流は輸入物へと移り変わった。また上映される場も、温泉街のストリップ小屋など、場末のものとなっていった。そして80年代に裏ビデオが登場すると、ブルーフィルムは完全に過去のものとなり、その姿を消したのである。

セックスと日本映画

戦前の映画で描かれた「お色気」シーン

日本で最初に映画が公開されたのは前述の通り1896（明治29）年。兵庫県神戸市の神港倶楽部でキネトスコープによる上映であった。そして1917（大正6）年には、警視庁によって活動写真興行取締規則が発令される。それによって禁止されたのは以下の場面だった。

一、国体及び君主の尊厳を侵す場面。
二、姦通、自由恋愛等わが国の良風美俗に反する場面。
三、接吻、寝室等に於いて見物に猥褻な観念を起こさせる場面。
四、放火、殺人、強盗等、見物に犯罪の動機を与えるような場面。

セックスを描いたポルノ映画など、到底許されるはずもなかった。そのため、秘密映画としてアンダーグラウンドで流通することになっていったわけである。

日本映画で最初にベッドシーンが描かれたのは、1930（昭和5）年、牧逸馬の同名小説を映画化した『この太陽』（日活、監督：村田実）だといわれている。もちろん行為自体が登場するわけではなく、淫奔な有閑マダム蘭子（峰吟子）がベッドに横たわっているところへ主人公の杉山喬太郎（小杉勇）が入っていくものの、そこで寝室を出るシーンにカットが変わってしまう。それでも明らかにセックスを暗示した描写は当時の観客にとっては十分に刺激的であっただろう。

翌1931（昭和6）年の『ミス・ニッポン』（日活、監督：内田吐夢）ではベッドシーンが、1934（昭和9）年の『おせん』（新興キネマ、監督：石田民三）では主演女優の太ももが露わになるシーンや湯上がりの半裸シーンがカットされるなど、映画製作者たちが規制に挑みつつも、あえなく削除の憂き目にあっている。

もちろん洋画においても規制は厳しかった。日本で最初に公式に公開された女性の全裸が登場した作品はチェコ映画の『春の調べ』（監督：グスタフ・マハティ）である。主演のヘディ・ラマー（ヘディ・キースラー名義）のオールヌードシーンが世界的にも話題になった作品だが、1935（昭和10）年の日本公開版では当然の如く大幅にカットされ、全裸の後ろ姿がわずかに残されただけだった。その後、軍国主義が台頭してくると、映画にはさらに厳しい制限が課せられていく。1938（昭和13）年には内務省映画検閲局と各映画会社シナリオ作家代表が以下の事項を決定する。

一、欧米映画の影響による個人主義的傾向の浸潤を排除すること。
一、日本精神の昂揚を期し、特にわが国独特の家族制度の美風を顕揚し、国家社会のためにすすんで犠牲となるの国民精神を一層昂揚すること。
一、青年男女、特に近代女性が欧米化し、日本国有の情緒を失いつつある傾向に鑑み、映画を通じて国民大衆の再教育をなすこと。
一、軽佻浮薄な言語動作を銀幕から絶滅する方針を執り、父兄長上に対する尊敬の念を深からしめるように努めること。

翌1939（昭和14）年には「映画法」が施行され、日本の映画業界は娯楽性を排して、軍国主義を前面に押し出した映画を作らされることになる。

バスコン映画、性典映画、太陽族映画、赤線映画

そして終戦後、今度はGHQ（連合国軍総司令部）が戦前の映画法や内務省検閲を撤廃し、代わりに新しい映画製作禁止条項を定めた。これは「軍国主義を鼓吹するもの」「仇討に関するもの」「民主主義に反するもの」といった過去の日本の軍国主義的な思想を取り締まるものであり、恋愛や性描写についての規制は「婦人に対する圧政又は婦人の堕落を取り扱ったり、これを肯認したもの」の条項くらいだろうか。
GHQにより黒澤明監督の『姿三四郎』、木下惠介監督の『花咲く港』（ともに1943年）、山本嘉次郎監督の『加藤隼戦闘隊』（1944年）など多くの映画が上映禁止となった一方で、民主的なテーマを扱った映画を推奨した。1946年公開の『はたちの青春』(松竹、監督:佐々木康)では、大坂志郎と幾野道子のキスシーンが登場し、大きな話題となった。

1949年、GHQの主導により映画倫理規定管理委員会(旧映倫)が発足する。映画倫理規定は「国家及び社会」「法律」「宗教」「教育」「残酷醜汚」、そして「風俗」「性」の7項目から成っていた。

「風俗」に関しては、

---

(1)卑猥な言語、動作、衣裳、暗示、歌謡、洒落等は、それがかりに一部の観客にのみ理解されるものであっても取り扱わない。
(2)裸体、着脱衣、身体露出、舞踏及び寝室場の取り扱いは観客の劣情を刺戟しないよう充分に注意する。

「性」に関しては、

---

(1)性関係の取り扱いは、結婚及び家庭の神聖を犯さないように注意し、それに関する描写、表現は観客の劣情を刺戟しないようにする。
(2)売春を正当化しない。

（3）色情倒錯又は変態性欲にもとづく行為を描写しない。
（4）性衛生及び性病は人道的又は科学的観点から必要の場合の外は素材としない。

といった項目が定められた。

この「風俗」「性」の条項に抵触した映画第一号となったのは、映倫発足の年である1949年に公開された木村恵吾監督の『痴人の愛』（大映）だった。京マチ子が肉感的に誘惑するシーンが数カ所カットされている。しかし、その後もヌードやセックスの描写を売り物にする映画は続々と作られた。もちろんその表現は極めてソフトなものに過ぎなかったが、それでも多くの作品はヒットした。

50年代初頭に流行したのが、バースコントロール（産児制限）をテーマにした、通称バスコン映画である。終戦により兵士が続々と復員してきたことから、まだ食料難の状況にもかかわらず人口増加が問題となり、その抑制を目的とし、厚生省の推薦を得て、助成金を投入されて作られた性教育映画だ。性の知識を啓蒙する目的の映画であるため、性行為や性器の説明は避けられない。そのため、膣内に避妊薬を挿入するシーンや、男性器にコンドームをかぶせるといったシーンが撮影されている。その説明が目的である以上、修正をしてしまっては意味がない。つまり男女性器が無修正でスクリーンに映し出されること

になる。

本来は学校や職場などで上映されるこれらの映画だが、次第に映画館やストリップ劇場で公開されるようになっていった。バスコン映画とストリップの実演をセットでおこなう劇場まであったという。さすがに警視庁も、この目的を逸脱した「無修正映画」の氾濫（はんらん）に目をつぶるわけにはいかず、1952年には、渋谷の劇場で上映された『育児制限の知識』という映画を公然わいせつ罪で摘発したことから、バスコン映画のブームは終焉を迎えることとなる。

またこの頃には「性典映画」と呼ばれるジャンルもブームとなっている。その原点となったのが1950年公開の『乙女の性典』（松竹、監督：大庭秀雄）だ。小糸のぶの同名小説の映画化で、「日本性教育協会の協力を得た青年子女の正しい性教育を説く異色映画」（映画.com紹介文より）だった。これがヒットすると、続いて『新妻の性典』（松竹、監督：大庭秀雄）が作られ、さらに1952年には、やはり性教育の問題を扱ったイタリア映画『明日では遅すぎる』（監督：レオニード・モギー）が大ヒット。以降、思春期の少女の性の目覚めを描いた映画が次々と作られた。

なかでも有名なのが1953年に公開された『十代の性典』（大映、監督：島耕二）だろう。当時の新聞広告には「私は大人になったのかしら?」「乙女の肉体にきざす性のめざめ」「お母さんと一緒に見て頂きたい」「性問題の劇映画」といったキャッチコピーが書かれている。

本作は大ヒットを記録し、出演していた若尾文子と南田洋子が脚光を浴び、「性典女優」なるレッテルを貼られることとなった。大映はすぐさま『続 十代の性典』（監督：佐伯幸三）、『続々 十代の性典』（監督：小石榮一）、『十代の誘惑』（監督：久松静児）、『十代の秘密』（監督：仲本繁夫）といった作品を連発。他社も負けじと『乙女の診察室』（松竹、監督：佐々木啓祐）『あぶない年頃』（東宝、監督：蛭川伊勢夫）といった性教育の名を借りた煽情的な映画を作っていった。

しかし、1954年公開の『悪の愉しさ』（東映、監督：千葉泰樹）の内容が過激だとして非難の声があがったことをきっかけに「俗悪映画追放」運動が巻き起こった。こうした世論への対応策として、映倫は1955年に18歳未満の観覧を禁じる「成人向」映画の指定を決めた。その基準は以下の通りである。

（1）民主主義の原則に背馳する思想行動の誘致。
（2）その他の社会通念としての公序良俗に反する行動の教唆。
（3）暴力の容認又は賛美。
（4）性的成長の順調な過程の阻害。
（5）その他健全な人間育成を妨げる刺戟。

映倫が「成人向」指定を開始した翌年の1956年5月に『太陽の季節』(日活、監督：古川卓巳)が公開される。第34回芥川賞を受賞した石原慎太郎による同名小説の映画化で、旧来の道徳に反逆する戦後世代の若者を描いた作品だ。映画は「成人向」指定を受けたものの、空前の大ヒットとなった。その翌年には同じく石原慎太郎原作の『処刑の部屋』(大映、監督：市川崑)や『狂った果実』(日活、監督：中平康)、岩橋邦枝原作の『逆光線』(日活、監督：古川卓巳)も公開される。こうした新しい若者像を描いた映画は「太陽族映画」と呼ばれ、教育団体やマスコミから大きな非難を受け、各地で上映反対運動が激化した。

『太陽の季節』が公開された1956年には、売春防止法が公布されたことから、『赤線地帯』(大映、監督：溝口健二)、『洲崎パラダイス・赤信号』(日活、監督：川島雄三)、『女だけの街』(松竹、監督：内川清一郎)などの赤線や遊郭を舞台にした「赤線映画」も次々と作られている。日本映画に「性」の時代が訪れたのだ。

肉体女優の登場

1950年代は日本人がグラマラスな肉体の魅力に目覚めた時代でもあった。1952年に日本で公開されたイタリア映画『にがい米』(監督：ジュゼッペ・デ・サンティス、1949年)に出演したシルヴァーナ・マンガーノのはちきれんばかりの肉体美は、日本人男性に衝撃を与えた。さらにジェーン・ラッセル、ジータ・ロロブリジータといった肉感的な女優が人気を集める。1954年にはマリリン・モンローが当時の夫であるジョー・ディマジオと来日し、モンロー旋風を巻き起こした。

こうした官能的な魅力をもった女優は「肉体女優」と呼ばれていた。1947年に田村泰次郎が書いた戦後初のベストセラー小説である『肉体の門』にちなんだ呼称である。『肉体の門』は、焼け跡となった東京をたくましく生き抜く娼婦たちを描いた小説で、舞台化や映画化もされ、「肉体」という言葉が流行語となっていたのだ。

肉体女優と呼ばれたのは、海外の女優ばかりではなかった。映倫で「風俗」「性」の条項に抵触し、規制を受けた国産映画第一号となった『痴人の愛』(1949年)にも出演していた京マチ子は肉体女優の第一号でもあった。続く肉体女優第二号と呼ばれたのが元タカラジェンヌで、アナタハンの女王事件を映画化した『アナタハン』(東宝、1953年)で主演デビューした根岸明美、そして第三号が前田通子だ。

前田通子は1956年公開の『女真珠王の復讐』(新東宝、監督：志村敏夫)で後ろ向きながらも、吹き替えなしのオールヌードを披露し、一躍スターダムへとのし上がった。新東宝の前田通子と日活の筑波久子、松竹の泉京子は肉体女優三羽烏といわれた。

第一世代の京マチ子や根岸明美が「肉体女優」という呼ばれ方を嫌ったのとは対照的に、当時の彼女たちは、その肩書をあっけらかんと受け入れた。

『週刊読売』1957年7月7日号の「三人の「ヴィーナス女優」」という記事では、「演技なら全裸だって何だって平気よ」（前田通子）、「カチンコが鳴れば無我夢中でベッド・シーンでも恥ずかしいなんて思う余裕はないわ。ハダカ……もちろん平気よ」（筑波久子）、「売出すためならヌードでも何でもという気持ちだったわ」（泉京子）という彼女たちの発言を紹介している。

こうして多くの「肉体映画」「ハダカ映画」が作られるようになり、その表現をめぐって映倫との衝突が度々起こった。また洋画においても、規定に抵触する場面をカットするように映倫が求めたことによって、問題が相次いだ。それでも「ハダカ映画」は圧倒的な支持を受けていた。そんななかから、「ピンク映画」と呼ばれる作品群が生まれたのである。

猛威をふるう成人映画

映画業界に吹き荒れたピンク映画旋風

成人映画＝ピンク映画だと思われることも多いが、ピンク映画の定義としては「独立系会社による性描写を中心とした成人指定映画」ということになるだろう。独立系とは、邦画大手（東宝、新東宝、大映、松竹、日活、東映）以外の映画会社を指す。

ピンク映画が生まれた1960年代前半は、東宝、松竹、大映といった大手映画会社も成人向けに指定されるお色気映画を多数製作していたのだが、こうした作品と区別するためにピンク映画という名称が生まれたのだ。

大手映画会社のお色気映画に比べ、制作費は5分の1、撮影日数は4分の1程度。つまり制作費は約300万円で1週間ほどで撮りあげるのが普通だった。そのため、当初は三百万円映画とも呼ばれていた。

そんな低コストで作られながらも、高い興行収入をあげたため、利益率は非常に高い。ピンク映画を上映する映画館はどこも満員で立ち見が出るほどだったという。こうしてピンク映画の製作は急増し、ブームとなっていく。

よくピンク映画の第一号とされるのが、1962年に公開された大蔵映画『肉体の市場』

（監督：小林悟、「肉体市場」の表記もあり）だ。『肉体の市場』は当時、六本木でたむろしていた無軌道な若者たちの生態を描いた小林悟監督による映画で、映倫の審査で成人指定を受けて上映されたが、上映中に警察が公然わいせつの疑いがあると、強姦や私刑などの問題のシーンの削除を通告したことで話題となった。ただし、最初の「独立系会社による性描写を中心とした成人指定映画」という定義に当てはまるのが『肉体の市場』ではあるが、この時点では「ピンク映画」という言葉は生まれていない。

その翌年に『情欲の洞窟』（国映、監督：関孝二）の現場取材記事を、後に映画評論家となる村井実が内外タイムスに書いた際に「おピンク映画」という表現を使ったのが、ピンク映画という名称のはじまりといわれている。この際に村井は、ピンク映画を作る小規模な映画会社を「エロダクション」とも書いており、こちらも定着してピンク映画をエロダクション映画と呼ぶことも多かった。

1965年にはピンク映画の製作本数は年間300本に達した。前年が約100本だったので、一気に3倍に膨れ上がったことになる。この年には、ピンク映画の命名者である村井実がオーナーの日本初の成人映画雑誌『成人映画』（現代工房）が創刊されるなど、まさにピンク映画の黄金時代が到来したといえる。

ピンク映画を作っていたのは、東宝から独立し1961年に倒産した新東宝のスタッフが多く、現在もピンク映画を作り続けている大蔵映画も、新東宝の社長であった大蔵貢が設立した会社だった。また『情欲の洞窟』を製作した国映は、それまで教育映画を作っていたが1958年頃からお色気路線へと転向して、ピンク映画の代表的な会社となった。

そのほか、ピンク映画は金になると見て、参入してくる会社も多く、エロダクションは増加していく。エネルギッシュに問題作を連発する若松孝二を筆頭に、気鋭の監督も次々と登場し、そのブームを過熱させる。斜陽の時代を迎えた大手映画会社を尻目に、ピンク映画業界は空前の盛り上がりを見せていったのだ。

アダルトメディアの王者となった日活ロマンポルノ

ピンク映画の盛り上がりを尻目に、大手映画会社は斜陽の時代を迎えていた。なかでも、日活は経営悪化に喘ぎ、倒産の危機に追い込まれていた。そして窮余の策として打ち出されたのがポルノ映画の製作だった。

大手映画会社の作品の5分の1以下の制作費で大きな収入を上げている独立プロ＝エロダクションのピンク映画の製作は、厳しい状況を打開する最後の方法だったのだ。この路線変更をよしとしない多くの俳優、スタッフ、社員が日活を去ったが、どんなかたちであれ映画を作りたいという者は残り、彼らによって1971年から日活ロマンポルノがスタートする。大手映画会社が、一般映画の製作を中止して成人映画の製作・配給へと完全に移行することは世界的に見ても例のない事件だった。

制作費は1本あたり750万円。それまでの日活の一般向け映画の半分以下だが、ピンク映画に比べれば倍以上の金額だ。その制作費と、大手映画会社である日活の製作力をもってすれば、それまでのピンク映画とは一線を画すエロスを追求した映画が作れる、そんな自負が「日活ロマンポルノ」というブランド名をつけたことからも見て取れるだろう。

日活ロマンポルノの第一弾となったのが、1971年11月20日に公開された『色暦大奥秘話』（監督：林功）と『団地妻・昼下がりの情事』（監督：西村昭五郎）の2本だった。『色暦』の主演は、これがデビュー作となる新人の小川節子だったが、『団地妻』の主演はそれまでに約200本ものピンク映画に出演してきた白川和子。この後も、谷ナオミや宮下順子など、多くのピンク映画の女優が引き抜かれて日活ロマンポルノのスターとして活躍するようになる。ちなみに公開時はこの2本に、ピンク映画の会社であるプリマ企画制作の『河内女とエロ事師』（監督：小早川崇）を加えた3本立てだった。そしてプリマ企画は、この後のAV業界に大きな影響を与えることとなる代々木忠監督が制作主任を務めていた会社であった。

日活がロマンポルノ路線に転換すると、日本中に存在した日活系列の映画館のほとんどが成人映画専門へと鞍替えした。それ以前にも客入りのいいピンク映画を上映する映画館は多かったのだが、1971年の日活ロマンポルノの誕生によって、成人映画は一気に一般的なものとなったのである。70年代には東京都内だけで100軒以上の成人映画館が営業していた。

「制作費は750万円、上映時間は70分以内、7～8日で撮影」「濡れ場を10分に一度は入れる」といった条件さえクリアしていれば、あとは監督の裁量に任せるという制作態勢があったため、ポルノという枠組みを超えた多種多様な作品が生まれ、なかにはかなり実験的な作品も撮られている。その後の日本映画を支える存在となる監督を数多く輩出し、若手映画クリエイター育成の場としても機能した。

そして日活ロマンポルノは泉じゅん、鹿沼えり、東てる美、美保純など多くのアイドル的な人気をもったスター女優を生み出した。なかでも原悦子などは、ファンクラブの会員が76万人にまで達し、数多くの学園祭に呼ばれ、武道館でサイン会をするほど爆発的な人気を誇った。週刊誌やエロ雑誌にいたるまで、ヌードグラビアに登場するモデルのなかでも、日活ロマンポルノの女優はスターとして扱われた。

また、天地真理や畑中葉子、黛ジュンといった人気アイドルやタレントが出演することも多かった。これは後の芸能人AVの先駆けともいえるだろう。70年代から80年代初頭にかけて、日活ロマンポルノはアダルトメディアの王者であり、ロマンポルノの女優はオナペットの女王ともいうべき存在であったのだ。

ビニール袋に封入された妖精たち

ここまでAVが誕生するにいたる前史として成人向けの動画メディアの変遷を語ってきたが、もうひとつ欠かすことのできないメディアがある。

それがビニール本＝ビニ本である。ビニ本の定義としては、大人のオモチャ屋やビニ本専門店、一部の古書店などで販売されるオールカラーの成人向け写真集というところだろうか。

ビニール袋に入れて販売されるからビニール本なのだが、この名称は1975年頃に生まれたようだ。ただ、60年代から70年代にかけての時期に、輸入物などのヌード写真集をビニール袋に入れて販売するという方法はとられており、袋物などと呼ぶこともあったという。ビニ本は70年代後半からジワジワと密かな人気を集めていたのだが、社会的なブームにまで発展したのは1980年のことだった。

起爆剤となったのは、一冊のビニ本である。それが1980年9月に恵友書房から発売された『慢熟』だ。表紙には「ミス・ヌード・ワールドコンテストで準ミス・ヌードに選ばれたギャル！」の文字がある。そう、この『慢熟』のモデル、岡まゆみはカナダのトロントでおこなわれたミス・ヌード・ページェントに日本代表として出場し、みごと準ミスを獲得したのだ。

実は岡まゆみは、撮影当日にドタキャンしたモデルの代理として急遽キャスティングされ、編集者は『慢熟』の入稿の日に彼女が準ミスを獲得したというニュースを知って、慌てて表紙に一文を追加したのだという。その後、世界大会で準ミスを受賞した女の子が出演しているビニ本があるということを週刊誌などが報じ、『慢熟』は一躍話題の一冊となった。ビニ本は通常2万部も売れれば大ヒットといわれるが、『慢熟』は10万部以上を売り上げた。それまでビニ本の存在を知らなかった層までもが先を争うように買ったからである。

『慢熟』が出る少し前から、ビニ本業界ではスケパン戦争がはじまっていた。パンティの布地を薄くすることで股間を透けさせるという手法が流行していたのだ。陰毛が見えれば猥褻として摘発されていた時代である。薄い布地越しに陰毛がはっきり透けて見えることは事件だったのだ。過激度が高まったことで、好事家の間でビニ本が盛り上がりはじめた矢先に『慢熟』騒動が起きた。

実際には『慢熟』は当時のビニ本のなかではとりたてて過激な本とはいえないものであったが、それでもビニ本をはじめて見る一般客には、驚くような露出度だったのだ。

こんなことからビニ本は大きな盛り上がりを見せ、空前のブームとなった。ビニ本出版社は200社を超え、毎月300冊が発売され、100億円産業とまでいわれた。繁華街に限らず、ビニ本専門店が日本中にオープンした。ショップには客が殺到し、新刊のビニ本を店頭に並べるや否や、あっという間に売り切れるというほどだった。

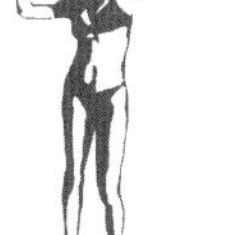

しかし過当競争になったことから、ビニ本出版社は過激度を競うようになり、陰毛どころか性器までも見えて当たり前というほどにエスカレート。そうなれば当然、警察も見逃すはずもなく摘発も相次いだ。さらには完全に非合法な無修正写真集である「裏本」も登場し、話題がそちらに向かってしまったことから、1981年には早くもビニ本ブームは失速してしまう。

そして、行き詰まったビニ本出版社が目をつけたのがアダルトビデオだったのである。

第2章

黎明期のAV

AV第一号発売とビデオの普及

AV以前にも存在した成人向けビデオ

アダルトビデオ＝AVの第一号は、1981年の5月に日本ビデオ映像（みみずくビデオパック）から発売された『ビニ本の女 秘奥覗き』と『OLワレメ白書 熟した秘園』とすることが定説となっている。

しかし90年代までのAVを審査していた団体、日本ビデオ倫理協会（通称：ビデ倫）の発足は、それよりも9年前の1972年（当初は成人ビデオ自主規制倫理懇談会）である。つまり1981年以前にも、成人向けのビデオソフトは存在していたのだ。

日本ビクターが家庭用VHSビデオデッキ第一号を発売したのは1976年だが、それ以前からビデオソフトは作られていた。

1970年に、ニッポン放送の子会社でありビデオソフト市場にいち早く進出したポニー取締役社長が「1977年には日本のビデオ産業は5000億円市場になる」と演説したことで、ビデオ業界は一躍盛り上がりを見せた。1971年にビデオ時代の到来を語った『走れビデオ産業――ビデオで儲かる百項目』（森口以佐夫、文藝春秋）には当時の状況がこう書かれている。

ビデオパッケージに名乗りを上げた、日活にしろテイチクにしろ、そしてポニーも、売れているのは成人娯楽用といわれる「ピンクテープ」である。

さらに、その主な顧客が「全国の温泉マークとモーテル」だと述べられている。こうした宿泊施設の有線テレビで「ピンクテープ」が流されていたわけだ。

では、これがなぜAVのはじまりとされていないのかといえば、この「ピンクテープ」は既存の成人映画をビデオ化したものだったからだ。しかし劇場公開用の映画をテレビサイズで映すと画面の比率が違うため、両端が切られてしまうといった問題から「ピンクテープ」用の撮り下ろし作品が作られるようになる。オリジナルで制作できるほど、当時は「ピンクテープ」の需要があったということだ。

この「撮り下ろしピンクテープ」も当初は成人映画と同じ16ミリフィルムで撮影されていたが、次第にVTR撮影へと移っていく。こうした撮り下ろしピンクテープを作っていたのが、後にAV監督として一時代を築くことになる、代々木忠だった。

1972年、その代々木忠が監督した『ワイルドパーティ』『火曜日の狂楽』を含む4本の日活撮り下ろしビデオ作品が日活関西支社で徳島県警に摘発されてしまう。これをきっかけに、東映、日活、ジャパン・ビコッテといったソフトメーカーが自主規制団体として成人ビデオ自主規制倫理懇談会（後のビデ倫）を発足させることになる。ビデ倫も当初は、

販売用作品を審査するのが目的の規制団体ではなかったのだ。

またこれらのメーカーは摘発の事実を重く受け止め、当面の間、撮り下ろしオリジナル作品の制作を中止し、映倫の審査を受けた成人映画をビデオソフト化したものだけを販売する方針を打ち出した。そのため70年代後半に家庭用ビデオデッキが販売され、販売用ビデオソフトが注目されるようになっても、しばらくの間は成人映画をビデオソフト化したものしか販売されなかったのだ。

成人ビデオ自主規制倫理懇談会の、1973年の年間審査数は180タイトル。審査済シールの発行枚数は5900枚だったという。

それは「生撮り」と呼ばれた

ではなぜ『ビニ本の女 秘奥覗き』と『OLワレメ白書 熟した秘園』を、AV第一号と呼ぶようになったのか。それは何をもってAVを定義するかという話になる。

ライターの藤木TDCは著書『アダルトビデオ革命史』(幻冬舎新書)のなかで「狭義のAVは基本的にビデオカメラで撮影された映像で、なおかつビデオテープやDVDの形での販売・レンタルを第一目的にした作品群のことを指す」と定義づけている。したがって、宿泊施設で放映するための「ピンクテープ」や、成人映画をビデオソフト化したものは、ここには入らないということになるわけだ。

AVの歴史をまとめた記事としては最初期のものになると思われるのが、『ビデオプレス』（大亜出版）1983年5月号の「ビデオソフトの登場した日　もうビデオソフトは射程距離!!」だ。この記事では「'80~'81年初頭・ビデオソフト創世紀」から「'83年・ビデオソフトの基礎固め」にいたるまでの、この時点でのAVの歴史を追っており、「AV3年史」ともいえる内容になっている。書いているのは、「アダルトビデオ」の命名者とされるライターの水津宏だ。ここで「初めてビデオ撮影作品が市販される」として挙げられるのが『ビニ本の女　秘奥覗き』『OLワレメ白書　熟した秘園』なのである。

この記事が掲載されている『ビデオプレス』は、日本で最初のAV専門誌だ。創刊はこの1年前の1982年4月。その創刊号を見てみると、まだ国産のAVは数が少なかったこともあり、巻頭特集をはじめ海外ポルノの記事が大半を占めている。

創刊号には、この時点で発売している成人向けビデオソフトを網羅したカタログが掲載されているのだが、前半は「ポルノ・ソフトビデオカタログ」、後半は「生撮りカタログ」となっている。その内訳は「ポルノ・ソフトビデオカタログ」が洋画77本、邦画305本の計382本、そして「生撮りカタログ」が139本。ここで分類されている「生撮り」とは、ビデオ撮影された販売用のオリジナルソフトのことを指している。つまり後のアダルトビデオのことだ。

このカタログからもわかるように、1982年の時点では成人映画をビデオソフト化したタイトルが「生撮り」の3倍近くを占めている。まだまだ主流は成人映画だったのだ。

しかしこの創刊号に掲載されている売上ベスト10ランキング（ビデオソフトの総合総社・日本音光調べ）では、1位が『愛染恭子〜めまい』（日本ビデオ映像）、2位が『SM初体験・早見順子の場合』（宇宙企画）、3位が『SM覗き穴』（GSビデオ）と上位を「生撮り」が独占し、10位内に6本がランクインしている。他の記事でも「いま生撮りビデオソフトが爆発的に売れているという」「特に生撮りものに人気が集中している」といった記述が多い。

その理由としては「映画のコピーの短縮版ではストーリー展開に無理があって、どうしてもオリジナルに負けてしまうという点。そこで、それなら最初からビデオ用にと登場したものが生撮りということだ」と説明されている。この頃のビデオソフトは30分が基本のため、成人映画をソフト化するにあたっては大幅にカットされた短縮版となっていた。また前述のように画面をトリミングしなければならないという問題もあり、ビデオソフトとしては、あまりに不完全なものだったのだ。

アダルトビデオ第一号

話を1981年に戻そう。記念すべきアダルトビデオ第一号、すなわち販売用生撮りビデオ第一号となる『ビニ本の女 秘奥覗き』と『OLワレメ白書 熟した秘園』は、日本ビデオ映像から発売された。30分9800円。

日本ビデオ映像は1979年に設立され、当初は業務用のビデオソフトの製作・販売をしていた。企業の社員教育用のビデオなども作っていたという。同社の成人向けブランドである「みみずくビデオパック」から5月に発売されたこの2作だが、販売用生撮りビデオ第一号とはいうものの、ドラマ物として撮られており、内容的には成人映画を短縮してソフト化した作品と、そう大差のないものであった。出演しているのも青野梨麻、竹村祐佳といったピンク映画やロマンポルノの女優であり、監督もピンク映画を中心に活躍していた稲尾実（深町章）である。

『ビデオプレス』1983年5月号に掲載されている『ビニ本の女 秘奥覗き』の紹介文を見てみよう。

ビニ本専門のカメラマンとその助手が、モデルを相手に痴戯恥態を演じていく。股を開き、秘部をなめるようにしてカメラで覗く。恥ずかしい言葉を投げかけられ、濡れてくるモデル…。ビニ本製作現場の裏舞台を、ビデオカメラが刻明に撮っていくのである。

日本ビデオ映像は、このすぐ後に『ノーパン喫茶の女 いじられたいの』をリリースしている。ビニール本やノーパン喫茶など、当時の性風俗の流行をダイレクトに取り入れる

というAVならではの姿勢は黎明期から変わらなかったのだ。

こうしていち早く販売用生撮りビデオ＝AVの製作・販売に乗り出した日本ビデオ映像は、黎明期のトップメーカーとして成長していく。特に後述する愛染恭子と代々木忠による一連の作品は、AVという市場を確立させたビッグヒットとなったのである。

この頃のAVメーカーは映画会社やレコード会社のビデオ部門や子会社が大半を占めていたが、日本ビデオ映像は脱サラした3名によって設立されたインディペンデントな会社ということもあって、時代の寵児としてマスコミに取り上げられた。業績好調によるボーナス支給額の高い会社として週刊誌の記事にもなっていた。また、セイントフォーや少女隊、志村香などのアイドルのイメージビデオや、藤波辰爾や長州力などのプロレス物、世界の景色を撮影したBGV、さらには菊池桃子主演の『パンツの穴』（1984年）、筒井康隆原作の『俗物図鑑』（1982年）などの映画や『特装機兵ドルバック』（1983年）などのアニメなど、一般向け作品も精力的にリリースしていたが、1985年に倒産してしまう。

女優から素人の時代へ

AV最初のスター、愛染恭子

『ビニ本の女　秘奥覗き』と『OLワレメ白書　熟した秘園』によって、現在に続くAVという新しいジャンルを切り開いた日本ビデオ映像（みみずくビデオパック）だが、その半年後にはAV最初のヒット作ともいえるタイトルを送り出す。それが愛染恭子主演の『淫欲のうずき』である。

愛染恭子は、青山涼子の芸名でピンク映画などで活躍していたが、武智鉄二監督による1981年の映画『白日夢』で主演に抜擢（ばってき）され、佐藤慶との本番行為に挑んだことで一躍有名になっていた。

『淫欲のうずき』は、ピンク映画の監督であり、愛染恭子が所属するプロダクション「アクトレス」の社長でもある代々木忠が監督を務めた作品だった。

ピンク映画よりも格下と見られていた「生撮りビデオ」に、一般的な知名度もある話題の女優、愛染恭子が出演するということは大きなニュースだった。

代々木忠監督の半生を追った『虚実皮膜』（東良美季、キネマ旬報社）で、『淫欲のうずき』を制作するきっかけについて代々木自身が以下のように語っている。それは、代々木と旧知のカメラマン斉藤雅則との会話のなかで生まれたのだ。

［……］そこで色々話をしてて、愛染がもうすごい人気になっていたから、斉藤さんが「もったいないよ、忠さんとこ（アクトレス）のタレントなんだから、愛染で一本撮った方が良いよ」って言ったんだよね。だからまったく売るあてもなく撮ったんだ。

つまり代々木主導の制作で『淫欲のうずき』は撮られたのだ。有名女優の出演作ということで、にっかつからも引き合いがあったが、買取や独占販売といった条件が折り合わず、日本ビデオ映像からの販売となった。『淫欲のうずき』のパッケージを見てみると、企画・制作はアクトレスプロダクション、販売元はみみずくビデオパック・日本ビデオ映像株式会社となっている。パッケージには「『白日夢』の愛染恭子の本番生撮り」が大きく書かれ、タイトルの『淫欲のうずき』はその下に小さく添えられている。完全に愛染恭子のネームバリューに頼った作りだった。

『淫欲のうずき』に続き、『淫乱館の失神夢』『めまい』、そしてバンコクロケの『華麗なる愛の遍歴』、ヨーロッパロケの『華麗なる追憶』と愛染恭子主演・代々木忠監督コンビによる作品は次々と作られ、いずれも大ヒットを記録した。

売れたねぇ。愛染のシリーズはすべて売れた。もうダビングが追いつかないいんですよ。当時はダビング工場なんて本当に少なかったから。だから色んなところに分散して、何とかやった。大変だったという記憶がある。しかも値段が一本一万四八〇〇円とかでしょう、それの四掛けの現金が入ってくる。売り上げ本数は万単位だし。俺達そんな大金今まで見たことないもんねえ。（『虚実皮膜』）

1985年に日本ビデオ映像が倒産した際の記事にも「日本ビデオ映像が危ないのではないのかという噂はすでに昨年の後半から立っていた。売れているタイトルがないからであろうが、誰しも愛染時代［筆者注：愛染恭子、代々木忠氏が活躍していたビデオ映像全盛期をこう呼んでいる］のたくわえがあるから、まだまだ心配はないとふんでいた」（『ビデオ・ザ・ワールド』1985年7月号）と書かれるくらいに、その売上は凄かったということだ。

『ビデオプレス』1982年2月号には、「ビデオ女王・愛染恭子独占インタビュー」が掲載されている。同号掲載の売上ランキングでも1位『淫欲のうずき』、2位『淫乱館の失神夢』、9位『めまい』とベストテン内に3本ランクインしている状況から見ても、愛染恭子は女王の称号にふさわしかった。このインタビューのなかで愛染は「本番女優」と呼ばれることに対して、こう答えている。

私ね、〝本番女優〟って呼ばれることに、べつに抵抗ないんです。

もちろん、佐藤慶さんと実際にセックスしたわけですし。
でも、女優でも誰でもセックスはするじゃない。今は〝本番女優・愛染恭子〟だけれど、ヌードにならない作品に出てれば、そうじゃなくなると思うのね。
本番っていってもいろいろあるし、そう考えると〝本番女優〟なんてつける方がおかしいのかもね。

この発言から当時、いかに「本番」撮影という行為がショッキングであり、センセーショナルだったかということが逆説的にわかるだろう。しかし、「愛染恭子の本番生撮り」をうたっていながら、この一連の作品では実際に本番はおこなっていなかったという。
また、このインタビューで愛染はビデオ撮影の所要時間についても語っている。

ビデオは映画に比べて撮影が早いんですよね。30分ものなら一週間、1時間ものでも十日で撮れちゃう。

2時間以上の作品を半日で撮るという現在のAVの状況からは考えられないほどの贅沢さである。

宇宙企画の登場

『淫欲のうずき』の発売から1カ月後の1981年12月25日には、宇宙企画から『女子大寮ルポ・風呂場レズ』が発売されている。監督は中村幻児。ピンク映画の鬼才と呼ばれ、筒井康隆原作の『ウィークエンド・シャッフル』などの一般映画も手掛けている。

そして宇宙企画はビニ本、自販機本などを作っていた山崎紀雄が「これからはビデオの時代だ」という先見の明で設立したメーカーだった。中村が南米系のストリッパーをビニ本のモデルとして山崎に紹介して以来の付き合いだったという。

宇宙企画の第一作、第二作の制作を中村は依頼された。中村幻児による未発表の手記「わがAVに関する雑感」によれば、山崎からのオーダーは「手垢のついた女優ではなく現役の女子大生を出演させ、きれいな映像と音楽で構成して欲しい」というものだった。提示された制作費は、1作品250万円で女性出演者のギャラは20万円。当時のピンク映画での女優の出演料は1日2万円が相場だったというから、破格の条件だ。

内容は他愛もないものだった。原宿の街や某大学の構内でロケしたり、マンションでシャワーを浴びたりするシーンを重ねながら、女の子の日常生活や性体験をカメラに向かってフリートークで語りかけ、愛らしくオナニーをする。最後は満足そうにカメラに微笑んでジ・エンド。ちょっとエッチなイメージビデオのようなものだった。

実は、最初は全く内容が違うシナリオだったのだ。主演の女の子が、まるで芝居ができ

ず、何度やってもNGの連続だった。中村は現場主任とふたりで頭を抱えて、撮影を続行するのは不可能との結論を出す。ところが、山崎から「内容は一任するから撮影は続行せよ」と厳命されてしまう。仕方なくヤケクソで、急遽インタビュー形式の性告白物に変更したのである。

2作目も同じような内容で、女のコにはSMの性癖があり、嘘の性体験をまことしやかに告白し、最後はやるせなく真紅の縄を体に巻きつけオナニーしながら微笑んで終わる。

ビデオの画面を見つめる寂しい男と、画面の中の愛くるしい女のコがバーチャルな関係で結ばれ、覗き部屋的な相互の擬似セックスによって射精に導くという内容になった。言ってみれば「動くビニ本」を撮ったのである。

（中村幻児「わがAVに関する雑感」）

これが第一作の『女子大寮ルポ・風呂場レズ』、そして第二作の『田中千鶴子のSM初体験』となる。ここから「女子大生素人生撮りシリーズ」がはじまった。ただの素人女性で演技ができなかったために「インタビュー形式の性告白物」、つまりドラマではなくドキュメントタッチの作品へと路線変更を余儀なくされたわけだが、それが結果的に「生撮り」というAVならではの新しい方向性を切り開くこととなった。

AV第一号とされる『ビニ本の女 秘奥覗き』『OLワレメ白書 熟した秘園』にしても、愛染恭子・代々木忠コンビの一連の作品にしても、あくまでもドラマ中心の成人映画の文法の延長にある作りだった。そして女優にしても、愛染恭子を筆頭に、美保純や小森みちこなどピンク映画やにっかつロマンポルノで活躍していた女優が人気を集めていた。つまり、成人映画の簡易版とでも呼べる位置づけだったのが黎明期のAVだった。そこに楔を打ち込んだのが「女子大生素人生撮りシリーズ」だったのである。

しかし、宇宙企画にしても最初からヒットしたわけではない。なにしろ、まだビデオデッキも普及していない時期である。圧倒的なネームバリューを誇った愛染恭子出演作とは違い、無名の素人モデルの出演作はショップでもなかなか扱ってもらえなかったという。

その風向きが一気に変わったのが、1982年発売の『私の放課後』だ。「女子大生素人生撮りシリーズ」に続く「女子高生素人生撮りシリーズ」の第一弾であり、主演は水沢聖子。この作品を『東京スポーツ』が松田聖子のそっくりさんが出演していると記事にした。

そのモデル名からも松田聖子を意識しているのはわかるが、実際に見てみると髪型以外はそう似ているとも思えない。しかし、それでも話題になった。セーラー服のスカートをめくりあげての放尿シーンもインパクトがあったようだ。

この作品をきっかけに宇宙企画は注目を集めはじめた。わずか数十万円だった月の売上

は、9000万円にもなり、宇宙企画は設立7カ月にして年商数億円を売り上げる会社となったのだ。「これからはビデオの時代だ」という山崎の予感は当たったわけだ。

宇宙企画はさらに「女子高生素人生撮りシリーズ」の第二弾として『美知子の恥じらいノート』を発売する。監督はイメージフォーラム映像研究所出身の小路谷秀樹。機動力に優れたビデオカメラならではの特性を活かしたドキュメント手法による作品であり、中村幻児が『女子大寮ルポ・風呂場レズ』で見せた手法をさらに押し進め、その後のAVのスタイルに大きな影響を与えることとなった。

小路谷秀樹は黎明期のAV業界における重要な監督のひとりであり、彼の生み出した手法の多くが、日本のAVのスタイルとして定着していく。

オナニーと裏ビデオ

『ドキュメント　ザ・オナニー』の衝撃

1982年に入ってすぐに、自販機本（自動販売機で販売するためのエロ本）、ビニール本などを手掛けていた群雄社出版がVIPエンタープライズとして『48時間の裸体』『死虐の室』を発売し、AV業界に参入。

続いてサム・ビデオ・センターが『紫痕』、日本ビデオ出版が『くい込み地獄』を発売。六本木の会員制SMクラブを母体とするサム・ビデオ・センターはもちろん、VIPエンタープライズや日本ビデオ出版の作品も全てSM物だった。

この時期のAVは、まだマニア向けという性格が強く、SM物の人気が高かった。後に美少女系メーカーとして知られるようになるメーカーも、当初はSM物をリリースすることが多かったのだ。

4月には『狂った果実／狂熱の乱交』（日本ビデオ映像）で美保純がビデオデビューを飾る。美保純は、1980年に「ディスコ・クィーン・コンテスト」で優勝。1981年には、にっかつロマンポルノ『制服処女のいたみ』に主演するなど、すでに人気の高い女優だったこともあり、『狂った果実／狂熱の乱交』をはじめとするビデオ出演作は軒並みヒット

を記録。この時期は愛染恭子と美保純の二強時代といわれるほどだった。

しかし1982年のAVにおける最大のヒット作は8月に日本ビデオ映像から一挙7本が発売された「ドキュメント ザ・オナニー」シリーズであった。監督は愛染恭子とのコンビでヒットを飛ばしていた代々木忠。シリーズ第一作となる『主婦・斉藤京子(25才)』は、なんと8万本という驚異的なセールスを記録した。

「ドキュメント ザ・オナニー」シリーズは、代々木監督が女性にインタビューをして、その流れでオナニーをしてもらうところまでを撮影するというドキュメントタッチの作品だ。しかし、この企画は実は最初から予定されていたものではなかったのだ。代々木が愛染恭子とのコンビで作った一連の作品は「本番生撮り」とうたわれていたものの、実際には疑似だったという話から、それははじまる。AV専門誌『NAO DVD』2009年6月号(三和出版)に掲載された二村ヒトシ監督との対談のなかで、代々木はその顛末(てんまつ)をこう語っている。

代々木[……]おれも本番を撮ってみたいって思っていて、出来る子を探してたんだよ。その頃、うちでやっていたモデルプロダクションで、本番できる子いないかって聞いたら、一人いた。それが西川(小百合)って子。やってもいいって言ってくれたんですよ。

二村　それほど当時は、カメラの前で本番をするってことは大変なことだったんですね。

代々木　最初は本番シーンのあるドラマ物を撮るつもりだった。ちゃんと台本もあってね。ただ同時にメイキング用のサブカメラも回してたんだ。やっぱり、その頃、女の子が本番をやるってことは大きな決意がいるから、心の迷いとかを追っておこうと思ってね。でも、この子もいざ本番って時になって、やっぱり出来ないなんて言い出した。

二村　うーん、今からは考えられないですね。

代々木　じゃあ中止というわけにはいかない。そこで話しているうちに、オナニーなら出来るだろうって流れになった。

二村　オナニーのドキュメントになったのは、偶然の産物だったんですか。

ナンバリングでは『主婦・斉藤京子（25才）』が第一作となっているが、最初に撮影されたのは第三作の『女高生・西川小百合（18才）』だった。ちなみにこの西川小百合はこの後、西川瀬里奈と改名し『団鬼六 少女木馬責め』（にっかつ、1982年）などの成人映画で活躍する女優となる。

代々木　そう。それで実際に撮ったら、すごくいやらしいじゃない？　本気でオナニーしてくれて、ベトベトになってた。それまでドラマだったから、オナニーもセックスも形だけだったんですよ。カメラにどう映っているのかが重要で、こう見せればいいとか、喘ぎ顔はこうがいいとか、演技をさせてたんですね。当時はそれがいやらしいと思っていた。でも、オナニーを撮ってみたら、すごいんですよ。撮りながら、おれも勃ってくるわけよ。今、振り返ると、あの子とセックスしていたんだね。

二村　会話でセックスしていたと。

代々木　それまで、その子で撮ったドラマパートは全部没にして、メイキング用にまわしてたサブカメラをメインにしたんだ。オナニーをもっと見てみたい、もっと撮りたいと思って、とりあえず6～7人キャスティングして、立て続けに撮った。センズリを覚えたての男の子みたいに夢中になって（笑）。（同前）

それまでの成人映画で観ることのできたセックスは、あくまでも女優と男優による演技だった。それは「本番生撮り」とうたわれているAVにおいても同じだった。女優は感じている演技をしているだけであり、それこそが彼女たちが「女優」であるというアイデンティティだった。そこに、オナニーで本当に感じている女性の姿が登場したのだ。監督である代々木が夢中になったほどだ。それまで演技の「感じている姿」しか観たことがなかった当時の視聴者には凄まじい衝撃であった。

「ドキュメント ザ・オナニー」が大きな話題となり、空前のセールスを記録したのも当然だといえよう。この瞬間、AVはそれまでの「成人映画の延長」とは別のスタイルを確立したのだ。しかし「ドキュメント ザ・オナニー」の知名度を一気に高めたのは、このシリーズを再編集して上映された成人映画版『THE ONANIE』（ミリオンフィルム、1982年公開）だったというのは皮肉な話である。当時は、まだビデオデッキの普及率も低かったために、成人映画館でこの作品を観たという人も多かったのである。

裏ビデオと表ビデオ

1982年のヒット作としては、「ドキュメントザ・オナニー」シリーズ以上に話題となり、それ以上の本数が出回った『洗濯屋ケンちゃん』がある。当時の一般的な知名度は、こちらの方が上だろう。

ただし『洗濯屋ケンちゃん』は裏ビデオである。裏ビデオとは、非合法に流通する無修正のポルノビデオのことだ。ブルーフィルムのフォーマットがビデオへと変わったものだともいえるが、サイト「うらびでおウィキ」を運営する昭和裏ビデオ研究家のTAKA氏によれば、国内でブルーフィルムが作られていた時期から裏ビデオが制作される時期ま

でにブランクがあることなどから、それらを作っていたグループは全く別だと考えられるという。

無修正のビデオとしては70年代半ばに「ラブホテル消し忘れビデオ」が流通したのが最初といわれている。これは当時のラブホテルにはビデオカメラが設置されていて、利用者が自分たちの行為をビデオで撮影して観ることができるサービスがあり、本来なら消去されるはずのその映像が、消し忘れたことにより流出したというものだ。

『ビデオプレス』1982年7月号掲載の「男と女が演出するラブホテル考」は、そうしたカメラを使って自分たちの行為を撮影しようという趣旨のハウ・トゥ記事だが、「いまのラブホテルのほとんどはVTR完備のところが多いので、結構簡単にビデオ体験ができるようになってきた」と書かれており、カメラ備えつけのサービスがこの当時は珍しいものではなかったことがわかる。また、70年代にはほかに、海外のポルノ映画をビデオ化したものも流通していた。欧米ではすでにポルノが解禁されていたためだ。

国内で制作された初の裏ビデオといわれているのが70年代末に関西で作られた『星と虹の詩』だ。この時期にはさらに『朝一番』『遊蕩（放蕩）』『溜息』という作品も作られ、これらは関西三部作と呼ばれている。TAKA氏が入手した『朝一番』を筆者も拝見したのだが、作りとしてはストーリーもなく、ただセックスしているだけの末期ブルーフィルムのようなものであった。

80年代に入ると関西から東京へと制作の中心が移っていく。それまで裏本を制作していたグループが映像にも手を出すようになったようだ。映画やテレビのスタッフがアルバイト的に撮影に関わっていたという。

そんななかで1982年に作られたのが『洗濯屋ケンちゃん』である。クリーニング屋の青年ケンちゃんが、得意先の妾（めかけ）女性をデートに誘い、海辺の草むらで青姦にいたるのが前半。後半では友人の彼女を騙してラブホテルに呼び出してレイプするという二部構成となっている。

にっかつなどで活躍していたスタッフたちの手によるものということもあり、映像、演出ともに完成度も高く、『洗濯屋ケンちゃん』は一気に話題となった。一説によれば、その販売総数は13万本、売上は十数億円に及ぶということだが、これはダビングされた商品が出回ったためで、制作グループが卸した正規版はわずか200本だったそうだ。

同時期に、やはりプロの撮影スタッフの手による『IN SHOOT 恐怖の人間狩り』など、クオリティの高い作品が作られたことから、裏ビデオはブームとなっていく。80年代前半においては、裏ビデオの方が有名であり、正規のAVは「表ビデオ」などと呼ばれていた。

ビニ本、裏本、そしてビデオなどのアダルトメディアを扱う情報誌であった『オレンジ通信』（東京三世社）や『アップル通信』（三和出版）でも、この時期は裏ビデオの方の扱いが大きかった。やはりアダルトメディア情報誌であった『ボディプレス』（白夜書房）の

1985年9月号を見ると、アダルトメディア評論家の奥出哲雄が「今回、BP誌で表ビデオの特集をやると聞いた時、これはまた売れないだろうなと即座に思った」などと書いている。「表ビデオ」という表現は1985年の時点においても使われており、まだまだ裏ビデオの方が注目されていたのである。

AVアイドルの誕生とアダルトアニメの隆興

最初のAVアイドル・八神康子

日本初のAV専門誌として1982年に創刊された『ビデオプレス』の創刊一周年記念として実施されたのが「第一回ビデオ・クィーン・コンテスト」だ。読者投票によって、人気ナンバーワンのAV女優（当時はビデオ女優などと呼ばれていた）を決めるという企画である。その初代ビデオ・クィーンに選ばれたのが八神康子だった。

八神康子は、1982年に二見書房から発売された素人女性のヌード写真集（セミヌードまでの子もいたが）『隣りのお姉さん100人』の人気投票で1位を獲得し、1983年に『隣りのお姉さん』（ポニー）でAVデビューした。その後も数多くのAVに出演して人気を高めていき、1985年には『ひとり寝のララバイ』（ビクター）でレコードデビューを果たす。さらにはテレビドラマ『毎度おさわがせします』（TBS系）などにレギュラー出演するなど芸能界でも活躍することになる。

しかし「第一回ビデオ・クィーン・コンテスト」が開催された1983年の時点では、AVに出演しているだけの無名の新人女優に過ぎなかったのだ（実は『隣りのお姉さん100

人』以前にもヌードモデルとしてビニ本などに出演していたのだが)。

「第一回ビデオ・クィーン・コンテスト」の2位以下の順位を見てみると、2位・美保純、3位・小森みちこ、4位・愛染恭子、5位・朝吹ケイトなど、ロマンポルノ女優の名前が並んでいる。

80年代前半の時点では、にっかつロマンポルノがアダルトメディアの王者であり、ロマンポルノ女優がオナペットの最上位クラスに位置づけられていた。そのため、AVにおいてもロマンポルノ女優の出演作は別格の人気を誇っていたのである。

しかし「第一回ビデオ・クィーン・コンテスト」では、AVを中心に活動していた八神康子が1位を獲得したのだ。AV専門誌の人気投票ということで、ある種のバイアスがかかっていたともいえるが、それでも当時すでにテレビでも活躍していた美保純や、元アイドルの小森みちこ、そして絶対的女王であった愛染恭子を抑えて八神康子がクィーンに選ばれたのは大きなニュースであり、アダルトメディアの勢力図がこれから大きく変わることを予感させる事件であった。

しかも八神康子は、その後の第二回、第三回と「ビデオ・クィーン・コンテスト」を連覇していくのだ。『ビデオプレスDELUXE Vol.2』(大亜出版)での第三回ビデオ・クィーン・コンテストでクィーン三連覇を果たした際の紹介文を見てみよう。

八神康子、V3決定!!　第3回のビデオ・クィーン・コンテストのこの結果は、考えてみれば当然といえばトーゼンといえる。
他の女優たちが映画、TVを中心に活躍しているのに比べ、ビデオのみに力を入れ活動する八神康子。彼女以外にクィーンにふさわしい女優は、ちょっと思い浮かばない。
［……］
彼女の最大の魅力である笑顔とあどけなさをなくさない限り、ビデオ・クィーンの座は当分ゆらぎそうにない。八神康子の魅力は無限大だ。

第三回ビデオ・クィーン・コンテストでは、準クィーンが井上麻衣、ビデオアイドル賞が可愛かずみ、新人賞が北原ちあき、ベストプレイヤー賞が岡本かおりと、相変わらずロマンポルノ女優が独占していることから考えても、AV中心の活動をしている八神康子の人気は異例のものだったのだ。八神康子は日本最初のAVアイドルなのである。

もうひとつ八神康子の特徴として挙げられるのが、彼女が「オナニークィーン」の異名をもっていたことだ。AVデビュー作となる『隣りのお姉さん』は、前半が八神康子、後半が岡田麻喜の出演するカップリング形式の作品だ。

ある商事会社に勤めているOLの八神康子は、夜に水商売のバイトをしている。客に太ももをさわられるなどのセクハラをされた康子は帰宅して、その感触を思い出してオナニーをしてしまう、というのが八神康子パートの内容だ。さらに唐突に『隣りのお姉さん100人』に出演したきっかけとなった渋谷の公園通りでのスカウトや、写真集の撮影シーンの再現映像などがインサートされたり、八神康子とすれ違った男子中学生が書店で『隣りのお姉さん100人』を立ち読みするというメタ演出のシーンがあったりする。原作として『隣りのお姉さん』(二見書房)がクレジットされているゆえのお遊びなのだろう。本作では八神康子も共演の岡田麻喜もオナニーを見せるだけでセックスシーンはない。

さらに次作の『ウィークエンドオナニー』(ボルドー)もタイトル通りにオナニーのみ。続く『愛・ラブ・サマー』(ボルドー)ではオナニー中心ではあるが、女性とのレズシーンを見せ、その次の『プライベート・ルーム』(日本ビデオ映像)でようやくソフトな男女のカラミを解禁した。

しかしその後も八神康子といえばオナニーという印象は強く、オナニーを中心とした作品が次々と作られていった。「ドキュメント ザ・オナニー」シリーズの大ヒットの影響も感じられるが、この時期にはむしろオナニーの方が、演技くさいセックスシーンよりも生々しいという意識があったのかもしれない。AVを黎明期から見ていたライターの水津宏は、『80年代AV大全』(双葉社、1999年)のなかで八神康子の存在をこう書いている。

人気女優でありながら、映画の匂いをもたない、しかもぎこちない演技の八神康子。それは、「生撮り」という言葉の持つイメージとピタリと合った。彼女の作品がヒットした一番大きな理由はそこにある。それに気づいたビニ本系ビデオ・メーカーは、旧来の「女優」と言う言葉の概念を変え、生撮りに合ったシロウトの「女優」を作り始める。そして、それはやがて旧来の「女優」に頼っていた映画系ビデオ・メーカーを崩壊へと導き、現在のアダルトビデオの原型を作る。

八神康子は、実にエポックメーキングな存在であったのだ。

AVの、成人映画からの脱却は確実に進みつつあった。

「美少女本番」が変えたもの

八神康子が三連覇を果たした第三回ビデオ・クィーン・コンテストで最優秀作品賞を受賞したのが『ミス本番・裕美子19歳』（宇宙企画）だった。

圧倒的な支持で、見事裕美子がNo.1

第3回にして、初めて女優が出演していない生撮りが最優秀作品賞に輝いた。

それだけ、この作品の主役である素人美少女・田所裕美子の可愛らしさが、プロである女優を凌いだともいえる。

しかし、それだけでは、最優秀に選ばれる程のヒットを呼ばなかったであろう。最大の要因は、本当に素人らしい彼女の、大胆にも、簡単に本番をさせてしまった意外性といえる。こんなにあどけなく、フツーの娘でもやっぱりあんなことやるんだなぁ、という素朴な興奮。ビデオ・ファンでないと味わえないトリップを裕美子の喘ぎは与えてくれた［……］。

（『ビデオプレスDELUXE』Vol.2）


拙著『痴女の誕生』（太田出版、2016年）で取材したAVライターの沢木毅彦は『ミス本番・裕美子19歳』を観た時の衝撃をこう語っている。


「ホントにこんな可愛いコがアダルトビデオに出てるのかって、信じられなかったね。彼女には、それまでAVに出てた女の子とは全然違う可愛らしさがあったんだ」

「それまでのコは、どんなに可愛くても、風俗嬢っぽいというか、プロっぽいムードがあったんだよね。でも、田所裕美子は本当に素人っぽかった。もしかしたら処女なんじゃないかって思わせるほどだった。そんな女の子がビデオカメラの前で、裸になって、セックスを見せるなんて、ありえないと思ったよ」

1983年に創刊した『ビデオ・ザ・ワールド』（白夜書房）は、2013年まで30年の長きにわたって刊行された日本を代表するAV雑誌だ。AV専門誌としては1982年創刊の『ビデオプレス』に次いで2番目となる。

その創刊号（1982年11月号）のヌードグラビアに田所裕美子が登場している。キャッチコピーすらなく、最後のページの下に「田所裕美子ちゃんの本番ビデオが10月中旬に宇宙企画より『ミス本番裕美子19才』（30分12000円）で発売されます」と書かれているのみ。

田所裕美子が誰なのか、全くわからない。実際、田所裕美子は『ミス本番・裕美子19歳』以前の活動歴のない、全くの素人女性だったのだ。

80年代の宇宙企画黄金時代を支えた監督であるさいとうまことは、こう証言している。

> 連れてきた女性というのが、いわゆるモデル斡旋業のひとじゃなかったんだよね。だからまぁ、宇宙におまかせしますみたいな感じだった。
>
> （東良美季『アダルトビデオジェネレーション』メディアワークス、1999年）

田所裕美子が業界に通じたプロダクションの所属ではなかったということが、宇宙企画にとっては幸運となった。この時期において、まだまだ「本番」はハードルの高い過激な行為だったのだ。本番を売りにしたAVはたくさん販売されていたが、その多くは疑似本番だった。

映画『白日夢』での本番撮影で名を上げた愛染恭子が、AVでは疑似本番しかせず、またその愛染恭子と名コンビであった代々木忠監督も、モデルに直前で本番撮影を拒否されたがゆえに「ドキュメントザ・オナニー」が生まれたという経緯を思い出して欲しい。

田所裕美子クラスの可愛らしいルックスの「上玉」モデルであれば、本来ならば本番はありえなかったのだ。しかし彼女も、彼女をAVに紹介した女性も当時の業界の常識を知らなかったため、スタッフにいわれるがままに本番撮影を受け入れてしまったのだろう。

こうして、清楚な素人美少女による本番AV『ミス本番・裕美子19歳』は1984年1月に発売され（『ビデオ・ザ・ワールド』には1983年10月と告知され、ビデ倫の審査番号が83688となっているところを見ると発売が遅れたようだ）、2万本という大ヒットを記録した。

それから宇宙企画は「ミス本番」シリーズや「私、本当に××しちゃった」シリーズなどで、「可愛い女の子が本番をする」という路線を突き進み、次々とヒットを飛ばす。そうなると、当然のように他のメーカーもこれに追随。「本番」「美少女」をタイトルにつけた生撮りシリーズが市場にあふれた。

ピンク映画の名づけ親でもある村井実による『ビデオプレス』１９８４年3月号掲載の「84年、アダルト・ビデオは変革する」という記事からは、この時期のＡＶ業界の勢力図の変動、すなわち成人映画陣営の衰退が見て取れる。


去年の暮、にっかつは9人の女優と専属契約した。にっかつに出演している女優たちがつぎつぎと、ポルノビデオに出演してそれが売れているので影響甚大なのだ。

ポルノビデオが売れれば、にっかつロマン・ポルノの上映館はあがったりだ。

そこで、女優に、専属料を払い他社作品やポルノビデオに出演しないように縛り付けておくというわけだ。

つまりポルノビデオ業界に対する牽制球である。


70年代からアダルトメディアの王座に君臨していたにっかつロマンポルノの危機感が伝わってくる。これが『ミス本番・裕美子19歳』ヒット前に発表された戦略であることを差し引いても、にっかつが時代とズレてしまっていることがよくわかる。

もはやＡＶは「女優」の時代ではなくなっていたのだ。素人っぽい可愛らしい女の子の生々しい痴態こそが、この時のＡＶユーザーに求められていたものだったのだ。ちなみに80年代、AVに出演する女性モデルは、AV女優ではなくビデオギャル（ビデギャル）と呼ばれていた。演技力が求められる女優ではない、というニュアンスがその名称から読み取れるだろう。

AVの内容も黎明期に見られた成人映画的なドラマ仕立てのものから、ドキュメント性を重視した作品が中心となっていく。そうなると、それまで優位に立っていた成人映画系メーカーには、アドバンテージがなくなってしまう。以降のAV業界は、宇宙企画（ハミング社）、KUKI（九鬼）、VIP（群雄社出版）などのビニ本系を中心とする新興メーカーが主流となっていく。

そして、にっかつロマンポルノは、1985年に本番やVTR撮影を売りにしたAV的な「ロマンX」をスタートさせるなど方向性を模索するものの、1988年にロマンポルノ自体の製作を終了することになる。

かつてのアダルトメディアの王者は、こうしてその座から降りていった。

驚異のアダルトアニメ

1984年のもうひとつの大きな事件がアダルトアニメの台頭だった。

昭和初期に早くも日本初のアダルトアニメ『すゞみ舟』（1932年）が作られていたように、日本人にとって、アニメで性を描きたいという欲望は強かったのだろう。60年代末から70年代にかけて手塚治虫率いる虫プロダクションが『千夜一夜物語』などの大人向け劇場アニメをヒットさせたり、東映が成人指定のポルノアニメ『㊙劇画 浮世絵千一夜』（ともに1969年）を制作するなど、アダルトアニメへの試みは古くからあった。

オリジナルビデオのアダルトアニメの第一号は、1984年2月に発売された『雪の紅化粧・少女薔薇刑』（ワンダーキッズ）である。中島史雄の漫画をアニメ化したもので、第二弾の『何日子の死んでもいい・いけにえの祭壇』までは原作のタッチを活かした劇画調であったが、3作目の『仔猫ちゃんのいる店』からは、アニメ調の絵柄に大きく変化させた。

時流にあわない劇画調だったため、1、2作目は売れなかったといわれているが、AV専門誌『ビデパル』（東京三世社）1985年1月号掲載のインタビューを見ると「第一、二弾が5000本、三弾が8000本」と述べられているので、最初の2作も十分ヒットしていたようだ。やはり「アニメのエロ」に対するニーズは高かったのだ。

そしてこの年、記録的な大ヒットとなったのが『くりいむレモン』（フェアリーダスト／創映新社）だった。こちらも『ビデパル』1985年1月号掲載のフェアリーダストへのインタビューを見てみよう。

――売れていますね。どのヒットチャートを見ても『くりいむレモン』が第一

位です。

F 我々はこれまでマクロスとかうる星やつらとか手がけてきました。ポルノというよりアニメの延長ということでやってますから、単にエロアニメとは思ってません。これが一般のニーズに応えることができた理由だと思います。

――実際どれくらい売れてますか。

F 一万本は超えてますから。年内に15000は行くのではないかと。

――2タイトルともに。

F はい。両方で30000。我々も非常にびっくりしてます。まさかこんなに出るとは。……はじめは5000本を目安にしてましたから。もう一ヶ月で一万本いきましして。すごいパワーですね。

ちょうど盛り上がりを見せていたアニメブーム、ロリコンブームとシンクロするかたちでアダルトアニメブームは過熱し、それまでのAVとは全く違う層のユーザーを開拓することとなった。こうなると当然、他社も続々と参入し、アダルトアニメは一気にブームとなる。ピークとなる1985年には、2作目以降は一般作としてシリーズ化された『ドリームハンター麗夢』(オレンジビデオハウス)や、そのあまりにもシュールな展開で現在ではカルト映画扱いされている『内山亜紀のおもらしゴッコ』(にっかつ)など、名作・怪作が入り乱れた30本以上の作品が発売されている。

なかでも『くりいむレモン』は、ラジオ番組や書籍、ゲーム、レコードなどのマルチメディア展開をしたこともあり、中高生のファンも多かった。特に第一作『媚（ビー）・妹（マイ）・Baby』のヒロインである亜美は、多くの続編や関連作が作られ、1986年には一般向けの新作まで劇場公開されるなど、アイドル的な人気を得た。

しかし『ビデパル』のインタビューで驚かされるのは、アダルトアニメの制作費だ。ワンダーキッズの「制作費は1500万円」「セル画は8000枚」、フェアリーダストは「2000万円。3、4は音楽をハイファイにしているので500万くらいオーバー」「（セル画は）1、2は6000枚。普通テレビでは3000～5000くらいですから使ってるほうです。3、4は通常枚数より大幅に出ちゃって、4なんか8000枚超えちゃって……」と答え、インタビュアーも「25分で8000枚！」と絶句している。

これだけの制作費がかかるとなれば、外れた時のダメージも大きい。多くの制作会社は数年のうちにアダルトアニメ市場から撤退していったが、『くりいむレモン』はリニューアルを繰り返しながら、21世紀までそのブランドを維持した。

その後、アダルトアニメは前田俊夫原作による「超神伝説うろつき童子」シリーズ（ジャパン・オーディオビジュアルネットワーク、1987－1996年）に代表される触手物のブームを経て、90年代後半より、成人向けパソコンゲーム（美少女ゲーム）をアニメ化したものが

中心となっていき、さらに無修正の海外発売版も制作されるなど、独自の進化を遂げていった。

第3章

AVブームの到来

メジャー化に向かうアダルトビデオ

黎明期の終わりと黄金期の始まり

AVが誕生した1981年には、わずか5・1%に過ぎなかった家庭用ビデオデッキの普及率が1984年には18・7%、そして翌85年には一気に27・8%にはねあがる。全体の3割近い家庭にビデオデッキが置かれるようになったのだ。

これはビデオデッキの低価格化、そしてレンタルビデオ店が急増したことが理由だった。20万円もしたビデオデッキが、初の10万円機であるナショナルのNV-U1（愛称：マックロードYOU、1985年）の発売をきっかけに低価格戦争に突入。またそれまで1本1万円以上という価格で購入しなければならなかったビデオソフトがレンタルビデオ店で安価で借りられるようになった（とはいえ、初期はレンタル代も1000円以上とかなり高価であったが……）ことは大きかった。

ビデオソフトのレンタルはそれ以前にも違法におこなわれていたのだが、1983年に日本ビデオ協会が、メーカーから許諾を受けた個人向けレンタルビデオシステムを発表し、合法的なビジネスとなったのだ。これによりレンタルビデオ店が急増。ビデオソフトは買うものから借りるものへと、その消費形態が移り変わり、一気にユーザー層が広がった。もちろんAV業界にとっても、それは追い風となった。それまで一部のマニアが買うものであったAVが、ライトユーザーも観るものへと変わっていったのだ。またユーザー層も裕福な中高年から、若者へとシフトしていった。

そうなるとAVの内容もSMなどのマニアックなものから、若くて可愛らしい美少女モデルが出演するものが中心となっていく。前章で書いた「美少女本番」物や、「美少女アニメ」のブームはこうした状況が背景にあったのだ。また、状況の変化は業界の勢力図にも影響を与えた。AVの黎明期を支えたトップメーカーであった日本ビデオ映像や、八神康子の出演作など多くのヒット作を生んだボルドー、パロディ物を得意としていたボックスランドなどのメーカーが次々と倒産。その一方で勢力を伸ばしていったのが、「美少女本番」物で独走する宇宙企画、そしてその宇宙企画のソフト路線に対抗するようにハードな路線を追求するSAMMだった。

1985年にはそれまで三連覇を果たしていた八神康子のビデオ・クィーン（『ビデオプレス』ビデオ・クィーン・コンテスト）の座を竹下ゆかりが奪取するという事件もあった。竹下ゆかりは歌舞伎町のファッションヘルス店で働いたり、ビニ本のモデルとして活躍した後、1984年に『私を女優にして下さい「何でもやります」』（宇宙企画）でデビュー。

実は風俗嬢時代に、エルザという源氏名で『ビデオスキャンダル1 個室アイドル戦争いかせてあげる』（VIP）にも出演しており、この作品の監督である高槻彰にスカウトさ

れたことがAVデビューにつながっている。また竹下ゆかりは『オレンジ通信』（東京三世社）の1985年度の読者が選ぶモデルベスト1位にも選ばれている。彼女が1985年という年を代表するAV女優であったことは間違いない。

愛くるしい顔立ちでありながら、デビュー作のタイトルの「何でもします」に象徴されるようにハードなプレイもこなした竹下ゆかりが、オナニーがメインでありソフトなカラミしか見せることのなかった八神康子を女王の座から追い落としたのは、時代の変化の象徴のようにも思えた。竹下ゆかりがビデオ・クィーンを受賞した号の『ビデオプレス』では、彼女をこのように紹介している。

彗星のようにデビューするやいなや、一気にビデオ・クィーンの座に登りつめた竹下ゆかり。彼女の人気の秘密は、何といってもどこにでもいるような普通の女の子っぽいところだろう。同じ性風俗の出身でも、先輩格のイブと比べてグッと庶民的なのだ。こんな妹がいたら、と思う読者も多いのではないだろうか。女優になるためだったら、たとえ本番だってトライするという現代っ子ギャルらしい突撃精神。幼さとオトナの色気が微妙にミックスされ、その顔からは想像も出来ないような大胆なファックシーンを見せてくれるゆかり。それが見る者のハートを熱くさせずにはおかないのだろう。（『ビデオプレス』1985年3月号）

もっとも竹下ゆかりも、実際にはAV作品では全て疑似本番であったと『オレンジ通信』のモデルベスト1位受賞記念インタビューなどで語っている。アナルファック初体験の苦痛に満ちた表情が話題となり大ヒットした『ゆかりの肛門初体験』（ZAPPA）も当然疑似だったのだが、その事実を知って落胆したファンも多かったようだ。

ゆかり「えーとね、自分の中で想像が色々できるんです。例えば『肛門初体験』だと実際には触られてるだけなんですね。でも実際に『ああ、アレ入ったら痛いだろうな』とか、『こんなことされてもヨがっちゃうんだなァ』とかね。考えるのも面白い」

（『オレンジ通信』1986年2月号）

このインタビューではファンの年齢層を聞かれて「やっぱり高校生、大学生が圧倒的です」と答えており、この当時のAVファンの低年齢化がうかがえる。

竹下ゆかりはAVでのブレイクを機に、『先生、私の体に火をつけないで』などのにっかつロマンポルノ、『毎度おさわがせします』などのドラマ、『オールナイトフジ』などのバラエティ番組にも出演。AV女優がテレビなどの一般メディアに進出する先駆け的存在でもあった。

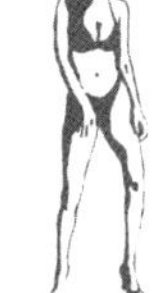

八神康子、竹下ゆかりがAVデビュー以前にビニ本モデルとして活躍していたことはすでに述べたが、1984年の年末には、『マリア』や『少女ケイト』といった裏本で圧倒的な人気を誇っていたモデル、通称マリアが、渡瀬ミクの名前で宇宙企画から『トワイライトゲームス』でAVデビューを果たしている。ただし渡瀬ミクが「マリア」であることは伏せられ、その内容も極めてソフトなものであった。裏本では激しいファックを無修正で見せていたのに、と肩透かしをくらった裏本ファンもいたが、一般的には正統派の美少女モデルとして受け入れられたようだ。

またこの時期には、やはり裏本やビニ本の人気モデルであった滝川真子や、『みえちゃった』『ハッピーバースデイ』などの裏ビデオで、当時としては衝撃的なほどの巨乳を披露して話題となっていた菊池エリなどもAVデビューしている。風俗やビニ本、裏本、裏ビデオなどで活躍した後にAVデビューするというコースができはじめ、そうしたモデルが日活ロマンポルノやピンク映画の女優を凌ぐ人気を集めるようになる。

この時期になると、黎明期のように成人映画の延長ともいえる内容の作品は姿を消し、ビデオ撮影の特性を活かしたドキュメント色が強いものや、イメージ映像を押し出したものが増えており、AVとしての独自のスタイルが確立されていた。メーカーも増加し、ビデ倫の審査本数も月100本を超えた。つまり毎月100タイトル以上のAVが発売されるという状況となったのだ。そうなると出演するビデオギャル（AV女優）の数も膨れ上がっていく。企画や内容よりも、どれだけ人気のある可愛い子が出演しているかが、売上を左右した。メーカーは血眼になって、出演女優を探した。そのなかからAVアイドルともいうべき、人気女優が登場していく。

吉沢有希子の名前で『ミス本番・有希子』（宇宙企画）でデビューし、その後改名して長く活動することになる早見瞳、あどけない顔立ちで人気があった永井陽子、現役女子大生として売り出した森田水絵、演技にも定評があった井上あんり、どこか陰のあるキャラクターが魅力的だった中沢慶子、当時としては珍しくアダルトな雰囲気の美女・中川えり子など、多くの人気女優が1984年末から1985年にかけてデビューした。

そんななかでも特筆しておきたいのが、宇宙企画から『ヒロイン・愛美』でデビューした早川愛美だ。もともとは高田馬場のファッションヘルスに在籍していた風俗嬢で、アメリカ人とのクォーターだというその美貌から超人気ヘルス嬢としてテレビ番組などにも出演し、話題となっていた。

しかしそうした肩書は一切伏せられたかたちでAVデビュー。人気ヘルス嬢としてマスコミに多数登場しており、芸名もそのまま使っているので、公然の秘密という感はあったが、渡瀬ミクが「マリア」であることを隠していたことと同様に、宇宙企画が得意とした「清楚な美少女」というキャラクターづけのためには必要な戦略だったのだろう。

宇宙企画と英知出版の躍進

1982年には『ビデオプレス』一誌だけだったAV情報誌も、1983年に『ビデオ・ザ・ワールド』、1984年に『ビデパル』(フロム出版)、『ビデオエックス』(笠倉出版社)、1985年に『さくらんぼ通信』(ミリオン出版)と80年代半ばには乱立状態となっていた。それまでビニ本や裏本、裏ビデオを中心に扱っていた『オレンジ通信』(東京三世社)、『アップル通信』(三和出版)も、AVに比重を置きはじめていた。

そんななかで最も売上を伸ばしていたのが英知出版の『ビデオボーイ』(1984年創刊)だった。撮り下ろしグラビアに力を入れるなどビジュアル中心の誌面が、他のビデオ情報誌とは異なる魅力であった。英知出版は、『ビデオボーイ』を皮切りに『ベッピン』『デラべっぴん』『すっぴん』『ベッピンハイスクール』などビジュアルに力を入れた雑誌を次々と創刊。印刷の仕上がりにまでこだわったグラビアの美しさは、それまでのエロ本とは一線を画していた。そして何よりも、ノスタルジックな幻想の美少女像を描き出す、その独特なカラーが若い読者から圧倒的な支持を受けた。セクシーよりも清純・清楚。そんな女の子が裸を見せるというギャップが強いインパクトを与えたのだ。

そしてそれは兄弟会社であるAVメーカー宇宙企画のカラーでもあった。英知出版の雑誌や写真集でまずヌードグラビアを公開して人気を高めた後に宇宙企画でAVデビューさせるというメディアミックスの先駆けのような手法で、人気女優を生み出していったのだ。

ただしAVといっても、その内容は極めてソフトなものだった。セックスシーンはもちろん疑似、それどころかセックスシーンすらなく、オナニー止まりという作品すらあった。むしろセーラー服やヌードでのイメージ映像が作品のメインだった。現在なら18禁指定のないイメージビデオのジャンルに含まれるようなソフトな内容ではあったが、それでも宇宙企画のAVはヒットし、宇宙企画の女優はAVの枠を超えた人気を得ていた。

女の子が可愛らしければ、内容が過激じゃなくても売れる。むしろ過激でないほうが、清楚なイメージを強調できる。といっても、この頃はフェラチオを見せるだけで「過激」といわれていたほどなので、後のAVの基準とは全く異なる。当時の人気女優のひとりである永井陽子がフェラチオを解禁したのが、1985年のデビューから2年後の1987年の『おクチ初体験』(現映社)だったという事実は現在からは考えられないだろう。

実際には、それなりに男性経験もあったり、風俗嬢だったりという彼女たちだが、イメージを強調した演出と作り込まれたキャラクター戦略によって、美少女アイドルとして生まれ変わったのだ。英知出版＝宇宙企画の人気女優たちは、後に宇宙少女と呼ばれ、合同イベントなどもおこない、グループアイドル的な売り出し方もされた。そのリーダー的存在として活動し、宇宙企画のシンボルとなったのが早川愛美だったのだ。

宇宙企画のソフトな美少女路線は人気を集めていたが、一方でそれでは満足できない層から支持されていたのが、SAMMなどのハード路線を追求するメーカーだった。

SAMMは六本木のSMサロンとして誕生し、その後、サム・ビデオ・センターとして本格的なSMビデオをリリースしはじめる。1984年には株式会社芳友舎を設立し、SAMMはそのメインレーベルとなった。

SMを中心としたマニアックなメーカーであったSAMMが一躍脚光を浴びたのは、1985年にリリースされた『マクロ・ボディⅠ 奥までのぞいて』のヒットがきっかけだった。『マクロ・ボディⅠ 奥までのぞいて』はブリーフ越しの濃厚なフェラチオシーンやクスコ(膣鏡)によって女性器の内部まで映し出すという、当時のビデ倫審査の限界に挑戦した過激な映像が話題を呼んだ作品だ。この作品は、『オレンジ通信』でAVライター6人が選んだ1985年度アダルトビデオ第一位を獲得している。評者のひとり、ハニー白熊による作品評を見てみよう。

> ビニ本・自販機本の最良の部分が、この作品には込められている。コンテを作りあげた監督とNo.1女優・橘美恵子のプロ精神には満点の評価を与えたい。
> このところ、またグッと人気が出てきて雑誌でも取り上げられることの多い『マ

クロボディ』。見なおして、あらためて「スケベやなー」という感じ。後半のシックスナイン→対面座位→正常位→膣外射精に至る本番のリアルさ、アングルの斬新さ、消しのキワどさは言うまでもないけど、その真骨頂は前半のどアップを多用した女体フェチぶりにあります。

股間アップ、顔面パーツのアップ、オシッコ、クスコによる膣内部開陳、同じく肛門開陳。映画的なくささをいっさい排して、最上の出来のビニール本を一枚一枚めくっていくような、静かな内に緊張のこめられた絵づくりは文句のつけようがありません。そしてそれを可能にしたのがモデル・橘美恵子のサービス精神と言えます。

（『オレンジ通信』1986年2月号）


『マクロ・ボディI　奥までのぞいて』の監督は豊田薫。自販機本の編集者を経て、1985年にKUKIの『少女うさぎ・腰ひねり絶頂』でAV監督としてデビューした。『少女うさぎ・腰ひねり絶頂』は人気テレビ番組『オールナイトフジ』（フジテレビ系）に出演していた女子大生グループ、オールナイターズの一員であった高野みどり主演ということで話題を呼んだが、それ以上に独自の世界観を見せつける内容も評価され、『オレンジ通信』の1985年度アダルトビデオ第四位にも選出されている。この年、豊田薫はデビュー1年目にして、2作品をベストテンにランクインさせているということだ。

初めてこれを観た時、なんつーかブッとんだ。こいつあ凄い、ただそれだけ思った。〝まァな、オンナの裸が出てて、そんでもってアヘアへってなことやっときゃあそれでイイんだよな〟的な安直なとしか思えないよーなものが多いアダルト・ビデオの中にあって、それはちょっぴり輝いて見えた。思わず〝ふーん〟と感心してしまう程丁寧に作ってある。〝ふと出会った男と少女がおもむくままにFUCKに耽る、と云った束の間のドラマなのだけれども、極端に少ないセリフのお陰で、妙な生々しさ、生の感じが不思議な迫力を出していてついつい引き込まれていってしまうわけで、実に演出力の勝利なのだと思う。つい最近、この作品を撮ったのが『マクロボディ』で評判のサムの豊田氏と知った。う〜ん、なるほどね。

（大塚浩之「『少女うさぎ』評」『オレンジ通信』1986年2月号）

KUKIからSAMMへと活躍の場を移した豊田薫は、以降も挑戦的な話題作を撮り続け美少女ハード路線の代表的な監督としてAVシーンを牽引していくことになる。

そしてこの年、もうひとりのハード路線の監督も頭角を現しはじめていた。近年、Netflixのドラマ『全裸監督』のモデルとなり、再び脚光を浴びている村西とおるである。日本最大の裏本制作・販売会社を築きあげ、裏の帝王と呼ばれていた村西とおるが、逮捕されて何もかもを失った後に、AV制作へと転身。クリスタル映像というメーカーで

1984年から精力的に作品を撮っていたが、それまでに映像制作の経験がなかったこともあり、稚拙な内容のものがほとんどだった。

しかし映像の知識がないが故に、作品を重ねるにつれ、既存のセオリーに縛られない独自の世界が生まれていったのだ。『オレンジ通信』の1985年度アダルトビデオ年間ベストでは、『TWO TO LOVE 愛ふたつ』が豊田薫監督の『マクロ・ボディI 奥までのぞいて』に次いで2位を獲得。そして翌年『恥辱の女』が『ビデオ・ザ・ワールド』の1985年度アダルトビデオ・リアルベスト10の第一位に輝いたのだ。

『TWO TO LOVE 愛ふたつ』も『恥辱の女』も、主演は立川ひとみ。膣がふたつあるという触れ込みで話題となった女優だ。『TWO TO LOVE 愛ふたつ』では駅弁ファックをしながらコペンハーゲンの歩行者天国を駆け抜けさせ、『恥辱の女』ではレンタルビデオ店や焼肉屋、観光地の土産物屋などでSMプレイを決行。ハプニング性の強いドキュメントタッチで迫力のある作品となっている。それは正に映像のセオリーを知らないからこそ撮ることができたのだろう。

その誕生時には、成人映画の下位互換に位置づけられていたAVは、早くも独自の映像スタイルを構築していたのである。

時代を変えた3人のAV女優

AV女優の存在を世間に知らしめた小林ひとみ

1986年はAVが社会的認知度を高めた年だといえる。それは3人の重要な女優がデビューしたことが大きかった。

まず2月に『ときめき・かおり19歳』(ダックス)で松本かおりという女優がデビューした。高校時代から勝新太郎が主宰していた「勝アカデミー」に通い、女優になることを夢見ていた彼女は、水着モデルなどの活動をしていたが、20歳の時にヌード写真集『ときめき』とビデオ『ときめき・かおり19歳』をリリースする。ビデオといっても、カラミのないソフトなイメージビデオであったが、そのルックスのよさから好調な売上を記録した。

その5カ月後、松本かおりは小林ひとみと改名して『禁じられた関係』(VIP)でAVデビューを飾ることとなる。小林ひとみは上品で整った美貌とスレンダーボディながらも大きく形のよい美巨乳の持ち主で、ルックス的には当時のAV女優のなかでもずば抜けていた。わかりやすい「美女」だったのだ。

「アダルトビデオ業界に突如として現れたスーパーギャル・小林ひとみちゃん(21歳)」と彼女を紹介する『週刊現代』1987年1月1日号の記事を見てみよう。

「どの作品もダントツに出ていますよ。小林ひとみモノは在庫増やさないと間に合いません」

と、嬉し過ぎる悲鳴をあげるのは池袋西口にあるアイシンビデオのレンタルフロアー責任者・仁木和光氏だ。

この業界でいうトントンは千本。二千本売れたらヒット、三千本で大ヒット、五千本売れたら鼻血がブブブってとこ。

業界関係者の話によると、

「小林ひとみはデビューして十二本ビデオを出しているが、全て三千本以上、トータルでは五万本近いはずですよ」

と言う。

彼女のビデオを四本出している「VIP」もこう言う。

「一番売れたのがうちから発売した『溺愛』なんですが、最近売り出された『燃えつきるまで』は予約だけで二千本以上になって仰天。新記録は確実でしょうねえ」


この『燃えつきるまで』は、結局1万本以上のヒットとなったという。1986年における小林ひとみがいかに凄かったかは、『オレンジ通信』1987年2月号掲載の「AV

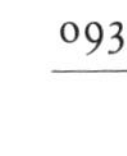

会社別売上ベストテン」という記事を見るとよくわかる。メーカー別に1986年度の売上上位10作品をリストにしたものだ。『週刊現代』でも取材されていたVIPは1位『燃えつきるまで』をはじめとして、3位に『溺愛』、7位に『色情』と3タイトルがランクイン。他のメーカーでもアリスジャパンで『ミルキーデビル・邪夢猫』が1位、現映社で『見られたいの』が1位、そして新東宝ビデオでは『天使の唇』が2位、『クライマックスは御一緒に』が4位、『お口に誘って』が6位と3タイトルがランクインしている。

まさに小林ひとみを撮れば必ず売れるという状況だったのがよくわかるだろう。

それは彼女のギャラの高騰につながった。小林ひとみの出演料が高額だということは業界でも噂となっていた。

現在アダルトビデオ界のトップ女優といえば、文句なく小林ひとみ嬢。ギャラの面でもおそらくナンバーワンであることは周知の事実だが、さる筋からの情報によると、その彼女のギャラが、とうとう300万円を突破したという。こうなるとそれだけの金額を払えないメーカーも多く、彼女のビデオは特定メーカーからのみしか発売されないというケースも考えられる。小林ひとみ自身の動向もふくめ、今後が興味深い。

（『オレンジ通信』1987年4月号）

この時期のAV女優のギャラの相場は20万円から50万円というところ。300万円という金額は常識を超えたものだった。しかし、それでも作品が売れるならば十分ペイするわけだ。これ以降、人気女優のギャラの相場はどんどん上がっていった。そして、そうした金額が報じられることで「AV女優は儲かる」というイメージが広まり、業界に入ってくる女性を増やしていった。

小林ひとみは、週刊誌などの一般マスコミにも数多く登場し「AVクィーン」の異名を取るようになる。また『必殺4　恨みはらします』や『塀の中のプレイ・ボール』といった一般映画にも出演し、声優も担当したアニメ『ピンクのカーテン』（いずれも1987年）の主題歌で歌手デビューも果たしている。業界内に留まらず、AV女優という存在を一般的なものとした最初の女優が小林ひとみだといってもいいだろう。

小林ひとみは、1987年にロンドンロケを決行した『熱狂』『失神』『喝采』（VIP）の通称「ロンドン三部作」を発売。AVクィーンとしての頂点を極めるが、1989年に当時の所属プロダクションの社長と結婚し、引退。以降も断続的に復帰・引退を繰り返しAV出演を続けた。

清楚なアイドル像を求められた秋元ともみ

小林ひとみが特異な存在だった点として、本番をしないことを公言していたことが挙げ

られる。AVはその黎明期から「本番」というキーワードが重視されてきたことは何度も述べてきた。AV最初のスターである愛染恭子は映画『白日夢』（1981年）で「本番女優」として名を上げたし、『ミス本番・裕美子19歳』に代表される「美少女本番」ブーム時には、タイトルに「本番」をつけた作品であふれかえった。

愛染恭子をはじめ、実際の撮影では本番をしていないことも珍しくなかったのだが、それでも表向きにはその真偽を濁しておくのが常だった。前貼りが常識のロマンポルノやピンク映画など成人映画に対してのAVのアドバンテージがそこにあったからだ。

しかし小林ひとみは、撮影で自分が本番をしていないことをインタビューなどではっきりと公言していた。

「私、別にホンバンをやってるフリをして、ファンを騙してたわけじゃないんです。ホンバン女優と名乗ったことはないし、ビデオにも〝本番〟とうたって売ってはいないの。それにインタビューでも、ハッキリと〝ホンバンはしていません〟と言ってますし」

――ホンバンには抵抗あるの？

「私、この業界に入ったのはなんとなくなのね。女優へのステップという気持ちはあったけど。それに、一人の女のコとしては、仕事とはいえ、なんで別に好

きでもないヒトとやらなければいけないのか、それもみんなが見ている前で、ね」
（『週刊宝石』1987年5月22日号）

それでも小林ひとみのAVは売れたのだ。実際に本番をしている女優よりも、ずっと。ルックスがよければ、本番をしていなくても売れる。小林ひとみはそれを証明した。そして、むしろ売れる女優は本番をしないという状況がしばらく続くことになる。
その象徴的な存在が1986年4月に宇宙企画から『卒業します』でデビューした秋元ともみだった。どこか陰のある物静かな美少女。飛び抜けて整った顔立ちというわけではないのだが、「美少女」という言葉がこれほど似合う女の子はいないのではないだろうかと思わせる雰囲気と魅力があった。宇宙企画の黄金時代を築いた監督、さいとうまことは、秋元ともみに初めて会った時の印象を、こう語っている。

面接に来た時、「あっ、これは……！」って思ったね。この子なら僕が思い描く少女像みたいなものを完璧に演じてくれるんじゃないかって思った。制作サイドも、今までの路線じゃなくて「この子はアイドルでいこう」ってことでまとまったし、ともみちゃん本人も、僕の言う「ちょっと悲しげな少女像」みたいなのを気に入ったみたいだったしね。結局すべてが同じ方向に向いて進んだんだ。

（東良美季『アダルトビデオジェネレーション』メディアワークス、1999年）

高校時代からファッションモデルとして活動していた秋元ともみは、1986年1月に大手町サンケイホールで開催された「第一回ビデオソフト・フェスティバル」（全日本ビデオソフト協会主催）の「ビデオ・クィーン・コンテスト」で審査員特別賞を受賞。そして4月に『卒業します』でAV女優としてデビューを果たす。『卒業します』は、カラミらしいカラミもない、極めてソフトな内容にもかかわらず、大ヒットを記録する。ライターの吉本昌弘は『卒業します』の衝撃をこう綴る。

秋元がはじめてビデオで僕たちの前に姿を見せてくれた記念的作品〜『卒業します』（宇宙企画）。

多くのセーラー服ものと言われるビデオがあるけれど、この作品に触れた時、僕は、得体の知れない感動を覚えた。演技や撮影技術の枠を逸した「今」という息ぶきが、秋元の肉体から感じることができたからだ。

（『オレンジ通信』1987年2月号）

そして、2作目の『青空に星いっぱい』は、異例の尾道10日間ロケを敢行。さらに都内でも数日の追加撮影がおこなわれたという。30分のAVにそれだけの日数と費用をかけたのだ。しかもこの作品では、カラミどころかオナニーシーンすらない。

尾道の美しい景色のなかに制服姿の秋元ともみが佇むという、まるで大林宣彦の映画のようなノスタルジックで叙情的な映像と、彼女が笑顔を浮かべながら自己紹介をするアイドルビデオのような映像、そしてソフトなヌードシーンで構成されている。とてもAVとはいえないこの作品もまた大ヒットした。『卒業します』『青空に星いっぱい』も異例の2万本以上のセールスを記録したという。

読者投票による『オレンジ通信』1986年度モデルベスト1では、小林ひとみを抑えて、秋元ともみが1位を獲得。一般層を含めた知名度では小林ひとみの方が上だろうが、熱心なファンは秋元ともみの方が多いがゆえの結果という印象があった。ファンが彼女に求めていたのは、思い入れの込められる清楚なアイドル性だった。

AV女優に「清楚」を求めるというのは矛盾しているように思われるかもしれないが、この時期は小泉今日子が『なんてったってアイドル』を歌い、おニャン子クラブが猛威をふるい、従来のアイドル像が破壊されていた。その代替品として秋元ともみをはじめとする宇宙企画の女優たちが求められたのではないだろうか。実際の秋元ともみは、男性経験もそれなりにあり、ディスコにも通う「普通の女の子」だった。早川愛美が風俗嬢だった過去を消したように、清楚でどこか陰のある物静かな美少女というイメージは丁寧に作り

上げられたものだった。

宇宙企画は、前年にデビューしている早川愛美や、ミステリアスな魅力のある麻生澪、そして秋元ともみを専属女優としてメーカーのカラーを確固たるものにしていく。前述の『オレンジ通信』1987年2月号の「AV会社別売上ベストテン」を見ると、宇宙企画が1位の秋元ともみ『卒業します』を筆頭に、上位6位までをこの3人の作品が2本ずつで独占している。宇宙企画は兄弟会社である英知出版の雑誌と足並みを揃えて、彼女たちのアイドル化を推し進めていった。

秋元ともみは、早川愛美とともに人気テレビ番組『オールナイトフジ』のレギュラーとなり、レコードデビューを果たし、また多くの大学の学園祭に出演したりと、まさにアイドルのような活動をしていった。本職であるAVに関しては『卒業します』『青空に星いっぱい』に加えて、デビューシングルと同タイトルの『少女神話』の3本のみ。AVアイドルと呼ばれたが、むしろヌードも見せるアイドルといった方が正しかったかもしれない。

しかし、1988年1月に所属していたプロダクションが労働者派遣法と職業安定法違反容疑で摘発されたため、その活動も停止せざるをえなくなってしまう。結局、約1年のブランクの後に活動を再開するも、人気を回復することはできずに、業界から姿を消すこととなった。

新しいタイプの文化人となった黒木香

この年、小林ひとみや秋元ともみとは全く違った方向性で、社会的認知度を高めた女優がいた。10月にクリスタル映像から『SMぽいの好き』でデビューした黒木香である。

当時、横浜国立大学教育学部美術学科3年生だったという黒木香は、目鼻立ちのはっきりしたアンニュイなムードの漂う美女であった。冒頭のインタビューでは「今、大学で美術の理論の勉強をしています。来年の9月にイタリアに行って、もっと深く勉強したいと考えています。［……］私の性に合っているんだと思うんです。絵画、彫刻、建築、近代デザイン、それから映画。すべてイタリアのものなら何でも好き。古いものも新しいものも。［……］イタリアというのは西洋美術の中心ですけども、そこで古典の美術の勉強をして、その後帰ってきたら、今度は西洋美術を勉強した目から比較する形でも東洋美術を真剣に勉強してみたいと思っているんです」と、美術への想いを熱く語っている。これまでのAV女優にはいなかったインテリジェンスを強く感じさせるキャラクターだ。

しかし、黒木香が本当に「これまでにいなかった」AV女優としての姿を見せるのは、この後からだった。水着の日焼け跡がくっきりと見える肩を大胆に出したノースリーブのドレスから、バスローブに着替えた黒木香に、画面の外から「さぁ、それではこれから、あなたとファックをしたいと思います」という言葉が投げかけられる。声の主は、もちろん村西とおる監督である。

そして村西とおるが白いブリーフ一枚の姿で現れ、黒木の脚を大きく広げて股間を、そして胸をはだけさせて乳房を荒々しく揉みしだくと、彼女の様子は一変する。熱い喘ぎ声を漏らし、さっきまで自分の秘裂に挿入されていた村西の指を突き出されると激しくしゃぶる。後はひたすらに快感を貪り、絶叫しながらのたうち回る。冒頭でイタリア美術を語っていた美女と同一人物とは思えないほどの豹変ぶりだった。そして事前に村西から指示されたように、快感の度合いにあわせて笛を吹く。その激しい乱れ方と、間抜けな笛の音があまりにもミスマッチで、なんともいえないおかしさがある。

この「感じたら笛を吹く」という行為は黒木香の代名詞のようになるのだが、この演出自体は、実は「笛吹き乙女シリーズ」として、堀川みゆ紀、藤谷佐和子に続いての第三弾にあたる。前2作がそれほど話題にならなかったのに、『SMぽいの好き』が大ヒットしたというのは、ひとえに黒木香の強烈なキャラクターあってのことだった。

村西とおるのユニークな話術はすでに一部で話題となっていたが、それが黒木香とのコンビネーションで類を見ない面白さを醸し出していた。それはシュールなコントのようですらあった。そして、クライマックスは初体験だというアナルセックス。初めてペニスを肛門に受け入れた黒木の反応は、限りなくエスカレートしていく。快感に悶えるというよりも、狂気の域にまで踏み込んでいるかのようだった。

女性がこんな激しい反応を見せるなど、当時の常識ではあり得なかった。村西とおる自身も撮影後は失敗作だと感じていたという。

それまで女性がああいう雄叫びを上げたり、腰を卍形に切るような攻撃的な、積極的なセックスを行う作品はなかったんですね。女というのはあくまでも受け身的な存在だったから。それで、こんなのは発売してもウケないだろうと思ってた。だって、定番の「やめてください」さえないからね。で、みんなに見せたらだれもがすごい、すごいって言うんですよ。だけど、自分にしたら自信はなかったですね。こんなすごい女がいるんだよっていう茶飲み話にしかならないと思ってた。

（『アサヒ芸能』1999年6月10日号）

しかし村西の心配をよそに『SMぽいの好き』は空前のヒットとなる。『別冊宝島　昭和史開封！男と女の大事件』（宝島社、2015年）に掲載された、当時の村西とおるの片腕的存在であった日比野正明監督の証言によれば、レンタルショップに卸した1万本のほかに、購入希望者の現金書留が約7万通もメーカーに直接送りつけられてきたという。単純計算で10億円を超える金額である。

イタリア美術を愛する国立大の現役女子大生が、とてつもないセックスを見せる。黒木香の存在にマスコミが飛びついた。ヘルムート・ニュートンのモデルに憧れて伸ばしているという彼女の脇毛も強烈なインパクトがあった。

黒木香は、雑誌はもちろんテレビでも引っ張りだことなった。デフォルメしたようなお嬢様言葉で赤裸々に性愛を語るというそのキャラクターは新鮮だったのだ。『SMぽいの好き』を観ると、しゃべり方自体はそこまで極端ではないので、黒木自身がマスコミのニーズにあわせて変化させて作り上げたキャラクターでもあったのだろう。そうした頭の回転の早さもあり、それもまた彼女の魅力だった。

無名の一女子大生が、ほんの一、二ヶ月の間に〝アダルトビデオ界の女王〟とももてはやされ、週刊誌連載六本、テレビ出演はこの二ヶ月で三十数回というパニックにも近い黒木香現象がいま巻き起こっているのだ。

突然変異的に発生したこの黒木香ブームは、いままでのアダルトビデオ女優の人気とは明らかに一線を画している。それは彼女と対談するため村上龍、池田満寿夫、中沢新一、ねじめ正一といった当代一の文化人がすばやく登場してきたことからも黒木香の〝違い〟がうかがわれる。(『週刊現代』1987年8月15日号)

確かにマスコミでの黒木香の扱いは、それまでのピンク女優やAV女優のそれとは明らかに違っていた。『週刊ポスト』で連載された「黒木香のおスケベ対談」のゲストのラ

インナップを見てみると、『週刊現代』の記事で挙げられた以外にも栗本慎一郎、泉麻人、大島渚、野坂昭如、細川隆一郎と錚々（そうそう）たる顔ぶれが並んでいる。他にも『朝日ジャーナル』で筑紫哲也と対談したり、『週刊文春』で呉智英と対談連載をもったりと、「新人類の変わり種」といった捉えられ方をされていたことがわかる。さらに、使い捨てライターのテレビCMや、西武百貨店の広告ポスターに起用されたり、四国学院大学に特別講師として招かれ「聖と性 生命の深層を求めて」という講義をするなど、既存のAV女優からは考えられないジャンルでも活躍した。

ただ、秋元ともみと同じく黒木香のAV出演作は『SMぽいの好き』と、続く『愛虐の宴』、そして実は『SMぽいの好き』以前に撮影されていた本当のデビュー作『SM隷奴』（黒木薫名義、スタジオ418、発売は1986年12月）のわずか3本。彼女の場合も、ヌードも見せる文化人という方が正しかったのかもしれない。

その後、恋愛関係にあった村西とおるとの破局を経て業界を去る。1994年には、宿泊していた中野のホテルのベランダから転落したことが報じられた。泥酔しての事故であったが、週刊誌などは自殺未遂と書き立てた。

1986年、レンタルビデオ店は1万店を突破。そして小林ひとみ、秋元ともみ、黒木香の活躍により、AVはそれまでの一部のマニアのものから、一般的なものへと広がっていく。

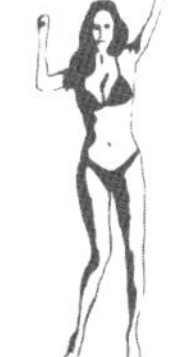

AVアイドルから淫乱女優へ

大手5社の支配と大陸書房の参入

1987年から1988年にかけてのAV業界は最初の爛熟期を迎えていた。87年にはビデ倫の月間審査本数が250本を突破。つまり年間3000タイトルものAVが販売されていることになる。「AVは一千億円産業」という声も聞こえてきた。

1985年の新風営法施行による風俗店の混乱、摘発によるビニ本、裏本の失速などにより、AVが性産業のトップランナーとしてマスコミなどでも注目されたという背景もある。それまでビニ本、裏本、裏ビデオの紹介を中心にしていたアダルトメディア情報誌『オレンジ通信』（東京三世社）が、AV中心の誌面になってきたのもこの頃だ。

黎明期のAV業界では、にっかつや大映、東宝などの映画会社系のメーカーや、愛染恭子を擁する日本ビデオ映像などが主流メーカーであったが、この頃には勢力図は大きく変わっていた。

カンパニー松尾監督の自伝的マンガ『職業AV監督』（原作：カンパニー松尾／作画・井浦秀夫、秋田書店、1997-1998年）に当時のAV業界を説明するシーンがある。1987年にAVメーカーV&Rプランニングに入社した松尾が、広報を外注で引き受けているエロ本系編集プロダクションの小島という男に業界の話を聞いている。

小島　「「宇宙」と言や典型的な美少女ソフト路線だ。カラミがないのさえあるかrらな」

松尾　「へー、アダルトなのに？」

小島　「メーカーとしてすぐれているのは「KUKI」だろうな。伊勢鱗とかジャッキーとかは洒落てる。「芳友舎」なら豊田薫か」

小島　「「VIP」と「ジャパン」はただの金もうけ！　ただいい女が脱いでればそれでいいのかよ!!」

ナレーション　「当時、アダルト業界では「宇宙企画」「VIP」「芳友舎」「KUKI」「ジャパンホームビデオ」が大手5社と呼ばれ圧倒的なシェアを誇り、大きな力をふるっていました」

小島　「5社でキャンペーンをはって問屋に圧力かけてるらしい。新興メーカーのビデオを締め出そうとしてるみたいだな」

そのコマには巨大なティラノサウルスに「大手5社」、それを見ている小さなネズミに「V&R」と政治風刺漫画風の絵が描かれている。さらにその後、ADである松尾が女優

のキャスティングに苦労するシーンが出てくる。

ナレーション「大手5社が君臨していた時代は美少女AV全盛の時代でもありました。売るために最も確実なのは売れている女優、もしくは絶対売れるかわいい新人女優をキャスティングすることでした。大手5社同士でも女優を奪い合うので当然ギャラは高くなり、弱小メーカーには手が届かなくなる……と」

そして松尾が電話でプロダクションと交渉していると、こんなことをいわれる。

「V&R? おたくはスカトロ系でしょ。うちのコはそーゆーメーカーには出せませんねえ。このコは「VIP」と「ジャパン」で10本決まってるんですよ。一年後の発売だったら考えてもいいスよ」

松尾は電話を切ったあとに叫ぶ。

松尾「クソーッ。今に見てろ! 大手5社なんかぶっつぶしてやるからな!」

後に問題作を連発し業界の風雲児と呼ばれるV&Rプランニングも、黒木香で大ヒットを飛ばした村西とおるのクリスタル映像も、業界的に見れば大手5社とは勝負にならない弱小メーカーに過ぎなかったのだ。それでも、新規のメーカーは次々と参入してきた。

この時期に注目すべき動きとしては、オカルト系の書籍で知られる出版社、大陸書房がピラミッドビデオというブランドで1987年7月にAV業界に参入したことだ。しかも、当時の中心だったレンタル市場ではなく、書籍の流通ルートを利用して販売するという新しい手法を編み出したのだ。冴島奈緒や立原友香など人気女優を起用して、定価は1800円。既存のAVは1万円以上なのでレンタルで観るのが当たり前だったが、購入して手元に置いておきたいというユーザーにとっては、ピラミッドビデオはありがたい存在だったのだ。書店で手軽に買えるというのも大きなポイントだった。

それまでにも、マニア向けの通販ビデオや裏ビデオとAVの間に位置するブラックパック、さらには海賊版など販売用のAVは存在していたが（そもそも1983年以前は販売用のみだった）、ライトユーザーにアピールする「正規の」販売用AVという存在は画期的だった。とはいえ、この後に拡大路線を狙った大陸書房は、多額の負債を抱えて1992年に倒産してしまう。

AV業界と芸能界の接近

1986年にデビューした小林ひとみ、秋元ともみ、そして黒木香の業界の枠を超えた活躍により、一般層もAV業界に注目することとなった。AV女優になれば有名にな

れる、AV女優をステップにして芸能界に行けるかもしれない、そう考えた女性がAV業界入りするケースも増えていた。

1987年度の『オレンジ通信』の読者が選ぶモデルベスト1位に輝いた立原友香もそのひとりで、渋谷でスカウトされた時に女優へのステップだと考えてAV女優になることを決意したというが、なんとその時点で彼女は処女だったという。

実際に中川えり子が新宿シアタートップスで公演された「えり子 女優宣言」、桂木麻也子が吉祥寺前進座劇場で「みらあじゅ〜時の粒子の現影に」で演劇の舞台にデビューするなど、AV女優たちのアダルト系以外での活躍も目立つようになる。

また、早川愛美『六本木スキャンダル』(ポリドール)、黒木香『小娘日和』(テイチク)、小林ひとみ『ピンクのカーテン』(ビクター)などAV女優のレコードデビューも相次ぐ。ちなみにAV女優として最初にレコードデビューを果たしたのは杉原光輪子・森田水絵・山口美和による美光水(レイクス)だ。1986年に『SUNSET HIGHWAY』をセンチュリーからリリースしている。1988年には冴島奈緒・斉藤唯・葉山みどりによるRaCCo組がオールディーズナンバーのカバー『レモンのキッス』(クラウン)でデビュー。当時のAV女優のなかでもアイドル性の高い3人ということで、芸能界での活躍も期待されたが、メンバーチェンジが相次ぐなどのトラブルから不発に終わってしまった。

芸能界とAV業界は次第に接近していく。ハワイアン歌手やグラビアアイドルをしていた葉山レイコがAVデビューし、話題となったのもこの頃だ。1988年に『処女宮うぶ毛のヴィーナス』（ミス・クリスティーヌ）が発売され、大ヒットとなる。芸能人AVの元祖ともいえる作品である。実は葉山レイコのAV作品はこの1本のみで、以降はイメージビデオにしか出演していない。

かわいさとみのデビューもこの流れに入れてもいいのかもしれない。1986年に北原美穂（美枝）としてデビューし、写真集やイメージビデオ（後にかわいさとみ名義で『ブルーアイランドの風』として発売）などの活動を経て、翌年にかわいさとみと改名して宇宙企画からAVデビューを果たす。デビュー作『ぼくの太陽』は9月21日のオリコンビデオチャートで11位、翌週の28日には10位を獲得。一般のビデオチャートにAVがランクインしたのは、これがはじめてだった。

かわいさとみも葉山レイコと同じく、『ぼくの太陽』以降の出演はカラミのないイメージビデオ（ただしビデ倫審査の18禁作品として発売）のみで、すぐに活動の場を芸能界へ移し、『オールナイトフジ』などテレビの深夜番組に出演した。そして1988年にはシングル『月影・SOINE・CLUB』とアルバム『TYPE＝B』でビクターからレコードデビューし、歌手としての活動も開始。音大生ということで歌唱力もあり活躍が期待されたが、いまひとつ成功を収めることなく芸能界からフェードアウトしてしまう。

この時期、AV女優の芸能界への進出が上手くいかなかったのは、芸能界側はあくまでも「AVに出ているエッチな女の子」を求めていたのに対し、AV女優側は「普通のアイドルと変わらない清楚な可愛い女の子」として売り出そうという目論見にギャップがあったからではないだろうか。なにしろこの時期、「清楚系」AVアイドルには、インタビューでの下ネタを禁止するということすらあったのだ。

その一方で過激な下ネタを連発する黒木香は文化人として引っ張りだこになっていた。一部のAV業界人には「AVで売れれば、その後は普通の芸能人として活動できる」という幻想があったのだろう。しかし、その壁はまだまだ高かったのだ。

前代未聞の淫乱ブーム

1988年の最大の事件は「淫乱」ブームだった。

その発端は1987年に代々木忠監督が「いんらんパフォーマンス」シリーズ（アテナ映像）をスタートさせ、その第一弾である『GINZAカリカリ娘』で咲田葵がデビューしたことだった。そのあまりにも激しい反応は観る者を驚かせた。黒木香のそれとも似ているが、彼女があくまでも男性に責められてのM的な激しさだとすると、咲田葵は男性を食い尽くすような攻めの激しさだった。

その大胆で派手なセックスは話題となり、咲田葵は「淫乱女優」の異名を取る。『メガトンライブ 核分裂』（SAMM）、『極限FUCK 生入れズッコン』（にっかつビデオフィルムズ）、

『男・牝・匂い』（オメガ）、『好き女・もう止まらない』（現映社）、『異常』（サーチ）、『ぶっ飛び咲田葵の先制口撃』（アリスジャパン）といった彼女の出演作のタイトルからも、そのイメージは伝わるだろう。

同じく代々木忠監督の「いんらんパフォーマンス」シリーズ『色即是空』でデビューした沖田ゆかりは、当時は珍しかった潮吹きをする女優として話題になる。沖田ゆかり自身は、それほど反応が激しかったわけではないのだが、この頃は潮吹き＝淫乱というイメージがあったため、彼女も淫乱女優の仲間入りをしていた。

そして『吸淫力　史上最強のワイセツ』で登場したのが豊丸だった。AV監督のラッシャーみよしは、豊丸の印象をこう語っている。

爬虫類のような顔でガオガオと絶叫し、蛇のようにチンポを飲み込み、精液をガブ飲みし、ダイコンをマ◯コの中にズボズボとぶち込み、なんじゃあ、こいつは⁉

出るビデオ出るビデオ、大変な話題になりましたね。それまでは、ああいう顔をしてセックスをする人の存在というのは知られていなかったわけですよ。沖田や咲田が淫乱といっても、あくまで、それはコケティッシュという意味での淫乱。獣のような本番をする人は豊丸さんが初めてだったわけですね。

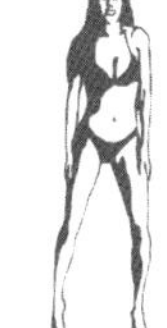

（『80年代AV大全』双葉社、1999年）

豊丸自身は目も口も大きく派手な顔立ちで、体つきも日本人離れした大柄なプロポーションなので、可憐な美少女系が人気となる当時のAV業界では主流になりえないタイプの女優だったが、その大胆で過激すぎるセックススタイルで大きな注目を集めた。豊丸は咲田葵、沖田ゆかり、そして男好きする色っぽさのある栗原早記とともに淫乱四天王と呼ばれ、AV業界に淫乱ブームを巻き起こす。そのほか、沙也加や千代君、有希蘭、小豊丸こと坂口蘭子なども淫乱女優として名を上げた。

豊丸はテレビや雑誌などのマスコミにも多く登場し、第二の黒木香的な扱いも受けていた。彼女の登場は、日本社会の男性にとっても衝撃であり、新鮮だったのだ。ただ、もともと見世物的な興味という部分が大きかったこともあり、淫乱ブーム自体は2年ほどで終息する。

しかし淫乱ブームには、いわゆる美女、美少女タイプでなくても成功できるという、AV女優にとっての新しい可能性を開いたのではないだろうか。AV女優のアイドル化が進む一方で淫乱女優に注目が集まるなど、AVにも多様化の波が押し寄せてきたのだ。

ダイヤモンド帝国と巨乳ブーム

巨乳の誕生

昭和から平成に年号が変わったばかりの1989年2月にひとりのAV女優がダイヤモンド映像からデビューした。

ダイヤモンド映像は前年の9月に、村西とおるがクリスタル映像から独立して設立した新メーカーだった。しかしダイヤモンド映像の活動がスタートした矢先に村西とおるが児童福祉法違反容疑で逮捕されてしまう。クリスタル映像時代の作品に出演した女優の実年齢が16歳だったのだ。その女優は姉の健康保険証を自分のものだと偽っていたのだが、それでも彼女の面接を担当した村西とおるが逮捕されることとなった。

村西がAV業界を象徴する有名人であり、当時は日本ナイス党なる政党を立ち上げて参議院選挙に立候補するなどと公言していたことが当局を刺激したため、見せしめとしての逮捕の意味あいが強かったと思われる。

村西とおるが児童福祉法違反で逮捕されるのは、これが3回目であった。そのためビデ倫が村西とおる監督作品の審査を拒否するという通達をしたことで、誕生したばかりのダイヤモンド映像は、看板監督が作品を撮ることができないという状況に追い込まれた。ダ

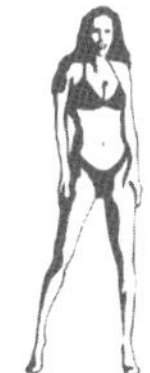

イヤモンド映像はセールス面で苦しい状況での船出となったのだ。早くも倒産してしまうのではないかという噂が囁かれた。

そんな窮状を救ったのが松坂季実子だった。『でっか～いの、めっけ！』でデビューした19歳の女子大生は、あまりにも巨大な乳房をもっていたのだ。カメラの前で彼女が初めて服を脱いだ時、その場にいたスタッフは驚きを隠せなかった。

80年代中頃にも「Dカップ」ブームはあった。60年代後半から使われていた「ボイン」、そして70年代に入ってから広まった「デカパイ」に続いて80年代に定着した大きな胸を表す表現が「Dカップ」だった。

当時はまだ日本人女性の胸の標準サイズが小さかったこともあるが、カップ表記の異なるアメリカで「Dカップ」が巨乳を意味していたことから、まず『バチェラー』（大亜出版）のような洋物ポルノ雑誌で「Dカップ」という表現が使われるようになり、それが次第に広まっていった。当時は胸の大きなAV女優は、ひとまとめに「Dカップ女優」と呼ばれていたが、実際に計測するとEカップ、Fカップという場合も多かったようだ。エロ本や初期のAVで活躍した中村京子を筆頭に、菊池エリ、冴島奈緒、立原友香、葉山みどりなどが、Dカップ女優として人気があった。しかし80年代において、胸の大きなAV女優は決して主流ではなかった。胸の大きさはあまり重視されず、むしろスレンダーな美人、もしくは幼児体型の美少女が好まれていたのだ。そこに登場したのが並外れた大きさの乳房の持ち主である松坂季実子であった。

１１０７ミリメートルのＧカップという公称サイズだったが、１１０７ミリメートルは村西とおるが「イイオンナ」にかけただけだったらしい。ただ、現在の計測なら確実にＧカップを超えるカップ数になるだろう。当時のカップ計測はかなりいい加減だったのだ。

松坂季実子は一般週刊誌などでも大きく取り上げられ、『でっか〜いの、めっけ！』も大ヒットを記録する。ダイヤモンド映像はこの一作で息を吹き返した。それから毎月１日を「巨乳の日」と銘打って松坂季実子の新作を発売。いずれも売れに売れた。

大きな乳房を表現する言葉として最もポピュラーな「巨乳」は、この松坂季実子の登場を機に定着した。それ以前にも「巨乳」という言葉が使われることはあったが、『バチェラー』などの一部マニア誌などに留まっていた。それが一気に広まったのは、松坂季実子の大きすぎる乳房を表現するためだったのだ。

ちなみに、実は村西とおる自身はスレンダー好きで巨乳に興味がなかったため、当初はあまり松坂季実子の売出しに対して積極的ではなかったそうだが、撮影を担当した沢木昭彦監督らの熱心な勧めによって彼女を専属女優にしたのだという。

巨乳ブームと過激美少女ブーム

松坂季実子のブレイクによってＡＶ業界には巨乳ブームが巻き起こる。

1989年には、椎名このみ、東美由紀、いとうしいな、加山なつ子、庄司みゆき、エルザ、中原絵美、工藤ひとみ、五島めぐといった巨乳女優が次々とデビューを飾る。しかし、もちろんこの年に日本の女性の胸が急に大きくなったわけではない。巨乳にニーズがあるとわかったAVメーカーが、積極的に胸の大きな女優を売り出すようになったためである。

日本の「巨乳」の歴史を追った拙著『巨乳の誕生――大きなおっぱいはどう呼ばれてきたのか』（太田出版、2017年）の取材で、高槻彰監督はこう証言している。

松坂季実子が登場してブレイクしたのは嬉しかったですね。それまでにも僕は自分が好きだから、こういう胸がすごく大きくて少し太めのタイプの子を何人も見つけて、「撮りませんか？」って持っていってたんだけど、みんな拒否されてたんです。その時に求められてたのは、とにかく痩せてる美人だったから。だから松坂季実子が売れたことで、初めて肉の魅力が認められたんですよ。

それまでのAV女優は、あくまでも「顔が可愛い（綺麗）」という点が重要であった。しかし前年の淫乱ブームは、「淫乱」というキャラクターでも売れるという事実を業界に知らしめた。そして巨乳というボディパーツの魅力もまた、大きなセールスポイントとな

ることにも気づいたわけである。『オレンジ通信』の「１９８９年度で読者が最も「お世話になった」女優」である艶技女優賞の1位を松坂季実子が獲得。アイドル女優賞でも4位に入賞している。

そしてこの年の『オレンジ通信』アイドル女優賞1位となったのが樹（いつき）まり子だった。樹まり子もまたEカップのグラマラスなボディの持ち主であった。しかし樹まり子の人気はそれ以上にハードな本番をこなしていたことにもあった。

デビュー作の『素晴らしき日曜日』（青木さえ子名義、ダイヤモンド映像）からいきなり6人の男優を相手にし、うち4人と本番ファックを披露。さらに濃厚なフェラチオが話題を呼んだ。その他の作品でも3P、4P、そしてSMなど、当時の単体女優としては異例なまでの過激なプレイに挑戦し人気を集めた。デビューからの1年間に50本もの作品に出演したというのも当時としては別格の人気の証明となった。

この年には林由美香もデビューしている。肉感的な樹まり子とは対照的にスレンダーボディでコケティッシュな美少女だが、彼女もまた本番を公言していた異例の女優だった。

『オレンジ通信』１９９０年2月号掲載の１９８９年のAVシーンを総括する水津宏の記事では樹まり子と林由美香について、「ふたりに共通しているのは、どちらも本番している事を公言してはばからないところだ。今までは本番をしたとしても隠したり、最初は本番しても人気が出ると本番をしなくなったりするのだが、彼女たちは全く逆。胸を張る

ところが凄い」と評している。この時期は、まだ「売れる女優は本番をしない」ことが当然だったのだ。それがこのふたりの活躍によって崩れはじめる。可愛くて人気があっても本番をする、そんな「過激美少女」の存在を決定づけたのは桜樹ルイだった。

桜樹ルイは、アイドルグループであるモモコクラブ桃組に所属した後に一ノ瀬雅子名義で1989年にAVデビュー。さらに1990年に桜樹ルイに改名してVIPから『突然、炎のように』で再デビューしている。しかし彼女の人気に火がついたのはダイヤモンド映像に移籍し、本番路線に移行してからだ。

実際にアイドルとして活動（桜樹ルイとしての再デビュー時にもクラウンからCDデビューを果たしている）していたほどの愛くるしいルックスにもかかわらず、ハードで濃厚な本番を見せた彼女は当然のように圧倒的な人気を得た。『オレンジ通信』1990年度アイドル女優賞1位、さらに『アップル通信』の1991年度年間女優ランキングでも1位を獲得。可愛くて、しっかり本番も見せるというAV女優の新しいスタイルを確立した。とはいえ、1990年には疑似本番でソフトなセックスしか見せないものの、その可憐な美少女ぶりで圧倒的な人気を誇った星野ひかるのような存在もあったのだが。

進撃のダイヤモンド帝国

桜樹ルイが『オレンジ通信』アイドル女優賞1位を獲得した1990年度に、艶技女優賞1位に選ばれたのはグラマラスな美女、田中露央沙。どちらもダイヤモンド映像の専属女優であった。

松坂季実子のブレイクによって勢いづいたダイヤモンド映像は拡大路線を取った。柏原芳恵、川島なお美、杉本彩、高樹澪などタレントやアイドルのイメージビデオを手掛ける「パワースポーツ企画販売」、ダイヤモンド映像より個々の監督色を強めた「ビックマン」、鬼才監督として知られる伊勢鱗太朗がプロデュースする「裸の王様」、そして天才監督として名を馳せた豊田薫の「ヴィーナス」といったグループメーカーを次々と設立。この時期の日本のAV市場の4割をダイヤモンド映像グループが占めているのではないかといわれたほどだった。

元ミス日本東京代表の肩書をもつ卑弥呼、あどけない顔立ちながらも脇毛を生やしていた小鳩美愛、セックス中も眼鏡をかけているのが新鮮だった野坂なつみ、お嬢様的なムードの高倉真理子、インテリジェンスを感じさせる痴女・藤小雪、そして後に村西夫人となる乃木真理子など、ダイヤモンド映像専属女優も豪華な布陣となっていた。女優たちのギャラも1本300万円から500万円と業界の常識を超えたものだったが、監督にも相場を遥かに超える金額のギャラを払っていた。

村西とおるの半生を追った本橋信宏のノンフィクション『全裸監督』（太田出版、2016年）には当時の村西のこんな発言が書かれている。

こっちは金を使いたくてしょうがないんだから。使い方が足りないんですよ。もっともっともっと使ってもらわないと。なにかそのへんの通行人のほっぺた札束ではたいて出演させましょうか。こうなったら。

日本経済同様、ダイヤモンド映像はバブルに躍っていた。

この時期からメーカーがAV女優と専属契約を結ぶことが増えていた。先駆けとなったのは宇宙企画だったが、やはりダイヤモンド映像の快進撃がその傾向に拍車をかけたのだろう。VIP・ステラ系が今井静香や弓月薫を、SAMM・ティファニー系が星野ひかるを、というように女優の囲い込みが進んだ。それまでは、どれだけ多くのメーカーで何本出演したのかが人気女優のバロメーターであったが、以降はメーカーの専属になることが人気女優の条件となっていく。

第4章 新しい波と混沌

ハメ撮りの発明

ハメ撮りという新しい手法

セックスしながら撮影する、すなわち男優がカメラマンを兼ねるという手法を「ハメ撮り」と呼ぶ。現在では、すっかり定着したこの名称だが、藤木TDCの著書『アダルトビデオ革命史』（幻冬舎新書、2009年）によれば、大阪の風俗記者が打ち合わせのなかで口にした「ハメ撮り」という言葉を、ライターのハニー白熊が気に入って雑誌で使いはじめたのだという。活字化されたのは『ビデオ・ザ・ワールド』1989年7月号が最初らしい。

セックスしながら自分で撮影するという行為自体は家庭用ビデオカメラが発売されてからすぐに好事家たちがはじめている。裏ビデオでも黎明期からマニア撮りと呼ばれるプライベートセックスを撮影したものが流通していたし、裏ビデオ以前に話題となっていたラブホテルの「消し忘れビデオ」も固定カメラとはいえ、定義的にはハメ撮りに分類されるものだろう。また1983年頃の『オレンジ通信』には、読者カップルが撮影したプライベートビデオを紹介する「ビデオING」というコーナーもあった。男女がふたりきりの密室で自分たちのセックスを撮影する行為は決して先鋭的なことではなかったのだ。

しかし、それはあくまでも「素人」の間の話に過ぎなかった。商品としてのクオリティをもった作品を撮影しなければならない「プロ」にとっては考えられないことだったのだ。撮影用のスタジオで、照明を設置し、大型の業務用ビデオカメラで撮らなければＡＶといえども「商品」となる映像は作れない。そのためには、出演者以外に、カメラ、照明、音声、そして監督やＡＤなど大勢のスタッフが必要なのだ。セックスをする男性が、自ら全ての撮影機材を操作することなどは無理に決まっている。それがこの当時のＡＶ制作者の考え方であった。１９８５年に小型で使いやすい8ミリビデオカメラが登場し、素人ユーザーの間では自分たちの行為を撮影することが広がっていったが、プロがそれで「商品」を撮ることはあり得なかった。

１９８７年頃になると実験性の高い撮影手法に積極的だった伊勢鱗太朗監督やジャッキー監督が、作品のワンパートに8ミリビデオカメラでの撮影を導入しはじめる。男優と女優をふたりきりにしてプライベート感の高い映像を撮ろうという試みだった。そしてそのコーナー12人分をまとめたのが１９８８年に発売された『勝手にしやがれ 本番女優の素顔レポート』（ＫＵＫＩ）である。全編を「ハメ撮り」手法で撮られたＡＶとしてはこれが第一号ということになるが、実際は総集編として作られている。伊勢鱗太朗という先鋭的な監督であっても、この時点では8ミリビデオカメラによるハメ撮りで全編を撮り下ろすことにまでは考えが及ばなかったのだ。そして『勝手にしやがれ』はふたりきりで撮影

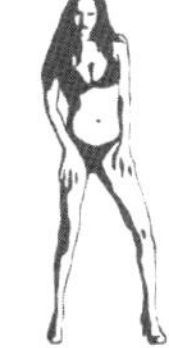

されたとはいえ、あくまでもプロの男優とプロの女優によるセックスであった。

『なま』の衝撃

現在のハメ撮りという手法の直接的な元祖としては1989年にゴールドマン監督が撮影した『NEW変態ワールド なま』(アートビデオ)がふさわしいのではないだろうか。

『なま』はパッケージデザインからして異質な作品だった。赤く縁取られた真っ白な地のうえにひらがなで大きく「なま」と2文字が書かれている。そしてサブタイトルの「NEW変態ワールド」と出演女優の「奥沢玲子」の名前が書かれており、あとはいくつかの英文が配置されているのみ。写真は一切ない。そして「ほんなま醸造 nama 金印テープ 生ものですので、お早めにおめし上がり下さい。」という銀色の丸いシールが貼られている。インパクトのあるデザインだが、こんなパッケージのAVはいまだかつてありえなかった。

そしてそれ以上に前代未聞だったのは内容だった。本編はひとりの女性とラブホテルの部屋に入るところからはじまるが、画面は男の目線となっている。いわゆる主観映像だ。主観映像によるAVは、鬼闘光監督の「あなたとしたい」シリーズ(アテナ映像)などですでに試みられていた手法だが、『なま』の映像は常に不安定に揺れる画面であり、暗くて何が映っているのかもわからない場面もあったものの、それがより生々しさを感じさせた。

女性をビニールテープで縛り上げ、荒々しく身勝手なセックスを済ませ、最後に浣腸をして排泄(はいせつ)させる。そこまでの一部始終をノンストップ60分で収録しているのである。性器にモザイク修正は入っているものの、それ以外は無編集。まさに「なま」の映像なのだ。

パッケージに監督の表記はないが、本編の終わりに「DIRECTED BY GOLDMAN」とクレジットが入っている。

『なま』を撮影したゴールドマンは、1987年に『スーパーエキセントリックROADショウ 電撃!!バイブマン』（アルファビデオ）で監督デビューを果たしているが、この時は「B」という監督名でクレジットされている。その後、フリービジョンのゴールデンキャンディレーベルなどでも監督を務めた。ゴールドマンの名前の由来は、このゴールデンキャンディからきている。

この時期は林由美香や島田由香などの単体作品を撮っているが、若手新人監督にありがちなコミカルでシュールな作風で、まだその本領は発揮されていない。ちなみにデビュー作『電撃!!バイブマン』は、『ビデオ・ザ・ワールド』誌のレビューでは、100点満点で5点という評価を受けている。

ゴールドマンが『WEBスナイパー』に発表した自伝的小説「セックス・ムーヴィー・ブルース」に「ハメ撮りの生まれた日」という章がある。

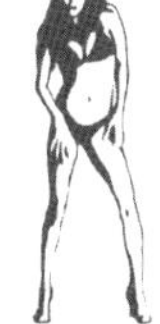

最初に俺がハメ撮りというものを体験したのは、たしか89年の秋で26歳の時だった。もう、すでに10月だというのに真夏のような暑い日だった。


それまでにも俺は、数本のＡＶを監督していた。

低予算のＢ級映画のようなドラマものだ。

撮影用のスタジオを借りて、スタッフもたくさんいた。プロ用の機材を使って、画質もクオリティの高いものだった。メイク、照明、音声、カメラマン、ＡＤ、女優、男優、マネージャー等、皆がそれぞれの持ち場で熱心に仕事をしてくれた。

それが、一般にいうＡＶ撮影の現場だ。

しかし、撮っているうちに、俺の心の中に、ある疑念がわいてきた。


この、いわゆるお仕事的なセックスは、なんだ？　全然エロくない！　せっかく女の性器に男のペニスを入れたり出したりしているのに、まったくもってイヤらしくない！

これは、どういうことなんだ！

本物のエロスを表現したいと考えたゴールドマンは、家庭用のビデオカメラでふたりきりの密室でAVを撮影することを考える。自分たちで撮影した写真を雑誌に投稿するマニアたちの姿が念頭にあった。彼らの純粋に性的興奮を楽しんでいる様にこそ、エロスの源を感じたのだという。しかしそのアイディアはメーカーに認められなかった。家庭用ビデオカメラの画質では商品にならないというのが彼らの考えだった。

ゴールドマンも『なま』以前の作品でワンパートを8ミリビデオカメラで撮影するといった試みはおこなっていたが、1本まるまるを撮るということは当時の常識としては許されなかったのだ。そのため、ゴールドマンは自主制作として撮影を決行する。構想している映像に必要なものはラブホテル代とビデオテープ代、そして女優のギャラだけだ。

以前の撮影で知り合った中島小夜子というフリーのモデルが格安のギャラで出演してくれることになった（クレジットは奥沢玲子）。CCDカメラを眼鏡に取りつけ、背負ったリュックのなかに8ミリビデオウォークマンを入れたスタイルで撮影はおこなわれた。

60分ノンストップ撮影である『なま』だが、実は何回か撮影を繰り返して、何バージョンも制作し、そのなかからひとつを選んだのだという。こうして完成した『なま』は、通常のAVの制作費に比べ破格の低額で作られたということもあり、アートビデオがそれを買い取るかたちで発売された。

ここで重要なのは、ゴールドマンが自主制作しなければならないほど、AVメーカーの家庭用ビデオカメラ撮影に対するハードルは高かったということだ。

『ビデオ・ザ・ワールド』1989年12月号には、新人監督としてゴールドマンのインタビューが掲載されている。聞き手は、初期からゴールドマンに注目していた藤木TDC。まだ迷走していた時期だったため、藤木の評価も曖昧な感じだ。しかし、そのなかでゴールドマンは発売前の『なま』について自信たっぷりに発言している。

まぁ、一応、80年代最後のエポックになる作品じゃないかなと。他でビデオ撮ってる人も、みんなここに行きたいかって気がしますね。みんな、マネすんじゃねえぞ！と。

新しい波の到来

ゴールドマンは『なま』に続いて「TOKYO BIZARRE」（映研）というシリーズを手掛ける（発売は『なま』の方が後になっている）。こちらも撮影は全て家庭用ビデオカメラだ。『BLACK』『RED』『FRUITY』の三部作になっており、同時にA3サイズの大判写真集も作られている。

村上龍の小説『トパーズ』のヒットを嚆矢とするボンデージブームがあり、それにあわせて「ボンデージビデオを撮ってくれ」というオーダーがゴールドマンに舞い込んだ。実は以前から彼もノンヌードのボンデージビデオを撮影したいとアイディアを温めていたのだという。そうして作り出された「TOKYO BIZARRE」は、ＡＶというよりは、アートの文脈で語られる方がふさわしい作品だった。

『RED』では白衣の看護婦を赤いビニールテープで縛り上げる様を、天井から吊り下げられて左右に揺れるビデオカメラが写し取る。『BLACK』では公園のシーソーにセーラー服姿の少女が黒いビニールテープで縛りつけられる姿を、前後に揺れるブランコから撮影。そして『FRUITY』はヘアピースやレオタードでカラフルに着飾った女性が、エレベーターのなかで拘束される。いずれの作品もセックスどころかヌードもなく、またセリフもストーリーもない。無言のままに水中メガネをかけた男（ゴールドマン本人）が女性をビニールテープでぐるぐる巻きにしていくだけだ。

ビニールテープは初期ゴールドマンのトレードマークだった。荷物のように梱包された女体はオブジェのように変形していく。「TOKYO BIZARRE」は、ＡＶとはあまりにもかけ離れた内容の作品だが、映像としてのインパクトは今なお色褪（あ）せない傑作である。

この作品ではアートディレクター兼カメラマンとしてデザイナーの野田大和が参加している。『なま』の強烈なパッケージも彼の作品だった。当時、野田はミリオン出版のＳＭ雑誌『ＳＭスピリッツ』などで先鋭的なアートディレクションを手がけていた。そのデザインセンスに惚れ込んだゴールドマンが編集部に直接電話して連絡先を聞き、コンタク

トしたのだという。そして野田は、初期ゴールドマンの重要なパートナーとなる。また主演は3作品とも中島小夜子。『なま』からの3人のコラボレーションは続いていた。

「TOKYO BIZARRE」は8ミリビデオカメラではなく、同時期に家庭用ビデオカメラのフォーマットとして8ミリビデオの対抗馬であったS-VHS-Cで撮影されている。当時は8ミリビデオよりS-VHS-Cの方が画質がよかったためだ。ただしS-VHS-Cは標準画質で20分しか撮影できなかったため、60分ノーカットがコンセプトだった『なま』では採用されなかった。

セールス的にはともかく『なま』は一部に大きな衝撃を与え、よりアバンギャルドな『なま2』『なま3』と続編も作られる。

そしてゴールドマンは当時の人気女優・早見瞳を主演に迎えながらも『時計じかけのオレンジ』をモチーフに、ビザール感覚、フェチ感覚を炸裂させた『着せかえ〝生肉人形〟』、変調されたクラシック音楽をBGMにダブを思わせる歪んだ映像が強烈な『100P』、全編に凄まじい画面エフェクトが施された『夢見るビラビラちゃん』、そして既出作品を信じがたい手法でリミックスした『華麗なるゴールドマンの誘惑』（以上全てアートビデオ）といった作品を次々と発売していく。

次はどんなアイディアの作品を見せてくれるのか、一作品も見逃すことはできない。ごく一部のマニアには熱狂的に支持されたゴールドマン監督だったが、もちろん一般のAV

ユーザーにとっては、間違って借りてしまったら災難としかいいようのない内容だ。さすがに社長に「会社を潰す気か！」と怒鳴られる羽目となり、ゴールドマンはそれまでホームグラウンドとしていたメーカー、アートビデオを追われてしまう。

ゴールドマンの手法と姿勢は、それまでのAV監督の文脈から大きく逸脱したものだった。そしてこの時期、ゴールドマンと同じように既存のAVとは違ったアプローチを試みる20代の監督が次々と登場した。

それは、その10年ほど前にロックのシーンに起こったパンク／ニューウェーヴのムーブメントを思わせるものだった。80年代末から90年代にかけて、AV業界にも新しい波が押し寄せていたのである。

V&Rの3人の監督

ハメ撮りで自分の思いを描いたカンパニー松尾

ハメ撮りという手法を完成させたといえる監督がカンパニー松尾だ。今なお第一線のAV監督としてハメ撮りにこだわった活躍をしているため、ハメ撮りの代名詞的な存在となっている。

カンパニー松尾は、安達かおる監督が設立したV&Rプランニングに1987年に入社。ADとして働いた後、1988年に『あぶない放課後2』で監督デビューを飾る。この時、松尾はまだ22歳だった。

初期のカンパニー松尾の作品はドラマ物が中心であり、MTVに影響されたエフェクトを多用したカラフルな作風が特徴だった。それが次第に松尾の真情を吐露したテロップが多用されるようになっていく。自分の思いをAVに込めるという私小説的な構造をもちはじめたのだ。

これは『ボディプレス』編集長からAV監督に転身した東良(とうら)美季が撮った『恋歌1987 オマージュ/大滝かつ美』(SAMM、1987年)に影響を受けたのだと松尾は語っている。『オマージュ』は、かつて東良と恋愛関係にあった大滝かつ美への個人的な思いを託したドラマ作品だった。AVにもこういう手法があるのかと驚いた松尾は、撮影の過程で恋愛感情を抱いてしまった林由美香の主演作『硬式ペナス』を「個人的なラブレター」として編集する。しかし、そうなると男優に自身を投影することが、間接的な表現であり、不自然だと松尾は考えた。
そこで松尾が取ったのはハメ撮りという手法だった。男優ではなく監督である自分がセックスをして、撮影すればいい。

僕のAV監督としての二十数年間を総括すると、林由美香の存在はすごく大きい。AVの中で自分の感情を出すスタイルのきっかけになった人だし、ハメ撮りをしたいと思ったのも彼女を撮ってから。自分が好きになった女優に男優をあてがって、気持いいかって後から聞くのは、なんかおかしいなって。そこに納得いかなかったから自分でカメラを持ってやろうと思ったんです。
（『AV30 メーカー横断ベスト!!! カンパニー松尾8時間』ライナーノート、オールアダルトジャパン、2011年）

そのスタイルが完成したのは1991年からスタートする「私を女優にして下さい」シリーズだった。出演を希望する素人女性のもとに松尾がひとりで訪ねて行き、8ミリビデオカメラでハメ撮りする。その旅行の過程も日記風に撮影しており、ロードムービー的

なドキュメンタリーでもある（実際に全編を8ミリビデオで撮影するのは3作目からで、それまではベーカム撮影を併用している）。作品はあくまでも松尾の視点から語られ、その時々の心情は膨大な量のテロップで表される。それはまさに20代の青年による「私小説」だった。AVでありながら、主役は女性ではなく、カンパニー松尾自身なのだ。

ゴールドマンはより生々しい「セックス」を撮りたいという欲求からハメ撮りという手法を編み出したのだが、カンパニー松尾はドキュメンタリーとしての可能性を8ミリビデオカメラに見出した。応募してきた素人女性の住む街へ向かう旅の様子や待ち合わせた喫茶店での会話、好物のカレーを食べる姿なども余さず撮っていく。巨大なプロ用カメラでは、そんなゲリラ撮影は不可能だ。小型の民生機だからこそできる撮影なのだ。家庭用ビデオカメラの進歩はAVにおける表現の可能性を大きく広げたのである。

『私を女優にして下さい2』で知り合った素人女性の宮崎レイコとの恋愛感情まで取り込んだ「熟れたボイン」シリーズ、女優とのふたり旅をエモーショナルに描く『Tバックヒッチハイカー』、気のあう仲間とテレクラを巡る旅に出る「これがテレクラ！」シリーズなど、8ミリビデオカメラという武器を手にしたカンパニー松尾は独自のスタイルを築いていった。またロック的な感性に裏打ちされたセンチメンタルな作風は、後進の監督や、他ジャンルの映像作家にも大きな影響を与えることになる。

社会派ドキュメントAVを創造したバクシーシ山下

カンパニー松尾の所属するV&Rプランニングに、当初は男優として関わり、後にADとして勤務。そして1990年に『女犯』で監督デビューしたのがバクシーシ山下だ。『女犯』は衝撃的な作品だった。ラブホテルの一室で男性たちがひとりの女性をレイプする。女性は泣き叫びながら抵抗するが男性たちは怒鳴り、押さえつけ、ゲロまで吐きかけ、そして犯す。それまでのレイプ物AVが、おままごとに見えてしまうほどにリアルなその映像は、本当の犯罪を撮影したものとしか思えなかった。当日、数誌から取材が来ていたのだが、あまりの凄惨さに一誌も記事にしなかったほどである。しかしその強烈な映像は大きな話題となり、セールスも好調だったため続編も作られた。

『女犯』、そしてバクシーシ山下の名前がAV業界以外にも知られるようになったのは、2年後のことだった。続編である『女犯2』（1990年）を観たフェミニズム団体がこれを問題にしたのだ。実際の現場では女優には全てを説明して、納得のうえで撮影がおこなわれていたのだが、そのリアル過ぎる映像に「本当にレイプがおこなわれたに違いない」と思われたのだ。

この時点で「女犯」シリーズは6作まで作られ、バクシーシ山下はAV業界では「レイプ物が得意な監督」と認識されていたが、騒動により一般メディアでも「鬼畜監督」として取り上げられるようになった。しかしその影響でビデ倫からの締めつけも厳しくなってしまった。「女犯」シリーズの発展型ともいえる、海外ロケを決行した『スーパー女犯3 表現の自由』（1992年）は、内容を大幅にカットすることを要求されてしまう。結果的に本編はわずか42分、しかも作中で2回、突然画面が約1分スノーノイズ（砂嵐）になり、「不良品ではありません。テレビが壊れたわけでもありません。もっと大事なものが壊れたのです…。しばらくお待ちください…」というテロップが映し出される。バクシーシ山下による精一杯の抵抗だったのであろう。そして「女犯」というタイトルも使えなくなってしまった山下が次に放ったのは『ボディコン労働者階級』（1992年）だった。

ボディコン姿のAV女優・石原ゆりを東京のドヤ街である山谷へ連れて行って、日雇い労働者たちとセックスをさせるという内容の作品だが、既存のドキュメンタリーで描かれる山谷とは違ったリアリティがそこにはあった。ろくに風呂にも入らずに汚れて体臭もキツい労務者たちに身体を投げ出し、恥垢のたまったペニスも平気でしゃぶる石原ゆりは、まるで天使のようにも見えるが、撮影終了後のインタビューでは「こういうことといったらヤバイだろうと思って本人たちには言わなかったけど、甘いんですよね。変なところプライド高いし」とクールに語る。そしてバクシーシ山下はさらにそこに「日雇い労働者に対しての意見であるが、何故かそれは、AVギャル自身を語っているかのように思えた…」とテロップを被せる。

また、世間から差別される立場である日雇い労働者たちの間でも差別意識が強いという現実も容赦なく映し出す。「現代社会の被害者」「差別される可哀想な人」といったステレオタイプな見解とは一線を画したバクシーシ山下の視点は新鮮だった。そしてそれはAVというメディアでしか描けないドキュメントという、新たな可能性を見せてくれたのだ。

新感覚のドキュメンタリー作家として、バクシーシ山下は一般マスコミからも注目され、一躍時の人となる。タブーへと踏み込んでいく作風が、当時の「悪趣味・鬼畜ブーム」と呼ばれたムーブメントとタイミングが重なったこともあり、そうした文脈で語られることもあった。その後も山下は男女問わず社会の常識からはみ出してしまう人間にスポットを当てた独自の路線を歩み続けるが、カニバリズムをテーマにした『全裸のランチ』（1993年）の包茎手術で切除した包皮を焼肉にして食べるシーンがカットされたり、小人症のフィリピン人が女性をレイプする『初犯』（1992年）や、現役の自衛隊員が出演し、自衛隊の敷地内でも撮影した『戦車とAVギャル』（1993年）、交通事故死したAV女優のドキュメントで事故を再現した『死ぬほどセックスしてみたかった。』（1994年）などが発売禁止の処分を受けるなど、ビデ倫との軋轢（あつれき）が続いた。イエス・キリストの復活を祝うフィリピンのイースター祭に参加してM男優を十字架に磔（はりつけ）にした『SMワイドショー　マゾに気をつけろ!!』（1996年）は、国際問題にまで発展してしまった。

なにかと話題を提供し続けたバクシーシ山下だが、90年代にAVの表現の枠を大きく押し広げた重要な監督のひとりであることは間違いない。

破天荒な私小説AVを綴った平野勝之

カンパニー松尾、バクシーシ山下と並んで90年代のV&Rプランニングを盛り上げたのが、平野勝之だ。

ぴあフィルムフェスティバルの常連入賞者であり、自主制作映画界で活躍していた平野勝之がAV監督としてデビューしたのは1990年。最初の監督作は林由美香主演の『由美香の発情期 レオタードスキャンダル』（ロイヤルアート）だった。自主制作映画界での友人だった小坂井徹が、AV黎明期から異彩を放っていた高槻彰監督率いる制作会社シネマユニット・ガスに入社していた関係で、平野にAVを撮るという話がきたのだ。

シュールさが空回りした『由美香の発情期』は自他ともに認める失敗作となったものの、1992年に撮影された『水戸拷悶 大江戸ひき廻し』が平野勝之の名前をAV業界に轟かせた。主演の女優をバンに乗せて都内のあちこちを回りながら拷問していくという作品だが、冒頭にいきなり平野が「君ばっかり苦しい目にあわせるわけにはいかない」と自らの手の甲をカッターで十字に切りつける。以降、尋常ではないテンションで地獄絵図が展開されるのだ。車内で浣腸し、街頭でメガホンを使って集客したなかで汚物を漏らさせたり、大量の食べ物を食べさせて嘔吐させたり、汚物をスタッフの顔に噴出させたり（かけられるうちのひとりは、後に映画監督として活躍する井口昇）、最後には磔にされた女優に花火を浴びせる。その凄まじいまでの狂気は、『女犯』のバイオレンスとはまた違った衝撃を

AV業界に与えた。平野勝之は、この作品についてこう語っている。

たとえばさ、僕がたいへん尊敬するキューブリックが『2001年宇宙の旅』でSF映画の歴史に残るものをつくったというのと同じような考え方で、拷問とか、レイプものの歴史に残るものをつくりたいと。やっぱりそういうのを目標にしないとだめなんじゃないかと思って。それはAVの本道とは違うかもしれないけど。

（平野勝之・柳下毅一郎『「監督失格」まで』ポット出版、2013年）

低予算でキューブリックに匹敵するものを撮るにはウンコしかない。そう考えた平野勝之は以降も、男女がひたすら汚物を浴びる『ザ・タブー 恋人たち』（1993年）、下水道で撮影し警察沙汰となる『ザ・ガマン しごけ!! AVギャル』（1993年）などを撮る。また『ザ・タブー』に主演した女優が自力出産する姿をとらえた『ザ・タブー2 あなたの赤ちゃん生ませて下さい』（1994年）は、出産シーンがビデ倫の審査に抵触し、発売中止に追い込まれてしまう。

その後、平野勝之は過激さを追求する路線から、「私小説AV」とでもいうような作風へと移っていく。AV女優を実家に連れていきセックスフレンドだと親に紹介する『アンチSEXフレンド募集ビデオ』（1994年）や、本当の妻とのセックスまで登場する不倫ドキュメント『わくわく不倫講座 楽しい不倫のススメ』（1995年）、暴風雨のなかでのセックスに挑む『SEXレポート№1 美人キャスターの性癖』（1995年）など、周囲の人間を巻き込んだ強烈なドキュメンタリー作品を連発。実際の痴漢グループを主役にした「わくわく痴漢講座」シリーズ（1995-2000年）などを挟みつつ、1997年には『わくわく不倫旅行』を撮影する。

プライベートでも不倫関係にあった林由美香とふたりで、日本最北の北海道礼文島まで自転車旅行をするというロードムービーである。後に『由美香』のタイトルで、映画作品として劇場公開されることになるその生々しくも美しい映像は、AVの枠を遥かに超えたものだった。

平野はその後、『わくわく不倫旅行2』（1998年、劇場公開タイトル『流れ者図鑑』）、そして『白 THE WHITE』（1999年）と劇場公開作品を撮り、それらは自転車三部作と呼ばれた。第三作にあたる『白 THE WHITE』にいたっては、平野勝之がひとりで厳冬の北海道を自転車で走るドキュメンタリーであり、もはやAVではなくなっていた。そして2011年には、庵野秀明プロデュースによって、2005年に急逝した林由美香の死を巡るドキュメンタリー映画『監督失格』を発表することになる。

オルタナティヴなAVは、なぜ生まれたのか？

異端の集団・V&Rプランニング

カンパニー松尾、バクシーシ山下、平野勝之らが先鋭的な話題作を連発していた90年代のV&Rプランニングは、AVファン以外からも注目を集めていた。平野勝之がいう「AVの本道とは違う」作品をこれだけ作ることができたのは、V&Rプランニングが「鬼のドキュメンタリスト」の異名を取る安達かおる監督が率いるメーカーだったからだろう。

安達監督自身が隠された人間の業を描くことにこだわり、多くの異色作を発表している。3人の障害者男性が男優として出演した『ハンディキャップをぶっとばせ！～僕たちの初体験～』（1994年）のように、ビデ倫から審査を拒否されて販売中止となった作品まである。安達かおるは、当時のV&Rプランニングの姿勢についてこう語っている。

ビデ倫の審査に通らないことに関していえば、一切気にするな、責任は全部会社が取るからって、監督たちにも徹底して言いましたね。もちろん、会社にとってはいけないですけど、いかにビデ倫と戦ってメッセージ性を強めていくか、それが自分にとってのひとつの課題でしたから。

（井川楊枝『封印されたアダルトビデオ』彩図社、2012年）

平野勝之の証言。

V&Rはほかのメーカーと違って、作家主義みたいなところがあった。［……］安達さんは、おまえたち、ビデオでしかできないことをやれ、って言ってて、ちょっとでも中途半端でつまらないものをつくってしまうと、逆に嫌がられて切られるんですよ。ほかのメーカーでは中途半端でも売れるものをつくるとか、ちゃんと絡みが撮れているものが喜ばれるんだろうけど、V&Rは違った。もっとちゃんとビデオ屋にしかできないことをやれ。徹底されてるものだったら、別にセックスなんかなくても大歓迎だぞ、という感じで。ここまでやればいい、というような評価のされ方だった。まぁ、安達さんはね（笑）。営業は悲惨だろうけど（笑）。

（『「監督失格」まで』）

カンパニー松尾の証言。

当時のV&Rは安達かおるを筆頭にバクシーシ山下、平野勝之らと「どれだけ面白いことをやるか」合戦になっていた。
（『AV30メーカー横断ベスト!!! カンパニー松尾8時間』ライナーノート）

90年代前半のこの時期に、これだけ実験的なAVが多く作られたのは、なぜだろうか。そうした作品がAVとしてリリースされることが可能だったという状況は、常に数字を求められる現在のAVの現場にいる人間にとっては信じがたいだろう。

90年代初頭のAVに何が起こったのか？

2012年に新宿のトークライブハウス、ネイキッドロフトで、筆者の企画・司会による「90年代初頭のAVに何が起こったのか？」というトークイベントがおこなわれた。出演者は、カンパニー松尾、バクシーシ山下、平野勝之、ゴールドマンの4人。この時期に起こったAVのムーブメントの実情を当事者に語ってもらおうというイベントだった。
どうしてこの時期に、実験的なAVをリリースすることができたのかという筆者の問いにカンパニー松尾は、当時のAVメーカーの体質によるものだと答えた。

松尾　エロ業界自体が今と違って……。今は会社的な、組織的な、企業的な対応してるんですよ。でも昔はエロ本あがりなんですよ。社長もみんなワンマンなんですよ。企業ではないんです。今の人は売上よかったら前年比で伸ばしていこう、シェアを伸ばそうとか言うけど、その当時は全くそういうこと考えていなくて、単純に不動産買ったりヨット買ったり外車買ったりしてた。企業としての経営なんてなかったの。そういうセンスもないし。だから売れてるからいやってのほほーんとした感じで不動産買って失敗したりとか、そういう業界だったの。

ゴールドマン　商店街のオヤジが、ゴムでぶら下げたカゴに売上いれてね、みたいな世界だよね。

松尾　だから社長クラスでも真面目にお客様のためにとか、これが売れないんだ、どうしてくれるんだとか考えてる人はいなかったと思う。

平野　たかがエロビデオじゃんみたいのはあったんじゃないかな。

80年代のエロ本業界も同様な状況であった。カラーページではヌードグラビアを掲載していながらも、1色ページにはエロとは無関係のカルチャー記事が満載という雑誌も珍しくなかったのだ。80年代からエロ本ライターとして活躍し、現在はAV監督として多くの作品を手掛けているラッシャーみよしは、かつてのエロ本の現場について証言している。

カラーページにハダカを載せていれば、モノクロページは好き勝手やっていいというのがエロ雑誌の伝統だったんですよ。売れてさえいれば、社長も営業も内容には口出ししなかった。

（『週刊ＳＰＡ！』２００８年1月3・10日号）

同じようなことをカンパニー松尾も２０１２年のイベントで語っている。

松尾　僕なんかは会社に対してある程度の売上の確保は出来てしまうので、だったら会社の金をどれだけ無駄遣いするか、楽しく使うかしか考えてなかった。

松尾はＶ＆Ｒプランニングの社員であり、プロデューサー的な立場でもあったため、山下や平野らの「ＡＶの本道とは違う」作品を積極的に製作していた。松尾のハメ撮り物はセールス的にも悪くなかったし、『若奥さまゴルフレッスン　あー私のオーガスタ!!』（１９９2年）のようなベタな内容のＡＶも積極的に撮っていた。そこで売上を確保しつつ、実験的な作品もリリースしていたということだ。

レンタル時代が生んだ実験的AV

また当時のAVがレンタル中心だったことも大きかった。レンタルショップは毎月多くのAV作品を仕入れるため、メーカーごとにある程度の枠（本数）を決めて発注していた。その場合、実際に内容を観て作品を選ぶわけではなく、事前に配られるパッケージ見本やリストを見て判断することになる。

V&Rプランニングの山下や平野などの「AVの本道とは違う」作品にしても、『わくわく不倫講座』のように、ベタなAVのようなタイトルをつけ、内容とは全く関係のない、いかにもAV的な写真をパッケージに使っている。

平野勝之監督の『わくわく不倫講座 楽しい不倫のススメ』は、前作『アンチSEXフレンド募集ビデオ』に登場したAV女優・志方まみとの不倫関係を描いたドキュメンタリーとしてはじまるが、途中で志方は平野のもとを去り、連絡も取れなくなってしまう。しかし作品は続き、別の女優を使って数年後に帰ってきた志方まみとの再会をフィクションで描き、さらにその10年後に奇病に侵されて死を待つ状態となった彼女が登場する。10年後の志方まみを演じるのは、なんと井口昇（！）。そして平野は浜辺で志方まみの死を看取る。ラストシーンには、平野と当時の実際の妻とのセックスシーンまで登場する。ドキュメントと虚構が渾然となった意欲的な傑作であるが、明らかに通常のAVの枠を逸脱したものだ。

しかしパッケージには本編には登場しないバスローブを羽織った男性と裸の女性が抱き合った写真と、「あたし、こんな女ぢゃなかった……」「くんずほぐれず、男と女 2人の男と2人の女 それぞれ立場の違う4人のそれぞれの不倫のススメ、色んなパターンで皆が笑ってる…。」「夫以外の男はイイ！ 女房以外の女はもっとイイ!!」といったキャッチコピーが書かれているが、ここから実際の内容を想像することは不可能だ。

レンタルショップでAVを借りる客にとっても、それは同じだ。不倫物のAVだと思って借りたら、AVともドラマとも判断のつかない異形（いぎょう）の作品なのだ。パケ写詐欺などというレベルではない。現在であれば、ネットのユーザーレビューで炎上してしまうかもしれない。松尾もイベントで「パッケージをごまかしていれば、ある程度本数は出るので、それを利用して楽しいことをする」という発言をしている。メーカーの社長が客のことなど考えていなかったと言っていたが、松尾たちも客のことを考えていないのである。

この時期にレンタルショップでのAVユーザーはまとめて数本借りることが多かった。1本あたりのレンタル料金が数百円と安かったからだ。そのため、1本がハズレたとしてもそう気にしないという状況だったのだ。

これが90年代後半から台頭してくるセル（販売）用のAVとなると1本が数千円という価格のため、必然的にユーザーの目も厳しいものになる。レンタル時代のAVは、メーカーにとってぬるま湯のような状況だったといわれることも多いが、この時期に先鋭的で実験的なAVが生まれたのも、こうした環境があったからだともいえる。

いずれにしても彼ら4人をはじめとする20代の監督たちが、AVの新境地を切り開いていったことは間違いない。日本のAVは、その誕生からわずか十数年で、世界に類を見ない新しい表現メディアへと成長していた。

AVはオナニーのためのツールであるという前提が変わることはなかったが、「AVというメディアはこんなことまで描けるのか」と感じた者も決して少なくなかった。

AV幼年期の終わり

ダイヤモンド帝国の崩壊とAV黄金期の終焉

AV業界を制覇するかに思われた村西とおる率いるダイヤモンド映像の勢いに陰りが見えたのは1990年の終わり頃だった。ダイヤモンド映像が資金繰りに苦しんでいるという噂が業界に流れた。巨額をつぎ込んでいた衛星放送が暗礁に乗り上げ、また社内で商品の大量横流しや、社員の使い込みが多発していたことも発覚した。制作費や社員の給料の遅配も目立つようになっていた。それは作品の質の低下にもつながり、売上も落ちていく。

日本経済のバブルが弾けたのと同時にダイヤモンド映像の黄金期も終わりを告げたのだ。

そして1991年12月に東京地方裁判所に和議申請。1992年には会社を統廃合し、ダイヤモンド・エンターテインメントという新会社を設立して再起を図るも、専属女優や制作スタッフが離脱していき、結局同年12月には倒産にいたった。村西とおるが背負った借金は、なんと50億円にも達したという。

失速したのは風雲児・村西とおるだけではなかった。ライターの水津宏は1992年のAV業界を総括した『オレンジ通信』の記事の冒頭でこう書いている。

アダルトビデオ業界にとっての92年は、バブル経済崩壊のあおりを受け、不況に喘いだ1年と言えよう。一時は1万7〜8千軒もあったレンタル・ビデオショップも1万軒を割り、売れ行きは鈍化の一途。春先からA社が危ないらしい、いやB社も等々、様々なウワサが飛び交う中、8月の大陸書房の倒産を頂点に、いくつかのメーカーが倒産、制作中止の状態に追い込まれた。アダルトビデオ評論家だった奥出哲雄氏が設立したアロックスも、大いに期待されたがヒット作らしいヒット作も生み出せぬまま事実上の倒産状態に。また「ナイスですねぇ〜」という流行語と共にアダルトビデオ界の帝王と呼ばれた村西とおる率いるダイヤモンド映像も、専属女優、専属監督が次々と辞め、新作のリリースがストップ状態となっている。

（「'92年AV総括」『オレンジ通信』1993年2月号）

『オレンジ通信』1992年5月号で、ライターであり、アロックスの専属監督でもあった斉藤修が連載「オサムランド」で、同じくアロックスの専属監督であった相川和義とAV業界の不況について対談している。この時期にふたりともアロックスの専属を離脱していた。当時のAV制作費の削減について相川が説明する。

相川　制作の箱受けだったら（注・箱受けとは、現場制作費、監督のギャラ、女優をのぞいたキャスト費、編集代のもろもろの制作費を含んだ制作請負いの形の事をいう）250万を切る位のね。昔みたいに300万とかは、今じゃ出ないですからね。

斉藤　とめどなく下の数字ってのが出てきてるからね。

相川　150万とか。

斉藤　もっと下もいくらでもあるから。

相川　そんなんで、よく作れるなと思うんですけど、不思議なんだよね。

ちなみに2022年現在では、大手メーカーでも制作費は100万円程度が普通だといわれている。

さらに、ふたりはAV不況の原因がタイトル数の増加ではないかと推測する。

斉藤　まあ、今のこの状況ってのは、リリースの本数が多すぎてさ、こういう状況になってるんだから、これで多少は減るのかと思ったら、また増えてしまうと。だから、どの大手メーカーとかみても、2~3年前からくらべると、リリース本数が2倍位になってたりするからね。

相川　そりゃ大変でしょ。

斉藤　そう、それでみんなヒーヒーいってる。

相川　だから結局、本数が増えるとね、駄目なんですよ。この業界は、100本とか150本てのが月のリリースの限界なんでしょ。だってショップのコーナーって小さいですもん。

斉藤　でも今は、月間400本強だからね。

相川　多すぎますよ。

2022年現在では、DVDとして販売されているAVだけでも月間2000タイトル以上に達している。水津は「'92年AV総括」の最後をこうしめている。

［……］売れなくなったのは、ただ単に不況になったばかりではないのだ。今までのやり方が通用しなくなった今こそ、一体何のためにアダルトビデオを作るのか、何故それがアダルトビデオなのか、真剣に考える必要があるだろう。アダルトビデオの持つ可能性に目をつむり、自己を閉鎖的立場に置いたとしたら、ますますジリ貧になる一途である。各メーカー、監督の奮起を期待したい。

そして実際に90年代半ばから、AV業界には新しい波が押し寄せ、勢力図も大きく変わることとなる。「今までのやり方」は通用しなくなっていったのだ。

飯島愛のブレイクとテレビとの蜜月

90年代のAV女優のなかで最も知名度があるのは誰かと聞かれた時に、最初に名前があがるのは飯島愛ではないだろうか。AV女優引退後のタレント活動の方が華やかだったため、AV出身者の成功例として語られることが多い。

彼女の名を一躍高めたのがテレビ東京で1991年から1998年まで放映された深夜番組『ギルガメッシュないと』への出演だが、彼女のAVデビュー作は1992年4月発売の『激射の女神　愛のベイサイドクラブ』（FOXY）であり、その年の2月には『ギルガメッシュないと』にすでに登場していた。撮影自体は『ギルガメッシュないと』出演以前におこなわれていたが、発売はその後になったため、むしろ「『ギルガメ』のあの子がAVデビュー！」という芸能人AV的な売られ方をしていた。前述の水津による「'92年AV総括」でも飯島愛のブレイクを明るい話題として取り上げているが、その扱いを難しいものとしている。

［……］あっという間にスターダムに駆け上った。が、厳密に言うと、彼女の場合はアダルトビデオが生んだスターとは言い難いものがある。彼女の人気はテレビを始めとするマスコミによるところが大きく「その彼女がアダルトビデオにも出ている」といった色合いが強い。彼女にとってアダルトビデオに出たと

いうことは、ひとつの付加価値をつけるためであり、事務所が彼女を売るための戦略であった。それが桜樹ルイら、アダルトビデオ出演をメインの価値にした今までのスターとの決定的違いであり、ある意味では全く新しいタイプのスターと言えよう。したがって、現在飯島愛の裸はもちろん、アダルトビデオ誌ではインタビューも禁止という事務所からの通達も、事務所サイドからすれば「当然」ということになる。

ベストセラーとなった飯島愛の自伝的な小説『プラトニック・セックス』（小学館、2000年）によれば、AV出演の方が先であり、テレビ出演はあくまでもその宣伝だったそうだが、テレビとAVの相乗効果は大きかった。『オレンジ通信』1993年2月号掲載の1992年度メーカー別売上ベスト10を見ると、飯島愛出演作をリリースしたメーカーの1位は軒並み彼女の作品だ。上位3位を飯島愛が独占しているKUKIはコメントで「不景気と囁かれながらも、飯島効果というところでしょうか。Tバック系女優は売れる売れる」と語っているほどだ。村西とおるとの決別以降、低迷を続けていたクリスタル映像も飯島愛の出演作を数多くリリースしたことで大成功を収めた。1986年の小林ひとみデビュー時を超えるような飯島愛フィーバーがあったことがよくわかる。

飯島愛に続けとばかり、『ギルガメッシュないと』にはその後もAV女優が次々と出演していった。水谷ケイ、野坂なつみ、憂木瞳、矢沢ようこ、氷高小夜、麻宮淳子など、多くのAV女優が『ギルガメッシュないと』をはじめとするテレビ番組にレギュラー出演し、人気を集めていた。彼女たちは、あくまでも「明るくエッチな女の子」というキャラクターを忠実に演じていた。そこが80年代のAV女優を「普通のアイドルと変わらない清楚な可愛い女の子」として売り出そうとしたプロダクションの考えとは違うところであり、消費者のニーズにもあった。テレビで活躍する女優の出演作は、どれもヒットした。

しかし、これは「ギルガメ」に出ている女優しか売れない、という状況を生み出していた。AV業界自体でスターを作り出すことができずに、テレビ局側にその主導権を握られてしまったわけである。ここにもAV業界のパワーダウンが感じられた。

アダルトCD-ROMの出現

CD-ROMはCDにデータを記録した読み込み専用のメディアだ。発明されたのは80年代だが、90年代初頭にCD-ROMドライブを内蔵したパソコンが増えたことから、一気にブームとなった。まだインターネットが一般的ではなかったこの時期に、画像や動画をインタラクティブに扱える新しいメディアとして脚光を浴びたCD-ROMだが、その存在を世間に知らしめたのが1993年に発売された『YELLOWS』（デジタローグ）だった。

『YELLOWS』は、もともと写真家・五味彬（あきら）が1991年に発売を予定していた同名の写真集だった。日本女性の体型を記録するというコンセプトで直立不動の全裸の女性の正面と背面を資料的に収めるという連作で、正面からの写真には当然陰毛が映っている。

1991年は篠山紀信が樋口可南子『water fruit』と宮沢りえ『Santa Fe』(ともに朝日出版社)を発売した年で、ヘアヌード解禁元年といわれているが、それでも出版社はまだ及び腰で、『YELLOWS』は突然発売中止となってしまった。それが紆余曲折を経てCD-ROMという形態で発売されたのだ。もちろん陰毛は無修正。作者の意図に反して、「ヘアが見られるCD-ROM」ということで話題となり大ヒットした。ここでCD-ROM=裸というイメージが定着したのか、各社が一斉にアダルトCD-ROMを制作しはじめた。

日本のアダルトCD-ROMの第一号といわれているのが、1993年にステップスから発売された『Hyper AV』だ。AVのハイライトシーンの動画と画像を収録したデータベース的な作品で、物珍しさもあって大ヒットした。そしてアダルトCD-ROMブームに火をつけたのが同じ年にKUKIから発売された『ZAPPINK』だった。

これはひとつのストーリーを3姉妹(高倉みなみ・観月マリ・高野ひとみ)それぞれの視点からザッピングできるという内容で、CD-ROMならではの特性を活かしたシステムが話題を呼んだ。ちなみに『ZAPPINK』で使われた動画は『極姦』のタイトルで3人それぞれの視点からの三部作としてVHSでも発売されている。

その後もKUKIは、衣装から愛撫の順番、体位などを選ぶことで反応も変わっていくというインタラクティブな『お好み亜紀ちゃん』、80年代にノーパン喫茶の女王として大人気だったイヴ主演のアドベンチャーゲーム的システムの『ヴァーチャル未亡人』、山下清を彷彿(ほうふつ)とさせる坊主頭の男（実は撲殺チェーンソーロボトミーという全裸で演奏するパンクバンドのボーカル）を主演に、ナンセンスでアナーキーな展開を見せる『大ちゃん』など、先鋭的な作品を次々と発売し、アダルトCD-ROM業界を牽引していく存在となる。

KUKIに続けとばかりに、VIP、クリスタル映像、シネマジックといった他のAVメーカーも相次いでCD-ROM市場に参入。AVの素材を豊富にもっているAVメーカーは制作において有利だったのだ。しかし、ほとんどのAVメーカーのCD-ROM作品は、簡単なゲームをクリアすると動画が観られる、あるいは単なるAVのダイジェストといった安易な内容のものばかりで、かつ1万円以上と高価であるにもかかわらず、それでも売れてしまうアダルトCD-ROMバブルともいうべき時期だった。

そんななかでもマイナーメーカーの作品には興味深いものもあった。サイバーパンク感覚にあふれたビジュアルの『ソフト・マシーン』『アスホール』などの作品をリリースしていた河豚カンパニーや、ひとりの女の子のあらゆるデータを収録した「ダッチROM」シリーズや、世界初の剃毛ソフト「そりまん」、シューティングゲームの結果によってコラージュの恋愛小説が完成する「スペースダッチROMマンシュー」など、シュールでナンセンスな魅力に満ちた作品ばかりを作り続けていたプラネットピーチなどは新しいメディアならではの可能性と遊び心を強く感じさせた。
AVがマンネリ化して行き詰まりを感じていたこの時期、アダルトCD-ROMは新しいエロメディア表現を生み出すのではないかとも思われたのだが、残念ながらそうはならなかった。売れたのはAVの動画や映像を安易に詰め込んだだけの作品の方だったのだ。結局、ユーザーはパソコンでこっそりAVを見たいという目的だけでアダルトCD-ROMを買っていたのだ。

とある調査によるとアダルトCD-ROMのユーザーは、普通のAVよりも年齢層が高いという結果も出ていた。つまり自宅リビングのテレビでAVは観られないから、自分の部屋や会社のパソコンで観る、というのがアダルトCD-ROMのニーズだったのだ。誰も新しいメディアならではのインタラクティブ性などは求めていなかった。そうなると、その用途はDVD、そしてインターネットの方がずっと優れているということになり、90年代の後半にはアダルトCD-ROMは急速に姿を消していくこととなる。

第5章

インディーズの襲来

マニアビデオとブルセラビデオ

インディーズビデオの起源

90年代後半のAV業界を席巻したのがインディーズビデオだった。インディーズビデオの定義は難しい。インディーズビデオに強いAV専門誌として名を馳せた『ビデオメイトDX』（コアマガジン）に1999年12月号から、ノンフィクション作家の小野一光が連載したルポ「インディーズビデオ20年戦争」も、インディーズビデオとは何かという定義づけに苦労する場面からはじまっている。

インディーズビデオはセル（販売用）ビデオのことだとすると、80年代に大陸書房などが書店で販売していたAVも入ってしまう。編集長の松沢雅彦が「まぁ、とりあえずインディーズってのはですねぇ、ビデ倫の審査を受けずに発売される作品のことですよ……」と答えるが、そうするとAV黎明期のビデ倫加入前の宇宙企画やKUKIなどのメジャーメーカーの作品までもインディーズになってしまうのではないか、と小野は反論する。

15回にわたるこの連載の最終回で、小野は「インディーズとは、その人にとってもっとも興奮できる作品のことをいう」と、抽象的な結論にいたる。

ボクも最初のうちは、インディーズとはジャンルのことだと考えていた。だが、ジャンルとして確立したものであれば、数多くの意見を聞けば聞くほど、その傾向が徐々にはっきりと見えてくるはずなのだ。なのに実際は逆にはっきりしなくなっていった。というのも、人によってインディーズと規定するものが、バラバラだったのである。

（小野一光「インディーズビデオ20年戦争」最終回『ビデオメイトDX』2001年2月号）

特にこの「インディーズビデオ20年戦争」が連載されていた2000年代初頭は、数万本のヒットを飛ばすソフト・オン・デマンドのような大手メーカーも、個人で制作しているマニア向けメーカーも、ひとくくりにインディーズビデオと呼ばれていたため、こうした混乱が起きていたのだ。現実的な定義としては、やはり松沢編集長が発言した「ビデ倫の審査を受けていないセルビデオ」ということになるだろう。逆にいえば、この時期のAVとは「ビデ倫の審査を受けたレンタル用のビデオソフト」ということになる。

インディーズビデオという呼称は90年代半ばから盛んに使われるようになった。80年代に音楽や映画の分野で、自主制作や小規模な制作の作品をインディーズと呼ぶようになったことに倣ったのだろう。それ以前は通販ビデオ、マニアビデオなどと呼ばれていた。そもそも80年代初頭のAV黎明期においては、ビデ倫無審査が当たり前であったし、流通は通販のみという作品も珍しくなかった。デッキが2台あれば簡単に複製することができるというビデオの特性からすれば、自主制作で商品を作ることは難しいことではない。後にSMジャンルの名門メーカーとなるアートビデオもシネマジックも、ビデ倫に加入したのは1985年であり、それ以前は通販のみの完全にマニア向けの自主制作メーカーだった。

筆者が2006年に雑誌『S&Mスナイパー』で、アートビデオの監督にして社長である峰一也へおこなったインタビューでは、そんな自主制作メーカーとしてのアートビデオの誕生が語られている。カメラマンとしてSM雑誌の編集部に出入りしていた峰は、編集者からマニア向け通販ビデオの話を聞く。

峰　「その後、「バンビデオ」なんかをやるAさんって人なんだけど、通販ビデオを作ったら、すごく売れたんだって、段ボールいっぱいの現金書留を見せてくれた。へぇ、ビデオってこんなに売れるんだって驚いて、自分でもやってみたんです。それが始まりなんだ」

（『S&Mスナイパー』2006年11月号）

SM写真を撮るノウハウはあるのだから、なんとかなるだろう。峰は、こうしてアートビデオ第一作となる『地下室の淫魔』を撮影した。しかし、その機材は家庭用に買ったビデオカメラとデッキだった。

峰「子供とか撮るために買ったやつ（笑）。一台しかないから編集は出来ない。頭から順に撮っていくしかないし、停止ボタンを押すと画面にノイズが入っちゃうから、カットする時は全てポーズ。でも、そのポーズが八分しか保たないから、その中で縛り直したりして大変でしたよ。失敗は許されない一発勝負。でも、その緊張感がよかったね。編集機を借りてって発想は全然なかったな。本当に手作り作品ですよ。タイトルも画用紙に手書きして、それを撮るだけ」

（同前）

当時はパッケージすら作っていなかったという。このようにして制作された初期の作品は、ＳＭ雑誌数誌に広告を載せただけでも多くの注文が殺到した。１９８２年のことである。

ＡＶ黎明期においては、映画会社の系列などの大手メーカーと並行して、こうした自主制作レベルのメーカーも数多く存在していた。単に「インディーズビデオ」という呼称がなかっただけで、あり方としてはインディーズそのものだ。また、ＡＶが商品としての市場を確立した80年代半ばにおいても、緊縛研究家の濡木痴夢男（ぬれきちむお）が主宰していた緊縛美研究

会が、会員向けに例会の様子をビデオに収録したことからはじまった「緊美研ビデオ」や、スカートのなかの隠し撮りを中心とした「トラッドハウス」などが、マニア向けに通信販売で流通している。そして同時期に一部で盛り上がりを見せたブラックパックもインディーズの源流のひとつだといえる。

ブラックパックは、正体不明のマイナーメーカーが制作した販売用のビデ倫無審査ビデオであり、真っ黒な紙のパッケージに包まれていることから、ブラックパック（黒パック）などと呼ばれるようになった。パッケージには、おどろおどろしい書体で「変態」「地獄」「責め」といった文字が躍っており、内容もまた過激なプレイのSM物が多かった。当時、AVが美少女物を中心とした洗練された方向へと向かっていたことへのアンチテーゼのように、あくまでもいかがわしいムードを漂わせていたブラックパックは、一部のAVファンから熱狂的に支持され、ビデオ情報誌などでも盛んに取り上げられた。

局部の修正も、この頃の主流であるモザイク加工ではなく、シェービングクリームを塗って物理的に隠すため、チラチラと性器が見えてしまうことも多かった。またビデ倫審査では許可されていない肛門も無修正で、アナル責めがプレイの中心になっていた。1985年から1986年にかけて人気を集めたブラックパックだったが、内容のマンネリ化などから失速し、その後は入れ代わるように極端に修正の薄い「シースルービデオ」が登場する。こちらはブラックパックとは違って、SM色は薄く、普通のセックスを撮影した作品が多かった。

ブラックパックもシースルーも、裏ビデオを制作していた業者が手掛けていたなど、合法と非合法の間のグレーな存在であったが、その怪しげなムードもまた魅力だった。それは黎明期から黄金期にかけての数年間で、AVが切り捨ててしまったものでもあったのだ。

AVメーカーではできないこと

1985年にスタートするD.TIME-45もインディーズビデオの起源としては外すことのできない存在だ。D.TIME-45は、AV監督、男優、編集者、ライターとして活躍した中野D児のプライベートメーカーだ。自分の好みの女優で自分の思う通りの撮影をしたいという発想で中野はD.TIME-45を立ち上げた。第一作となる『お尻の穴にもして欲しい』は、スレンダーなボディと妖艶な色気で人気のあった青山麗が出演している。そのはじまりは偶発的なものだったという。

D児　あれは、彼女がハワイに遊びに行く金がないっていうから、じゃ、貸してあげるけど、その代わりにビデオに出てヨって、ことでネ。

（『ボディプレス』1987年1月号）

D.TIME-45の販売は当初、通販のみだった。それも中野が当時編集していた6冊の雑誌のなかで勝手に広告記事を掲載して宣伝したのだという。しかし、それでも1万5000円のビデオに数百本もの注文がきた。青山麗以外にも中川絵里、菊池エリ、藤村真美、森下優子など、中野の人脈を活かして人気女優が出演した。青山麗などはAV女優引退後に、妊娠してお腹の大きい状態で『青山麗のハラボテでもハメラれたい』という作品に出演している。D.TIME-45の作品は、当時の基準としては（いや現在のAVに比べても）かなり修正が薄かったことも人気の理由だったようだが、このように自分の嗜好を作品に反映させるというスタンスでビデオを制作し、通販で販売するという個人メーカーが80年代後半から少しずつ増えていく。

90年代に入って、AV情報誌などが紹介記事を掲載したり、取り扱うビデオショップが増えていったことにより、小規模メーカーの作品が盛り上がりを見せはじめる。その代表的な存在がタイヨー高田馬場店だ。こうした作品をいち早く委託販売しはじめ、インディーズビデオのメッカとなった。

この時期の代表的な作品としては、佐藤義明監督による「SMマニア撮り」シリーズ（ジュリアン）や、松下一夫監督の「美少女スパイ拷問」シリーズ（松下プロ）、小原譲（じょう）監督の「ボンデージ」シリーズ（小原譲プロダクション）などがあった。「SMマニア撮り」は固定カメラでSMプレイを撮影したもので、佐藤監督は他にもスカトロ物も数多く制作していた。

「美少女スパイ拷問」は大の字に拘束した女性をひたすらくすぐるというものだったし、小原監督の作品はチャイナドレスや下着姿の女性が猿ぐつわをかまされ、ロープで縛られて身をよじるだけというノンヌードの正統派ボンデージ作品だった。いずれもSMやフェチに特化したマニア物で、セックスシーンもない。ちなみに松下監督の「美少女スパイ拷問」シリーズは、捕らえられた女スパイを拷問するという設定や、電動マッサージ機を使用した責めなど後のAVに与えた影響は大きく、伝説的に語られることも多い。

Dカップ女優として80年代に人気を集めた中村京子が本格的ボンデージ作品「ボンデージ・ライフ」シリーズ（MBD）を自ら制作したり、ライターとして活躍していたラッシャーみよしが、ザーメンやスカトロなどのフェチに特化したメーカー、ハウスギルドを設立して積極的に作品をリリース、ゴールドマン監督も名前を伏せてストロベリー社という名義で「ギャルズ・ギャグ」シリーズなどの着衣ボンデージ物を数多く制作するなど、業界関係者が商業メーカーではできないマニアックな作品を自主制作するといった動きも見られた。これは中野D児のD.TIME-45から続く流れだといえる。

そして、それはユーザーにとっても同じだった。可愛い女の子が普通にセックスしているだけのAVでは興奮できない、本当に自分が観たいものであれば高い金額を払っても構わない。そう思っていたユーザーは少ないながらも確実にいたのだ。この頃のインディーズビデオは、5000円から1万円という高価な商品であるにもかかわらず、コピー

のジャケットに紙焼きプリントの写真を直に貼りつけただけのパッケージが主流だった。そのチープな手作り感覚が、作っている側も自分たちの仲間であるという気持ちをユーザーに抱かせたのかもしれない。

しかしその後、インディーズビデオが注目され、市場が拡大していくにつれ、パッケージも一般のAVと変わらないような美麗なデザインの印刷になっていった。

ブルセラビデオの出現

ブルセラとはブルマー＆セーラー服の略語であり、女子中高生的なものを意味する。『熱烈投稿』（少年出版社）に1985年8月号（創刊号）から連載された「ブルマーとセーラー服大好き少年のための情報満載＆投稿ページ 月刊ブル・セラ新聞」がその語源だといわれている。そして80年代半ばから現れた使用済みの下着や中古の制服を販売するショップがブルセラショップと呼ばれるようになる。

こうしたショップも当初は、OLや主婦の使用済み下着が中心だったが、次第に女子中高生が自分の下着や制服を持ち込むことが増え、またその売れ行きもよかったためにメインとなっていったようだ。そして90年代初頭にブルセラショップがオリジナルビデオを制作・販売しはじめる。永江朗の著書『アダルト系』（アスペクト、1998年）に、ブルセラビデオのはじまりは「証拠ビデオ」であったという業界関係者の証言が掲載されている。

どうして中古制服&下着店がビデオを作って売るようになったのか、その起源について業界の草分けであるR氏に聞いたことがある。「最初は証拠ビデオだったんだよね」とR氏は言った。証拠？　証拠ってなんの証拠だ？

「誰がはいてたパンツなのかという証拠だよ」

「……」ただ袋に入れても、マニアは「女子高生の脱ぎたてっていっても、ほんとはブスなオバはんがはいてたんとちゃうか？」と疑り深い。そこでR氏は生写真をつけることにした。これが大好評。

「写真で喜んでくれるなら、ビデオならもっと喜んでくれるかな、と思ったんですわ」

要するに「この下着は確かにこの娘が着用しておったものです」と下着を保証するのがビデオであったのである。


使用済み下着の価値を証明するために作られたこのビデオが好評で、下着よりもこちらを欲しいという客が増えていく。一度撮影して制作すれば、ダビングしていくらでも商品を作れるビデオは、店にとっては使用済み下着よりもメリットが大きかった。こうして他のブルセラショップでもオリジナルビデオは作られるようになっていく。

当初のブルセラビデオは、証拠という目的のため、その下着の持ち主である女の子がスカートをたくしあげて、下着を脱ぐだけというシンプルで大人しいものであったが、それがビデオとして独立した商品となったため、次第に内容もエスカレートしていく。下着の上からオナニーをする、胸を見せる、放尿をする、さらには男性とからむといったAVまがいのものになっていった。『ブラックボックス』2007年3月号（バウハウス）掲載の、当時の状況を回顧した「女子高生今昔物語　1993〜1997年　ブルセラに日本中が悪酔いした時代」という記事には、当時のブルセラビデオの制作費が記されている。

女子高生の出演料は1人3〜10万円で、店員が手持ちの8ミリをまわして撮った総予算20万円程度のビデオ。定価1万2〜5千円で20本売れれば元がとれる計算が、1タイトルなんと5000本（！）も売れたというから、そりゃもうボロ儲けもいいところ。全盛期には東京都内で20店舗のブルセラショップが現れ、置かれる商品も次第にエスカレートしていった。

ブルセラという言葉が世間に知られるようになったのは、1993年8月にブルセラショップが古物営業法違反で摘発されたことがきっかけだった。また同時期にブルセラビデオ制作者も逮捕されている。さらにビデオに出演していた女子高生110人も補導された。それ以前にもブルセラショップを取り上げる記事などは出はじめていたのだが、やはりインパクトがあったのはこの報道であった。

もちろんブルセラショップを問題視する声も上がったが、むしろその存在を知ったユーザーが店に押し寄せるといった宣伝効果の方が大きかった。そしてそれ以上に、自分たちの商品価値に気づいた女子高生たちが、売り手として店に足を運ぶこととなったのである。

摘発以降、ブルセラブームは過熱していった。当初はそのショップでしか購入できなかったブルセラビデオだが、こうなるとそのニーズも高まり、通販や一部のビデオショップなどにも流通しはじめる。

『アップル通信』（三和出版）はビデ倫系AVをメインで取り扱っていた雑誌だが、インディーズビデオの紹介も早かった。1993年10月号を見てみると、「ビデオインディーズ最前線」というコーナーなどで51作のインディーズビデオが紹介されているのだが、そのうちブルセラビデオに分類されるものは20作。半数近くがブルセラビデオなのだ。

初期インディーズビデオの盛り上がりにおいてブルセラビデオが重要な役目を果たしていたことは間違いない。初期インディーズブームの代表的なメーカーであるアロマ企画も、そのはじまりはブルセラビデオであった。

こうしてインディーズビデオは、少しずつ盛り上がりを見せていたが、5000円から1万円と価格も高く、流通経路も限られ、そしてそれ以上に内容のマニアックさから、あくまでもユーザーを限定するニッチな存在に過ぎなかった。

ビデオ安売王からSODへ

「ビデオ安売王」旋風

明治30年に創刊され、105年にわたって刊行された老舗経済誌『実業の日本』（実業之日本社）の1995年4月号の連載「現代創業者列伝」に、世界一の出店スピードを誇るビデオショップチェーンの会長として、佐藤太治という人物が登場している。

「九三年度の売上高は一四億円、九四年度は一一〇億円、九五年度は三五〇億円に達する見込み。おそらく再来年までには、一〇〇〇億円の大台に乗るはずだ」

セルビデオの格安販売という前人未踏の商売にチャレンジして二年。「ビデオ安売王」をフランチャイズチェーン展開する日本ビデオ販売株式会社は、いま、すさまじい勢いで伸びている。

1993年にセルビデオショップ「ビデオ安売王」第一号店を東京駅近くの八重洲にオープンした佐藤太治率いる日本ビデオ販売は、その年の9月からフランチャイズ展開を開始。加盟店募集の広告をあらゆる雑誌、新聞に掲載し「月給200万円くらいもらってますか?」という刺激的なコピーで話題を呼んだ。広告を見た脱サラ組が殺到し、加盟店は1年間で300店舗を超え、1995年には「ビデオ安売王」の看板を掲げたショップは1000店に達した。

佐藤本人も、多くの雑誌に登場し一躍「話題の人」となった。佐藤太治は、20代の頃からガソリンスタンドでの安売りで成功し、石油の自主輸入を試みるが通商産業省（現・経済産業省）との衝突により断念。この時も話題となっていた人物だった。佐藤は当時、アメリカではすでにセルビデオ（販売用のビデオソフト）が成功していたことに目をつけた。

アメリカでは十五、六ドルで新作映画のソフトが手に入り、それを販売するセルビデオ店が隆盛してきているが、日本でもアメリカ並みの安い価格で販売できればきっと売れる。

（『月刊レジャー産業資料』1995年1月号）

佐藤がセルビデオを選んだのはその利益率の高さだった。

商売で肝心なのは粗利でしょ。ガソリンスタンドは12パーセント、この商売は儲け半分50パーセント、わかりやすいだろ。日本で一番投下資本少なくて儲かる商売考えたんだよ。

（『宝島』1995年4月19日号）

ビデオ安売王は、『天才・たけしの元気が出るテレビ!!』（日本テレビ系）や『浅草橋ヤング洋品店』（テレビ東京系）などで過激なテレビ演出家として知られるテリー伊藤をプロデューサーに迎えてオリジナルビデオも制作した。プロレスラーが暴れて一軒家を破壊する『一軒家プロレス』、美容整形のドキュメンタリー『整形美人ができるまで』、パリ人肉事件の佐川一政主演の『佐川君の一週間』、ルビー・モレノがナビゲーターをつとめる『日本人と恋したいフィリピーナ大集合！ 全員完全住所付き』など、地上波ではできない際どいネタを扱った作品を次々とリリース。現実の事件をモデルにしたオリジナル映画『女子高生コンクリート詰め殺人事件 壊れたセブンティーンたち』（1995年）は、ゆずのメンバーとして活躍する北川悠仁が出演していたことで、後に話題となった。

しかしビデオ安売王の主力商品は、やはりアダルトだった。ダイヤモンド映像倒産後の村西とおるが久々に監督し、にっかつロマンポルノで活躍していた小田かおるを主演に起用した『実録若奥様 小田かおる』や、プロレスラーの藤原喜明が監督した『おれが藤原だ！』など話題作も作られたが、その多くは安易で粗雑な作品だった。佐藤ら日本ビデオ販売の制作部がAV業界に詳しくないことにつけ込んで、多額の制作費を要求しておきながら、作品制作には使わずにそのほとんどを着服するといったことが横行していたらしい。さらに、店頭にはAVの海賊版も多数並べられており問題視されていた。

革命は失敗したのか？

ビデオ安売王の崩壊はあっけなかった。まず1995年の初頭に、AVメーカー28社から海賊版の販売に対して著作権法違反で訴えられる。この時期、日本ビデオ販売の取材を積極的にしていたライターの岩尾悟志は、業界からのバッシングがビデオ安売王の海賊版販売へとつながったのではないかと推測する。

本来は日本ビデオ販売はビデ倫メーカー各社から商品を提供してもらって、続けていこうと考えていたのだが、メーカーが談合する形で、日本ビデオ販売に商品を売ることを拒否、結局、オリジナル商品を独自で作らざるをえなくなる。しかしながら、今度は、メーカーから製作会社に、安売王の仕事をしたら仕事を発注しないといった圧力がかかり、優れた作品を作る製作会社は日本ビデオ販売の制作に参加せず、作品の質は一部の豊田薫作品などを除き、ひどいものだった。

日本ビデオ販売は加盟店に他社仕入れを禁止してはいたが、どの店も売り上げを上げるために、他社仕入れを始め、それを堂々と行うために、独立を始めたりし始めた。

本来なら、うまくいったかもしれない佐藤太治の日本ビデオ販売のフランチャイズだが、結局はメーカー各社の圧力によってそれぞれのお店に売れる商品を供給することができず、佐藤自体は猛烈な熱意で檄を飛ばすが、徐々にほころびを見せ始めていた。

（岩尾悟志「「ビデオ安売王」始末記」『アダルトビデオ20年史』1998年）

岩尾自身、ビデオ安売王の取材をしていることに対して「どうしてあんなヤツの宣伝をするんだ！」とAVメーカーから恫喝（どうかつ）めいた電話がかかってきたりもしたらしい。しかし、岩尾は佐藤に、かつて同じように業界からバッシングを受けながらも立ち向かっていた村西とおると同じような魅力を感じていたようだ。

この時期にショップを営業していた側の証言が、先述した小野一光の連載「インディーズビデオ20年戦争」に掲載されている。盗撮ビデオメーカー「SLUM」のオーナーが、当時ビデオ安売王に加入していたのだ。

「やってましたよ、たしかに。安売王の高円寺北店でしたねえ。今から5年前だから95年のことかな。でも、2月に加入して7月にはもう店名を今のSLUMに変えてました。こんなんじゃ絶対にダメだと思ったから」

ダメって、どうして思ったんですか？

「だって、本部からまわってくるソフトが話になりませんでしたからね。ほんと、一番最初の品揃えを見た段階から、ああ、ダメだなって感じですよ。その他、こだわりの感じられない作品ばかり。でもって海賊版がかなり混じってるんですよ。それにも困りました」

（『ビデオメイトDX』2000年5月号）

さらに富山県の店舗が、成人向け商品の割合が7割以上を占めていたため風営法に抵触し、本部の佐藤自身が逮捕されるという事件が起きる。これをきっかけに、日本ビデオ販売は崩壊してしまう。

本部である日本ビデオ販売が倒産しても、全国に1000店のフランチャイズ店舗は残っている。本部からの供給が止まった店舗は、売るべき商品を求めていた。そこでそのニーズに応えるべく、多くのセルビデオメーカーが生まれたのだ。問題も多かった日本ビデオ販売、ビデオ安売王であったが、その存在がなかったら、以降の日本のAVの歴史は全く違ったものになっていたであろう。小野の「インディーズビデオ20年戦争」に登場したSLUMのオーナーも、ビデオ安売王に対してこう述べている。

「いやあ、インディーズも含めたセルビデオにとって、販路の拡張という点で、すごく大きな役割を果たした存在ですよ。あそこがなければ今のようにショッ

プは数多くなかったでしょうからね。ほんと、もしかしたらセルビデオはほとんど育たずに、レンタルばかりになってたかもしれない」

（同前）

さらにこの連載の2カ月後の回では、次の時代の主役となるソフト・オン・デマンド代表（当時）の高橋がなりも、ビデオ安売王の功績を語っている。

僕はね、アダルトをやる人間で佐藤会長の悪口を言う人がいるけど、それっておかしいと思うんです。［……］たしかにあの人には功罪があるけど、功のほうが大きいでしょ。ショップや人材は「安売王」のおかげで飛躍的に増えたわけですからね。もしあの会社がなかったら、今の業界はなかったと思いますよ。うちの会社（SOD）にしろ、アタッカーズにしろ、ワープにしろリア王にしろ、みんなそうですよ。

（『ビデオメイトDX』2000年7月号）

ソフト・オン・デマンドと陰毛解禁

ビデオ安売王が誕生するまで、通販や一部のマニア向けショップでのみ、ひっそりと流通していたインディーズビデオが、突然全国に1000店以上という市場を得て、その規模が拡大された。その市場を狙って、メーカーも乱立した。そのなかで頭角を現したのがソフト・オン・デマンドだった。

ビデオ安売王時代にテリー伊藤のもとでオリジナルビデオのプロデューサーを務めていた高橋がなりたちが立ち上げたメーカーで、1996年に発売した『50人全裸オーディション』が5万本という驚異的なヒットを飛ばした。50人の女性が全裸でオーディションを受けるという内容で、参加者のひとりずつが審査員の前で縄跳びをしたり即興の歌を唄ったりとアピールしていくのみで、セックスシーンは一切ない。AVの枠を完全に逸脱した作品だった。AVの概念にとらわれないテレビ制作出身のスタッフだったからこその発想だろう。

そして『50人全裸オーディション』には、もうひとつ既存のAVの枠を逸脱したポイントがあった。陰毛である。日本では長らく陰毛をわいせつの境界線とする考えが一般的であったが、1991年の篠山紀信撮影による樋口可南子ヌード写真集『water fruit』（朝日出版社）の発売を機に、実質的な「ヘア解禁」へと動いていた。陰毛無修正のヘアヌード写真集が次々とベストセラーになり、週刊誌にもヘアヌードグラビアが堂々と掲載されていた。

しかしそのような世相に反して、ビデ倫は頑なに陰毛表現を認めず、モザイク処理することを求めていたのだ。誰でも手にすることができる週刊誌のヌードグラビアには陰毛が写っているのに、成人向けであるAVでは陰毛が修正されているというねじれ現象が起きていた。その一方で、ビデ倫を通していないセルビデオの世界では、早くから陰毛解禁の動きが起きていた。

『water fruit』の発売より1年早い1990年にもザイクスプロモーションが「女の秘湯」というシリーズを発売している。タイトルどおりに女性モデルが温泉に入っている姿を撮影したものだが、チラリチラリと股間に黒い陰りが見える。特にアップもなく、はっきりと映し出されるわけではないが、それでも当時のユーザーには大きな衝撃だったようで、通販や一部のショップのみという販売でありながら高セールスを記録。ザイクスプロモーションは以降もこうした「温泉へアビデオ」を製作。次第に陰毛をはっきり見せるようになっていく。

1994年には鬼才・豊田薫監督が『Mary Jane／河合メリージェーン』をリリース。発売はV&Rプランニングの系列会社であるケイネットワークだった。これは意識的に陰毛をはっきりと見せつけるイメージへアビデオで、ほとんど告知をしていなかったにもかかわらず4万本の大ヒットとなる。1995年になると、他のメーカーからも多くの「ヘアビデオ」が発売されるようになっていた。ビデオ安売王でも、のちに映画『いかレスラー』(2004年)、『日本以外全部沈没』(2006年)などで話題となる河崎実監督が『飛び出せ!全裸学園』を撮り、大ヒットした。これは人気風俗嬢アイドルの可愛手翔(かわいでしょう)が、なぜか全裸でピッチャーをするというナンセンスな学園ドラマ。セックスシーンはないが、彼女の陰毛がはっきりと映っている。続編として『全裸女社長漫遊記』『全裸女料理人vsはだかの女ドラゴン』なども作られている。

このシリーズがヒットしたため「全裸はいける」と続いて作られたのが『SUPER HAIR NUDE SPORTS SERIES Vol.1 バレーボール』である。女性たちが全裸でバレーボールをしているというだけの作品で、教育番組を制作する会社のスタッフが撮ったといわれるが、特に陰毛や裸を強調することもない淡々としたカメラワークが逆にシュールなエロティシズムを感じさせる。この『バレーボール』もヒットし、「SUPER HAIR NUDE SPORTS SERIES」はその後『肉弾！ドッチボール編』『開脚！器械体操編』なども作られた。またビデオ安売王では、豊田薫監督がセックスシーンのある初のヘアAV『完全露出　恥骨フェチ』もリリース。こちらも4万本の大ヒットとなっている。

ソフト・オン・デマンドは『50人全裸オーディション』のヒットに続いて、『全裸水泳』『全裸エアロビクス』『全裸マシントレーニング』と、ビデオ安売王時代の「SUPER HAIR NUDE SPORTS SERIES」を継承するような全裸スポーツ路線を次々と製作し、いずれもヒットさせている。

この勢いに乗って、ソフト・オン・デマンドは総製作費9000万円の超大作「地上20メートル空中ファック」シリーズに挑む。クレーン車で空中20メートルの高さに透明のアクリルボードを吊り下げ、そのうえで男女がセックスをし、それをヘリコプターから撮

影するという空前絶後の作品だった。

社運を賭け、合計10万本のセールスを目論んだ「地上20メートル空中ファック」全6作だったが、現実は厳しく各タイトルわずか数百本という売上にとどまった。この失敗は、あまりに企画の面白さだけに振れてしまったためにエロを求めるユーザーにそっぽを向かれたためだといわれることが多いが、単純に全裸シリーズに比べて陰毛の露出が少なかったというところもあったのではないだろうか。

全裸シリーズのヒットは、企画の面白さ以前に「たくさんの女性の陰毛が見られる」というところにあったように思えるのだ。今では考えられないかもしれないが、それほど当時のユーザーは狂おしいまでに陰毛を求めていたのである。

「地上20メートル空中ファック」シリーズの大失敗はソフト・オン・デマンドを倒産の危機にまで追い詰めた。しかしその一方で撮影には多くのマスコミが押し寄せ、雑誌・新聞に取り上げられたことで、ソフト・オン・デマンドの知名度は一気に上がった。日陰の存在であった、インディーズビデオ＝セルビデオのメーカーが陽の目を見ることになったのである。

インディーズビデオのディープな世界

インディーズブームの到来

ビデオ安売王旋風が吹き荒れた後の90年代後半には、インディーズバブルと呼ぶべき状況が訪れていた。無数の小規模メーカーが立ち上がり、あふれんばかりのセル用AVがリリースされた。それまでのレンタル中心のAV業界においてはビデ倫への加入が必須であり、レンタルショップでもある程度の入荷枠が決まっていたために、新規参入が容易ではないという状況が続いていたのだが、それがセル市場にはなかった。

また、撮影機材の発達により、低コストでの制作が可能になったことも大きかった。そしてブルセラブーム、援交ブームを経由した若い素人女性たちの意識の変化もあり、出演者を調達する難易度も下がった。もはやAVは一部のプロのみが作るものではなくなっていたのだ。

とはいえ、やはりどんな作品でも売れたというわけではない。一本5000円以上という、この時期のセルビデオを購入するユーザーは、数百円で見ることができるレンタルAVとは違った内容を求めていた。『インディーズ・ビデオ・ザ・ワールド'98』（1998年）掲載の「今、セルショップではこういうビデオが売れています!!」という都内ショップ店

長3名の座談会記事で、各店のオールタイム売上作品のベスト5が掲載されている。そのラインナップを見ると、当時売れていたインディーズビデオの傾向がわかるだろう。

トップジャパン神田店

1位　ミセスシリーズ（シャネラー）
2位　和式便所3（ウィンク）
3位　東京モーターショー（防犯）
4位　母乳搾りDXシリーズ（アロマ）
5位　強制顔射シリーズ（U&K）

タイヨー新宿店

1位　愛が生まれた日（AV WORKS）
2位　ヒロイン拷問（ギガ）
3位　鞭責めに本気泣き（AV WORKS）
4位　恥辱倶楽部Ⅱ（AVS）
5位　口臭便所（ハウスギルド）

ビデオシーク（池袋）
1位　Dカップパラダイス III（シャトルジャパン）
2位　オマンコ見てぇ〜1　武藤かなえ（ボポプランニング）
3位　女教師疑惑の教壇　瞳リョウ（アタッカーズ）
4位　ミセス受難（インターロック）
5位　Bejean 2　上田美穂（モンロー）

かなりマニアックな内容を思わせるタイトルが多い。座談会のなかでも、それまでによく売れたジャンルとしてブルセラ、盗撮、ザーメン（精液）、スカトロ、近親相姦といったものが挙げられている。

90年代はフェチなどのマニアックな性的嗜好が注目を集めた時期でもあった。村上龍が自らメガホンを取って映画化もした小説『トパーズ』（1988年、映画化は1992年）などの影響で、ボンデージやSMの世界が若い年代に受け入れられ、フェティッシュな世界がクローズアップされた。

エロ本でもスカトロやマゾ、脚フェチ、シーメール、熟女などの専門誌が次々と創刊されて人気を集めた。スカトロ専門雑誌の『お尻倶楽部』（三和出版）が7万部という、マニア向けの雑誌とは思えない発行部数を叩き出したりもした。インディーズビデオは、そうした流れに上手くマッチしたといえる。それはおそらく、真性のマニアだけではなく、軽い興味をもっている程度のユーザーでも、手を出してみようかと思わせる時代の空気も影響していたのではないだろうか。

しかし、最大公約数的な作品を出さなければならないレンタルAVでは、そうした時代のムードに歩調をあわせることは難しかった。1980年から1998年までのAVの歴史をまとめた『アダルトビデオ20年史』(東京三世社、1998年)を見ても、この時期に関しての記述は「96年のAV界の最大の動きは、停滞するレンタルAVメーカーをしのぐような勢いで、インディーズ系のセルメーカーが伸びてきたことだろう」「レンタルビデオが目立った話題に乏しい中、セル市場が活発化」「インディーズビデオ、人気最高潮に」といったものが多い。レンタルAVメーカーで目立った動きとしては、1996年に芳友メディアプロデュースからアダルトDVD第一弾となる『桃艶かぐや姫・危機一髪 小室友里』が発売されたことくらいだろうか。そのDVDにしても、AVがレンタルからセルへと移行していくきっかけのひとつとなっていくのだが。

インディーズを支えたメーカーたち

この時期を代表するインディーズメーカーとしては、まずアロマ企画が挙げられる。スカトロ、母乳、痴女、接吻、キャットファイトといったマニアックなフェチ物に特化した作品をリリースし、なかには女性が官能小説を朗読するだけ、街頭で見かけたスカートから下着の線が透けている女性の尻を盗撮するだけ、といったごく一部のマニアにしか理解できないような内容の作品も多かったが、当時の広告には「オリジナル生撮り自主制作だから安売しません」というキャッチコピーが誇らしげに掲げられていた。

アロマ企画は、高円寺のバロックをはじめとした数多くの直営ショップを展開していた。先述したように、アロマ企画をはじめインディーズの源流のひとつであるブルセラビデオが、もともと自分のショップでのみビデオを販売していたということもあり、直営ショップをもつメーカーも珍しくなかったのである。なかでも西新宿の某雑居ビルには、10店ほどのマニアビデオショップが集まり、「マニアの梁山泊」と呼ばれるほどであった。

特に直営ショップにこだわりを見せていたのが、エムズ（MVG）だった。大人数の男優がぶっかけ、口内発射をするといった過激なザーメン物で話題を呼んだメーカーだが、その作品は道玄坂の雑居ビル内に「マニア以外のお客様はいっさいお断りします」との警告文を掲げたザーメン専門店「ミルキーショップ・エムズ」でのみの販売。来訪者は、これまでにどんなビデオを観てきたか、どんなエロ本を読んできたかを聞かれ、それに答えられないと入店拒否されたという。

しかし、1996年に制作した「一期一会」シリーズは他のショップでも販売され、総数20万本を超える大ヒットを記録。その後、社長の松本和彦はAV監督としてソフト・

オン・デマンドなどのメーカーでも活躍し、以降のAV業界を牽引する存在となる。

「一期一会」は、オナニー、レイプ、淫語、ザーメン、パンスト、緊縛、うんこ、おしっこ、屋上露出、ヘアーなど1本ごとにテーマを分けたシリーズとなっており、この作品からAV業界に「ジャンル」という発想が定着したという説もある。

同じく多数の男優がひとりの女優に精液を浴びせるという「ぶっかけ」ジャンルの代表的な存在として知られたのがシャトルジャパン（シャトルワン）である。シャトルジャパンもまたブルセラから発祥したメーカーだ。当初は女子校生物が中心であり、さらに巨乳フェチ、脚フェチなどのフェチ系作品をリリースしていたが、そのなかでも特に支持されていたのが「ぶっかけフェスティバル」シリーズなどのぶっかけ物だった。何十人もの素人男優が、ひとりの女優に精液をかけていくという内容で、そこにコスプレの要素を足したのも新鮮だった。

1980年代に、その個性的な作風で芳友舎の看板監督として活躍していた豊田薫が、1996年に立ち上げたレーベルが「リア王」（発売元はワイルドサイド）だ。1994年に『Mary Jane／河合メリージェーン』、1995年に『完全露出　恥骨フェチ』というヘアビデオを成功させたことで、ビデ倫の基準に縛られない自主規制ビデオの魅力を感じた豊田が、本格的にインディーズに進出したということは大きな事件だった。そして、その内容は性器や肛門など女性の「穴」に徹底的に執着したもので、ビデ倫の審査には決して通らない過激かつディープな映像のオンパレードであった。レンタルAVの世界で巨匠と呼ばれた監督が、最もインディーズらしいこだわりを見せた作品を次々とリリースしていったのだ。

凌辱専門メーカーとして1997年に設立されたアタッカーズは、インディーズ＝マニア向けというイメージを覆した。凌辱専門というとマニア向けの印象があるが、麻生早苗や有賀美穂といったレンタルAVの人気女優を起用し、パッケージもインディーズ的な簡素なものではなく、美麗なデザインと印刷。さらにフォト小説の小冊子まで付録に付いているのだ。内容もフェチに偏ったものでなく「わかりやすい凌辱」になっていた。ただし、その内容はビデ倫の審査を通らないであろうハードさではあったのだが。設立当初から社員の人数も多く企業然としていたことも他のインディーズメーカーとは一線を画していた。

ここに「地上20メートル空中ファック」で大失敗したものの、その後に「爆走マジックミラー号がイク！」や「痴漢10人隊」などをヒットさせたソフト・オン・デマンドが加わる。会社としての規模も内容へのこだわりも様々であり、そうしたメーカーが非ビデ倫というだけで一緒くたにインディーズと総称されていたのが、当時の状況であった。

野外露出の危険な挑戦

90年代後半のインディーズ業界では、ぶっかけ、盗撮、スカトロなど様々なジャンルが盛り上がりを見せたが、そのなかでもこの時期のインディーズならではの現象だったといえるのが、野外露出ブームだった。

密室以外で裸になる、もしくは性行為をするという野外露出・屋外露出は、SMの定番プレイであったため、AVにおいても黎明期から撮影されている。

1984年に宇宙企画からリリースされた中村幻児監督による『SMを10倍楽しくする方法』では、すでに全裸での街頭散歩や電車内でのプレイが収録されているし、1985年にリリースされた『恥辱の女』(クリスタル映像)は、観光地で全裸の立川ひとみを引きずり回す野外調教が話題となり、村西とおる監督がブレイクするきっかけとなった。80年代後半にユニークなSM作品で異彩を放ったメーカー、スタジオ418は過激な露出プレイを得意とし、新宿西口や歩行者天国、都庁前の歩道橋などでセックスやフェラチオどころか、ローソクや浣腸などのSMプレイにまで挑戦している。しかし次第に厳しくなるビデ倫の審査下では野外露出の撮影は難しくなっていった。

そんななかで、1993年にBROADというインディーズメーカーから発売された『真・M女の昼』『真・M女の夜』という二部作は、真性M女優として一部で人気の高かった藤木美菜が過激な露出調教を受ける作品だ。当時のBROAD通販カタログ(といっても、コピー用紙1枚だが）での紹介文を見てみよう。

「真・M女の昼」（BR001）
¥11000（送料、税込み）
真性マゾ藤木美菜の野外露出プレー篇。首輪を付け、ノーパン、ノーブラで電車に乗り御主人様の命令により股を広げていく美菜…。乳首の透けた濡れTシャツ姿やラジコンバイブを挿入して街の中に放り込まれる…。
露出プレーマニア必見の一作。

「真・M女の夜」（BR002）
¥11000（送料、税込み）
夜篇は同じく美菜の室内でのプレーが中心。衆人環視の中でのオナニーや、御主人様とムチ、ロウソク、バイブ、アナルセックスなどみごたえ十分。モデル、内容とも最高レベル自信作！
※真・M女の昼、夜2本セットは¥18000

紹介文からも透けて見える責め手のサディスティックでハードボイルドなムードと、露出の羞恥の快感に悶える藤木美菜の反応が素晴らしく、通販のみでの販売にもかかわらず大きな評判を呼んだ。しかしBROADは1年足らずで解散し、ナチュラル、プールクラブ、ホロニックという3つのメーカーに分裂。それぞれ独自のスタイルの露出作品を追求していくこととなる。

BROADの成功に影響を受け、他のインディーズメーカーも野外露出物の制作に乗り出す。なかでも名古屋のメーカー、ラハイナ東海が1996年からスタートさせた「屋外露出」シリーズは大ヒットを記録し、ここから露出ブームとも呼ぶべき盛り上がりが巻き起こる。ぶっかけの雄、シャトルジャパンを擁するシャトルワンが別レーベルの流羽奴(ルード)で「露出調教」「野外射精」などのシリーズを出せば、TMインターナショナルは熟女による「露出熟女」シリーズ、ギガは放尿をプラスした「野外放尿」シリーズなど様々なスタイルの露出シリーズが各メーカーで乱立した。

露出物は、その企画の性質上、どうしてもプレイの過激化を要求されてしまう。公共の場での露出は公然わいせつ罪に該当する犯罪だが、それでもどこまで危険な露出に挑戦できるのか、作り手は競い合うことになる。

そうしたなかで、より過激さを追求していたのがソフト・オン・デマンドだった。ヒット作の全裸シリーズ自体が露出要素を含んでいたが、『全裸バスツアー』(1997年)などは野外露出そのものになり、『東京下町の銭湯まで2㎞女の子3人 全裸で歩いて行けるのか？』（1997年）にいたっては、タイトルどおりに全裸の女性3人が街のなかを2キロも疾走するという公然ワイセツそのもののストリーキング作品だった。

そして「全裸露出」シリーズ、「過激露出」シリーズと、本格的に野外露出ジャンルへ進出。全裸に前を開けたコートだけの姿で通勤ラッシュのなかを歩いたり、地下鉄の階段で立ったまま放尿するなど、その過激さは他の追随を許さないほどだった。しかし、過激化のインフレーションの行く末には破滅しかないと判断したのか、ソフト・オン・デマンドは1998年の『最後の露出』で野外露出ジャンルからの撤退を表明する。

この『最後の露出』は、全裸にバドガール風のボディペイントをしただけの姿で夕方の繁華街でビールを配る、完全に身体が透けて見える薄さのキャミソール姿で電車に乗り込んだりショッピングセンターで買い物をする、そして恵比寿ガーデンプレイスの動く歩道で服と下着を脱ぎ捨てて全裸になるなど、過激の極みを尽くした作品であり、確かにこれ以上の露出作品は不可能だと思わされるものだった。そして、ソフト・オン・デマンドが露出作品から撤退すると、後を追うように、ほとんどのメーカーもジャンルからの撤退を決め、狂乱の露出ブームは沈静化していった。

薄消しとキカタン

「ルームサービス」が証明したもの

90年代に入り、写真集や雑誌ではヘアヌードが実質解禁状態にあったにもかかわらず、ビデ倫は頑なに陰毛の修正を厳守していた。一方、ビデ倫の審査を受けていないインディーズビデオでは、陰毛や肛門に関しては無修正が当たり前。そしてモザイク自体もビデ倫審査のレンタルAVに比べて薄い傾向にあったため、それもインディーズ人気の理由のひとつとなっていた。当初はフェチやSMなどのマニアックなユーザーに支えられていたインディーズビデオだが、次第にこうした修正の薄さに惹かれて購入するユーザーも増えていく。

そうなると、内容もノーマルな男女のセックスを見せるといったストレートな作品が多くなっていった。1996年頃にはインディーズビデオは、すでに一部のマニアを相手にするものではなくなっていたのだ。同時に、その頃からレンタルショップ、セルショップでの摘発が相次ぐようになってきた。大手インディーズメーカーである桃太郎映像出版が警察の指導を受けるという事件もあった。当時は「薄消しの桃太郎」という異名で呼ばれるほど、消しが薄いことでも有名だった。『ビデオ・ザ・ワールド』1997年2

月号掲載の桃太郎映像出版出版へのインタビュー記事で、この際の警察とのやり取りが語られている。

消しの薄いものの方が売れますから、本当はギリギリのところまで薄くしたい。でも、法に触れるわけにはいかないから、警察の方に基準を示してほしい。今は警察にワイセツと言われたらおしまいなんですよ。だから明確な基準を示して欲しいと希望しましたが、それは難しいということでした。
だけど、苦労はしましたけど、ある程度の基準がわかりましたから、今後は法律に触れないギリギリのところで消しを入れるということができるようになりました。
簡単にいうと消しがずれるのと性器の形がわかるものはやっぱりダメなんですが。見た人によって挿入がわかったりわからなかったりするのは場合によっては許されるということでしたが、万人が見て挿入がはっきりわかるというのは指導の対象になるということでした。

そもそも日本の法律において「わいせつ」の基準が曖昧なため、警察としても明確な基準を示すことは不可能なのだ。それは現在においても変わらない。日本のAVは、その見えない基準線の付近をおずおずとうろつきまわるという自主規制を余儀なくされているのである。しかし、インタビューのなかでも語られているように「消しの薄いものの方が売れる」というのも現実だった。

1998年の初頭にハリウッドフィルムというメーカーから発売された「ルームサービス」というシリーズが大きな話題を呼んだ。内容はデリヘル嬢を呼んでセックスするだけというシンプルなものだ。しかし修正が極めて薄かった。「二、三メートル離れ画面を眺めると、あるのかないのか確認出来ないような薄いモザイク。性器や結合部が丸見え状態なのだ」（『オレンジ通信』1999年2月号）、「ズルむけのクリトリスやビラビラや穴までくっきり見えてしまうのだった」（『ザ・ベストマガジン』1999年4月号）などと、ライターたちが驚きの声を上げるほど、その修正の薄さは、それまでのインディーズビデオの常識を超えていた。

しかも「ルームサービス」シリーズ第一作に出演していたのは、当時の超人気AVアイドル小室友里だったのだ。小室友里は、1996年に芳友舎のティファニーレーベルからデビューし、たちまち看板女優として人気を集めた。アイドル路線でデビューしながらもハードな作品にも出演し、90年代後半を代表する女優のひとりともいわれていた。1998年にはh.m.p（芳友舎が改称）との専属契約を解消し、様々なメーカーの作品に出演することとなった、その矢先に「ルームサービス」が発売されたのだ。

レンタルAVで活躍しているトップ女優が、性器が丸見えになっているインディーズビデオに出演するという信じられない事件が起きたのだ。「ルームサービス」の他の作品も、宇宙企画でデビューした森村りえ（東城みな名義）や、KUKIなどで活躍した夏樹みゆなど、レンタル系で人気の女優ばかりだった。最初に発売された5タイトル5000本はあっという間に売り切れた。あまりの消しの薄さに小室友里の所属事務所から抗議が入るなどの事情もあり、再販分からはモザイクが濃くなったが、その分初回版は貴重ということでプレミア価格で取引されるようになり、裏ビデオとして販売されることすらあった。

以降もハリウッドフィルムは「ルームサービス」シリーズのリリースを続け、32作まで発売されたが同年10月に突然解散する。実はハリウッドフィルムは、日本ビデオ販売崩壊の後に佐藤太治によって作られた会社だった。しかし佐藤が住専に対する詐取容疑で逮捕されたことから解散へと追い込まれたのだ。そして「ルームサービス」は、「薄消しは売れる」、そして「人気女優の出演作は売れる」というふたつの事実をインディーズ業界に知らしめた。

「薄消し」というグレーゾーン

「ルームサービス」が発売された1998年、もうひとつの「薄消しビデオ」が話題となった。「すけべっ子倶楽部」（K's）である。販売が開始されたのは「ルームサービス」よ

りも早い1997年だが、1998年3月に販売会社社長が猥褻図画販売目的所持容疑、制作者が児童福祉法違反、未成年への猥褻行為などで逮捕されたことで一躍その名を知られることになった。

「すけべっ子倶楽部」シリーズは10代少女のハメ撮り物で全30作が作られ、タイトルには「ちえ・18才」など名前と年齢が書かれている。一番幼いのは第三作のNamiでなんと14歳だ。少女の援助交際が問題となっていた時期であり、出演女性の容姿や反応などから強烈なリアリティを感じさせていたが、制作者が逮捕されたことで、逆に出演者が本当に未成年者であったことが証明されたかたちとなった。逮捕を受けて多くのショップは商品の販売を中止したが、プレミア価格で販売する店もあり、「ルームサービス」初回版と同様に「お宝ビデオ」として取引されるようになった。『ビデオメイトDX』2004年8月号に掲載された、服役後の制作者へのインタビューによれば、当初は1作あたり売上500本を目標としていたが、結果的にシリーズでトータル50万本以上を販売したそうだ。

「ルームサービス」と「すけべっ子倶楽部」のヒットにあやかろうと、モザイク修正の薄い「薄消しビデオ」が次々と作られるようになる。しかし「すけべっ子倶楽部」の摘発により、修正の薄過ぎる作品は裏ビデオと同様の違法商品であることを業者たちも認識していた。薄ければ売れる、しかし薄過ぎれば逮捕されてしまう。薄消しビデオは、そのグレーゾーンを突き進んだ。

1999年になると「プレミア」(ワイエム商会)、「COOL」(インタージャパン)などのシリーズが発売されヒットする。前者はレンタルAVの流出素材に極薄モザイクをかけたものであり、なかにはテレビ番組『ギルガメッシュないと』で人気の高かった憂木瞳の出演作もあった。後者は撮り下ろしだが、レンタル系の人気女優が多数出演。息の長い活躍をした小泉キラリも、菅野桃名義で出演している。どの作品も目を凝らして見ないと、モザイクが確認できないほどに修正が薄く、ほとんど裏ビデオと変わらないレベルであり、裏ビデオよりも画質がよいという理由で薄消しビデオを選ぶユーザーも多かった。

1999年から2000年にかけて多くの薄消しメーカーが乱立し、毎月数十本の新作が発売されるようになるが、ショップや制作者の摘発も相次ぎ、一般的なセルショップでの取り扱いは減少していく。薄消しビデオ情報を定期的に扱っていた『ビデオメイトDX』1999年9月号に、読者からの質問に答えるかたちで薄消しビデオを販売しているショップについて書かれた記事がある。

[……]残念ながら東京近郊では数軒しか扱う店を確認しておらず、そこを見つけられなきゃ買えません。ちなみに区内では2~3軒しかない模様です。首都圏では競合店が近くにあるので、ヘタに扱うとすぐにチクられてしまうからなのだとか。国道沿いとかにポツンポツンある地方のショップの方が置きやすい

んでしょうね。後、裏ビデオショップでも扱う店が増えてきそうなので、歌舞伎町とかで探して見るのも手かも。

それだけ売る店が少なくても、市場が成り立っていたということにも驚かされるが、グレーゾーンではありながらも、もはや扱いは完全に裏ビデオと変わらなくなってきている。実際、この頃以降の薄消しビデオは、ほとんどが裏ビデオ店で販売されるようになっていく。そして、2003年頃には薄消しもDVDの時代になっていくのだが、その時点で裏ビデオもDVD化が進み画質が向上していた。そうなると薄消しの存在意義は薄れてしまい、やがて姿を消していった。

その後、裏ビデオとして流通した作品のなかには、よく見ると局部のあたりが若干ぼんやりしているものがあるが、それは薄消し作品である。もはや薄消しと裏の境界線は、ほぼなくなっていたのだ。

キカタンの誕生

AV情報誌『オレンジ通信』が毎年発表している年間ベスト10は、当時AV業界では最も大きな賞だった。作品賞や監督賞、男優賞などもあったが、やはり注目されるのは女優賞だった。この賞は『オレンジ通信』がビニ本、裏本、裏ビデオなどの情報が中心だった1985年に「読者が選ぶモデルベスト1」としてはじまっているが、1989年からはAVアイドル賞となり、その年を代表するAV女優が選出されていた。

そして2001年にAVアイドル賞に輝いたのが長瀬愛だった。彼女の受賞は大きな事件だったのである。それは長瀬愛が企画女優だったからだ。

AV女優は「単体女優」「企画女優」の2種類に分けられる。単体女優は、いわゆるAVアイドル的な女優であり、その子の名前で作品を撮ることができる存在だ。もともとはエロ本のグラビアなどで、他の女優や男優とのカラミじゃなくても、「単体」だけで勝負できるルックスの優れたモデルということから、その名称が生まれた。2000年代以降は、メーカー専属の女優を「単体女優」と呼ぶようになったが、それまでは複数のメーカーに出演するのが普通だったため、単に人気の高い女優という意味あいが強く、モデルプロダクションが「単体」だといえば単体になる程度の曖昧な分類だった。

一方、企画女優は素人役など、特に名前も表記されず、複数人で出演するといった無名の女優を指した。企画物とは、その女の子のネームバリューよりも、女子校生、痴漢、乱交といったテーマが重視されるAVを指し、そういった作品に出演するため、企画女優と呼ばれたのだ。

当初、インディーズは人気の単体女優を起用することができず、無名の企画女優ばかりが出演していた。もしくはレンタルで人気がなくなった女優が出演し、「レンタル落ち」(「セ

ル落ち」とも）などと呼ばれていた。インディーズに出演する女優は、レンタルAVに出演している女優よりも格下というムードが強かった。そのなかで、1998年にソフト・オン・デマンドと12本契約を結んでデビューした森下くるみは、異例中の異例の存在だった。彼女がインディーズ出身の単体女優として初めて『オレンジ通信』AVアイドル賞（1999年度）を獲得したことも時代の変化を象徴するものだったのだろう。

長瀬愛は1999年から活動を開始。この年にオーロラプロジェクトから発売された『純情女子高生　ゆうか18才Cカップ』が密かな話題を呼び、2000年にその続編的な『ゆうか・ふたたび』で大ブレイクを果たす。松嶋菜々子似ということで様々な雑誌に取り上げられたこともあった。あどけない顔立ちと小柄なボディ、彼女の代名詞となる騎乗位での激しい腰使い、そして屈託のない明るいキャラクターで長瀬愛はたちまちインディーズビデオのアイドルとなっていった。

この年の『オレンジ通信』AVアイドル賞は、1位の長瀬愛をはじめ、2位に笠木忍、6位に七瀬ななみ、9位に桃井望、10位に長谷川留美子とインディーズを中心に活躍する企画女優が5人もランクインしていた。メーカーが推す単体女優と違って、企画女優は雑誌のグラビアに登場することも少ない。それどころか作品に名前がクレジットされないことも珍しくないのだ。「あの可愛い子は誰だろう？」というユーザーの口コミや、売れ行きを見たショップのプッシュなどで人気は自然発生的に生まれるのだ。当時、急速に普及が進んだインターネットもこうした口コミの後押しをしたのかもしれない。

この頃から、企画女優のなかでも、名前で作品が売れるような人気の高い女優を「企画単体女優」、略して「キカタン」と呼ぶようになった。『オレンジ通信』２００１年度AVアイドル賞はキカタンにジャックされたといってもいいだろう。

誰ともなく、長瀬愛、笠木忍、桃井望、堤さやかの４人を「キカタン四天王」と呼ぶようになった。この頃のインディーズはブルセラ的な作品が多かったため、この４人は全員ロリ系モデルだったが、ほかにもエキゾチックな美女の朝河蘭やギャル系のうさみ恭香、痴女系の坂口華奈なども人気が高かった。翌年の『オレンジ通信』２００２年度AVアイドル賞に輝いた及川奈央も宇宙企画でデビューしたレンタル系単体女優だったが、２００１年からインディーズ中心のキカタン的な活動になってからブレイクしている。

２００２年には長瀬愛、堤さやか、桃井望、樹若菜の４人でアイドルグループ「minx」を結成しCDデビューも果たす。可愛い女の子を見たいならレンタルAV、マニアックなプレイや企画を楽しみたいならインディーズという棲み分けも、もはや崩れてきていた。

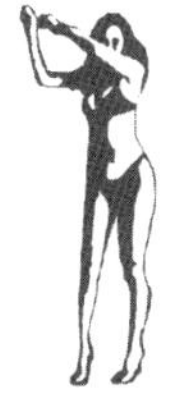

DVDと逆輸入無修正

VHSからDVDへ

世界最初のDVD（Digital Versatile Disc）プレイヤー、東芝SD-3000が発売されたのは1996年11月1日だった。その月の7日には早くも芳友メディアプロデュース（現h.m.p）が初のアダルトDVDである『桃艶かぐや姫・危機一髪 小室友里』を発売。また、その前の10月には村西とおるが1億5000万円を投じて4時間16分の超大作『北の国から・愛の旅路』（日本映画新）を発売しているが、こちらは一応エロティックVシネマであった。

スタートダッシュは早かったアダルトDVDだったが、当時はDVDプレイヤーも高価だったため普及もなかなか進まず、依然として主流はVHSということになっている。

ブレイクスルーとなったのは、2000年のソニー・プレイステーション2の発売だろう。3万9800円という価格で高画質のゲームもできて、DVDも見られるとあって、発売から3日間で100万台近くを売り上げる空前の大ヒット商品となり、当時はゲームソフトもまだ少なかったため、これでDVDを観ようというユーザーを一気に増加させたのである。

とはいえ、AVではVHSからDVDへの移行はなかなか進まなかった。1997年からDVDをメインにしていたTMAのようなメーカーは一部であり、多くのメーカーはあくまでもVHSの副次的な存在としてDVDを捉えていた。この頃のアダルトDVDは、VHS商品の再編集版が主流であり、オリジナルのDVD作品はマルチアングルやマルチストーリーといったDVDの特性を活かした内容の作品が多かった。VHSとの差別化をしなければという考えがあったのだろう。

『ビデオメイトDX』2001年9月号の「アダルト映像新世紀」という記事を見ると、当時のメーカーがいかにDVDの機能を活かすことに苦心していたかがわかる。例えば、ソフト・オン・デマンドの『制服・下着・全裸 マルチ画面ストーリー学校編』は、ひとつのストーリーを出演女優が制服を着たバージョン、下着バージョン、全裸バージョンを切り替えて見ることができるという作品。つまり同じシーンを3回繰り返して撮影しているわけだ。桃太郎映像出版出版の『体感ファックif…3 処女をささげるロリ少女編 高野まりえ』は、選択肢から選ぶことでストーリーが変化していくという本格マルチストーリー作品で、全編一人称カメラということもあり、PCの美少女ゲームの実写版ともいえる。

同じく『ビデオメイトDX』2002年4月号の「アダルト映像新世紀」で紹介されている『耳をすませば～聞いて感じて～』は、浅倉みるく、西村あみ、水野奈菜の3人と同時にプレイするシーンで、特に誰に舐めてもらいたいのか、誰に挿入したいかを選べる。

レイディックスの『接吻OL～キスしてあげる』では、通常のモザイクと、ナチュラル肌色モザイク（ソラリゼーション）から選択できる。そしてディープスの『絶世の美脚クィーン2 長谷川留美子』には、マルチアングルで足先のアップだけを延々と見ることができる脚フェチモードもある。

こうした機能を活かした撮影はどうしても作業量が増え、コストもかかる。業界誌である『DVDパーフェクト』2003年9月号（日本ビジュアルソフト販売）で、いち早くDVDを手がけていたメーカー、TMAの代表がその苦労について語っている。

TMA DVDにはマルチアングルだとかマルチストーリーといった機能が付加できるので、そういった機能を盛り込んでやろうとなると手の込んだことをしようとするじゃないですか。そうすると話が複雑になり、撮影前日にシナリオを読んだときに「これじゃ辻褄が合わない」というようなところが出てきて、夜中まで打ち合わせに追われるなんてことも始めた当時は多かったですね。そのような試行錯誤をしながら、何がユーザーに受け入れられるのか、製品化しテストしてきました。それは今も続行中なのですが、結局行きつくところは、アダルトユーザーというのは機能だとかゲームだとかいうところよりも、どれだけエロいかというところを見ているのではないかと思うんです。

このように、マルチアングル、マルチストーリーなどのＤＶＤならではのインタラクティブ性は、ＡＶユーザーの求めるものではなかった。次第にこうした機能は影を潜め、長時間収録や、ＶＨＳ版にはない特典映像などを売りにするＤＶＤ版が主流になっていく。それは90年代初頭のCD-ROMブームの際に、当初はインタラクティブ性を強調するも、単に多くの動画を収録した作品の方が売れるようになる過程を思い起こさせた。しかし長時間収録、そしてチャプターによって目的のシーンへすぐに飛ぶことができるという機能は、後にＡＶの内容を変えてしまうほどの影響を与えることになるのだが……。

ＶＨＳとＤＶＤのシェアが本格的に入れ替わったのは２００４年頃からである。ＡＶユーザーへのＤＶＤプレイヤーの普及はなかなか進まなかった。桃太郎映像出版出版も２００２年のインタビューでその苦労を語っている。

［……］で、やっぱりＤＶＤだから見られる映像、ＶＨＳじゃ見られない映像、って言う形でやりたいなと思うんですけど……。ただ、ＤＶＤだけしか出ていない作品だとＶＨＳのお客さんから「ＤＶＤでしか見れないの？」って言われますし、ＶＨＳ作品だと「ＤＶＤに」って要望もかなり多いんですよね。そうすると、やっぱり出さなきゃいけないのかなって（笑）。

（『ビデオメイトＤＸ』２００２年５月号）

2000年から2004年頃までは、DVDとVHSの両フォーマットを販売するメーカーが多かった。それはコスト的にも負担は大きかったのだが、当時のユーザーのニーズに応えるには、それしかなかったのだ。当初はDVDのみの販売だったTMAも2000年からはVHSの販売をはじめている。2004年10月にソフト・オン・デマンドがVHSの販売を終了し、DVDのみのリリースに切り替えることを宣言。他のメーカーも次々とVHSから撤退する。ただし、FAプロやセンタービレッジなど、ユーザーの年齢層が高いメーカーは、かなり後までVHSの販売を続けていた。

レンタル系メーカーも、ビデオレンタルショップの対応が遅れたこともあり、DVDに関してはセル中心の販売となっていた。むしろ単体に強いレンタル系メーカーの作品の方がセルDVDは強いという状況もあった。好きな女優の作品は高画質で手元に置いておきたいというファン心理が働くのだろう。

その一方で、この時期になると、ソフト・オン・デマンドをはじめとするセル系メーカーも、レンタルを開始していた。規模の大きなメーカーが増えてきたため、「インディーズ」という名称もそぐわなくなり、非ビデ倫系メーカーを「セル」と呼ぶことが多くなっていたのだが、実際にはこの時点ですでに状況的には「レンタル」vs「セル」とも分類できなくなっていたのだ。

無修正が海外からやってきた

かつて「表ビデオ」などと呼ばれていたAVがメジャーなものとなった後も、裏ビデオは根強い人気を誇っていた。しかし90年代に入ると、修正を入れる前のAVの素材映像が何らかの理由で裏ビデオとして流通する「流出物」が主流となり、撮り下ろしの裏ビデオは消滅してしまう。

流出物は、画質が劣悪であり、修正前提で撮影されているため、局部がよく見えないアングルばかりと、裏ビデオとしては観るに堪えない作品がほとんどだったが、それでも有名女優の無修正という魅力は、無名女優による撮り下ろし作品よりも上だったのだろう。

全盛期には年間300タイトルもの流出物が裏ビデオとして流通した。また90年代半ばには、援交ブーム、ブルセラブームの影響で、「制服少女達の放課後」「援助交際白書」シリーズなど、未成年をハメ撮りした撮り下ろしの素人物が人気を集めるようになる。

そして1998年に、日本のセルメーカーがサムライ、タイフーンといったアメリカのメーカー用に無修正作品を制作し海外で販売するが、それらはすぐに逆輸入され、国内で裏ビデオとして流通する。正規の商品として制作されたため、画質も内容も良く裏ビデオファンを狂喜させた。1999年末にはKカップの藤原史歩（瀬名さくら）や、人気キカタン女優の藤森かおりなどが出演した撮り下ろしの「グリーンファンタジー」シリーズがリリースを開始し、大ヒットとなる。『ビデオ・ザ・ワールド』の2000年裏ビデオ

上半期ベスト10では上位3位までを「グリーンファンタジー」シリーズが独占した。
2001年には国産裏DVDの第一号『D-mode Vol.1 Passion よしおかめぐみ』が発売される。主演は、よしおかめぐみとクレジットされているが、2000年に宇宙企画から単体デビューした小野寺沙希だ。その登場を報じた『オレンジ通信』2001年8月号の記事を見ると、当時の衝撃の大きさが伝わってくる。

6月中旬、新宿・歌舞伎町の裏ビデ・裏本ショップにひとつの商品が並んだ。「Passion」というタイトルのDVDソフト。これこそ日本で初、オリジナル撮り下ろしの完全無修正裏DVDソフトである。〔……〕劣化のないデジタル技術で撮り素材そのまま無修正の鮮明さと迫力は、長らく続いた裏ビデオの時代にとどめを刺すのか。

〔……〕小野寺の反応も良好で、ゴム付きチンポを出し入れされ白濁マン汁垂らすその部分を超アップで鑑賞出来る。たかが無修正、されど無修正。見ればわかるそのすさまじさ。（同前）

1万3000円という価格にもかかわらず、あっという間に売り切れ、その後は

DVD-Rのコピー版が流通した。2002年になると裏ビデオもDVDがメインとなっていく。その移行は「表」よりも早かったかもしれない。

その年の秋、インターネットのファイル共有ソフトWinnyに、とある動画が登場した。それは及川奈央の無修正動画だった。及川奈央は『オレンジ通信』2002年度AVアイドル賞を受賞している。つまり人気絶頂のAVアイドルの無修正動画がネットに流出したということだ。その映像はDVD化され『Legend 及川奈央』のタイトルで裏ビデオとして販売されることになる。現役トップAV女優の無修正DVDということで当然のように空前のヒット作となった。

この時期、99bbやアジアンホット、Jxp.comといった海外発信の動画配信サイトも次々と誕生し、日本人向けの無修正動画を配信するようになっている。無修正は、インターネットによる配信へと動きつつあった。そしてそれは、VHSからDVDへの移行と同じく、「表」よりも早いスピードだったのだ。

流出、撮り下ろしを問わず、有名女優が続々と無修正に登場していた。2009年に27年間の歴史に幕を下ろした『オレンジ通信』最終号（2009年3・4月合併号）掲載の、石井始編集長や裏物に強いライターの森ヨシユキらが平成のアンダーグラウンドシーンを振り返る「裏モノ総括座談会」で、この時期のことを語っている。

オレ通　このあたりから無修正は単体偏向主義というか、有名無名を問わずカワイコちゃん路線が王道になってきました。
森　知名度優先になるのはある意味必然なんだろうけれど、その分ヌルいものもあったりして評価を落としていたのは否めなかった。［……］今じゃ考えられないけれど、当時はまだ無修正イコール裏ビデオという認識が強くて女優もダクションも拒否反応強かった。
石井　5年という歳月は色々なものを変えたけれど、その最たるものは事務所の意識じゃないかな。今じゃ率先して女優口説いて無修正に出そうとしてるしね。

無修正シーンはますます活気を増していき、この時期以降は有名女優が出演することが珍しくなくなっていた。インターネットが普及したことで、観ようと思えば誰でも無修正ポルノを観ることができるようになった2000年代。ある意味で、この時に日本はすでに実質的なポルノ解禁時代を迎えていたのかもしれない。

第6章

レンタルvsセル

女優の時代へ

女性が男性の乳首を舐め始めた

AVに「痴女」というジャンルが誕生したのは90年代半ばだった。80年代にも黒木香や豊丸といった積極的に快楽を追求しようとする「淫乱」女優は存在したが、現在のAVで使われている「男性を責めることで興奮する」という「痴女」の定義からは微妙に外れる。彼女たちは、「プレ痴女」と位置づけた方がいいだろう。

90年代半ばの第一次痴女ブームの発端は、1991年からスタートした「性感Xテクニック」シリーズ（アテナ映像）だった。監督は「いんらんパフォーマンス」シリーズで淫乱ブームを牽引した代々木忠。当時、密かに盛り上がりを見せつつあった性感マッサージ（美療性感）という風俗で人気の南智子という風俗嬢を主役に据えたシリーズだった。AVの主役女優でありながら、南智子は脱いだりセックスを見せたりはしない。言葉とフィンガーテクニックだけで、百戦錬磨の男優たちを女の子のように喘がせ、痙攣（けいれん）するほどの快感を与えてしまったのだ。現在のAVの「痴女」に見られる言葉責めのスタイルは、この時点ですでに完成している。

男性が女性に責められて快感に身悶える姿、はそれ以前のAVではほとんど描かれることがなかった。しかし代々木忠は「性感Xテクニック」シリーズで、そうした男女の立場が入れ替わった姿を描き出したのである。

「痴女」という言葉がAV業界に定着したのは、1995年からスタートした「私は痴女」シリーズ（クリスタル映像）のヒットがきっかけだろう。これ以降、タイトルに「痴女」をつけた作品が急増している。

「私は痴女」シリーズの監督は、ハメ撮りという手法を発明したことでも知られるゴールドマンだ。1994年からはじめた「THEフーゾク」シリーズ（クリスタル映像）の撮影で、性感マッサージのプレイに触れたゴールドマンは、それがかつて好きだったエロ漫画に登場する色情狂の女性像そっくりだったことに衝撃を受け、そんな女性たちが登場するAVを撮りはじめたのだった。男性が女性に性的に襲われる姿を、ややコミカルに描いた「私は痴女」シリーズは、エンターテインメント性も高く、大きなヒットとなった。するとと当然のように多数の類似作品が後に続き、AVに「痴女」というジャンルを生み出した。

そして第二次痴女ブームは、インディーズを中心に盛り上がりをみせる。フェチ的なテーマに強い当時のインディーズのなかでは人気ジャンルであった「痴女」だが、1999年にワープエンタテインメントが「「痴」女優」というシリーズをヒットさせたことで、そのニーズが一気に広がった。ワープエンタテインメントは、それまでマニアックなジャンルだと思われていた「ぶっかけ」に人気の単体女優を起用した「ドリームシャワー」シ

リーズでブレイクしたメーカーだった。マニアックなジャンルの作品は、企画女優が出演するものという当時の常識を覆して大ヒットを飛ばしている。「「痴」女優」でもその方法論を応用し、第一弾に宇宙企画でデビューした秋野しおりを起用。その後も麻宮淳子、瞳リョウなどの人気単体女優を登場させてヒットした。

以前から「淫語しようよ」「うぶな女のチンチン研究」シリーズなどで、痴女的なアプローチを得意としていたソフト・オン・デマンドも、「「痴」女優」に対抗するように単体痴女シリーズの「「痴」女」をスタートさせる。その第五弾『「痴」女 Vol.5 日色なる』を監督したのが、二村ヒトシだった。

二村ヒトシは80年代後半にAV男優として業界入りし、1995年から監督としても活動するようになった。当初は安易なハメ撮り物ばかりを量産していた二村だが、ソフト・オン・デマンドで単体女優を使った痴女物を撮影する機会に恵まれる。その時のことを二村はこう回想している。

[……] 高橋がなり氏の前で、僕は、自分がどういうビデオを撮りたいのか説明していたんです。そしたら、がなり氏は「二村さん、それはセルビデオの世界では「痴女」というんだよ」と教えてくれました。

(『ビデオメイトDX』2010年5月号)

二村は幼少の頃から強い女性に憧れをもち、男優として活躍している時も、勃起しない時は女優に乳首を舐めてもらっていたという。

ところが僕が女優さんに頼み込んで乳首なめてもらっていると、当時の監督さんはカメラを止めてしまう。「勃ち待ちだ」という認識なんです。いや、もちろんそのとおりなので、当時のAVにはそんなカットは必要なかったのでしょうが、僕は乳首なめてもらってちんちん勃てながら「もったいないなー。これがいちばんエロいのになぁ」と思っていました。「おれが監督になったら、これはっかり撮るのになぁ」とも思いました。（同前）

現在では当たり前となっている、女性が男性の乳首を舐めるという行為も、90年代までは全く無視されていたのだ。

自身の監督作品で、二村は乳首舐めを押し出した。2001年の『痴女行為の虜になった私たち3　巨乳女医は男の乳首が好き』（ソフト・オン・デマンド）では、特に男性への乳首責めを大々的に扱っている。とはいえ『ビデオメイトDX』2001年6月号でこの作品を取り上げたライター5人によるクロスレビューでは、乳首責めに触れている者がほとんどいなかったところを見ると、この時期ではまだ男性の乳首は重視されていなかっ

たともいえるだろう。しかし、痴女物がその人気を拡大していき、痴女的なプレイが一般化していくにつれ、男性の乳首を女性が責めることが特別ではなくなり、やがてAVデビュー作での初めてのセックスでも、新人女優が何のためらいもなく男優の乳首を舐めるまでになっていくのだ。

女優志向を強めるAV業界

二村ヒトシは「痴女行為の虜になった私たち」シリーズ（ソフト・オン・デマンド）など、ひとりの男性が複数の女優に責められる集団痴女物でヒット作を連発していく。2002年には『オレンジ通信』監督賞も受賞し、一躍人気監督となった。さらにKINGDOMやK*WESTといった若手監督も痴女作品を成功させ、第二次痴女ブームが訪れる。

レンタル系が中心だった第一次痴女ブームの際は、ややコミカルな描き方をされていたこともあり、キワモノ的なニュアンスが強く、出演するのも風俗嬢や企画女優ばかりだったが、第二次痴女ブームでは女優に注目が集まった。

受け身が基本である普通のAVと違って、痴女物では女優が積極的にプレイを進行させていかなければならないし、愛撫のテクニックも必要となる。そして何よりも淫語責めのスキルが要求されるのだ。卑猥な言葉を並べていく淫語責めは、独自の言語感覚と頭の回転の早さが試される。『いやらしい2号』第二巻（データハウス、2000年）というムックには、ライター／イラストレイターの村田らむによる『「痴」女 Vol.5 日色なる』の現場ルポが掲載されているのだが、そこで主演の日色なるが淫語を連発しているうちに気が滅入り、ナーバスになってしまったために撮影が中断するという状況が描かれている。慣れない女性にとっては、淫語を言うという行為はそれほど負担になるのだ。

痴女物は女優のスキルや性格によって、その完成度が左右されることが多く、そのため痴女物で人気を集める女優も出てくる。2002年には三上翔子、2003年には姫咲しゅり、桜田さくら、そして2004年には紅音(あかね)ほたる、立花里子、乃亜などがデビューし、痴女系女優として活躍する。さらに如月カレンや穂花(ほのか)のように、痴女的なプレイに定評がある人気単体女優も登場し、痴女＝企画女優という公式も成り立たなくなってきた。というよりも、森下くるみや南波杏(なんばあん)といった超人気単体女優もハードな企画作品に出演するようになってきたのがこの時期だ。キカタンブームを経て、単体女優と企画女優の境界線が曖昧になりつつあった。

人気女優を起用することができないために企画の独自性で勝負してきたインディーズ＝セルビデオだったが、キカタンブーム以降は女優の人気がその売上を左右するようになってきていた。

そしてこの時期の大きな動きとしては、2002年のケイ・エム・プロデュース（kmp）の参入だろう。久々のビデ倫加入の大型新メーカーが誕生したということで注目を集めた。

第一弾が『24人の堤さやか』だったことからもわかるように、当初は企画単体女優中心のラインナップで、20作品240分を収録したベスト版DVDを980円という価格で発売して話題となった。

kmpはビデ倫メーカーではあったが、当初からレンタルと並行してセル、そしてDVDに力を入れているという新しいタイプのメーカーでもあった。そして同社は及川奈央、長谷川瞳、早坂ひとみ、神谷沙織、紋舞らんと専属契約を結び（長谷川瞳と紋舞らんはレンタルのみの専属）、一気に単体メーカーへと舵を切る。この5人でミリオンガールズというユニットも結成し、メインレーベルである「ミリオン」の看板としてアピールした。

kmpは「楽しく見れてしっかり抜ける！」というコンセプトを掲げ、エンターテインメント性の高い作品をリリースしていった。及川奈央と森下くるみの『ヌードの森～メモワール・レズビアン～』、早坂ひとみと小沢菜穂の『ベストフレンド』、ミリオンガールズの5人が出演する『ミリオンガールズのマジカルミステリーツアー』といった単体女優共演作や、大掛かりなセットを使った「完全なるイカセ4時間」シリーズなどの豪華な大作を連発。なかでも紋舞らんを、当時人気絶頂だったアイドル松浦亜弥のそっくりさんに仕立て上げた「あやや・コス」シリーズはその徹底したコスプレと演出が話題となり、kmpは00年代のAVを代表するメーカーのひとつとなった。

エスワンと「セル初」

2004年のAV雑誌数誌の10月号にいきなり12ページぶち抜きの広告が掲載された。しかも、それは11月に発足する新メーカーの広告であり、登場しているのは8人の新人女優だった。そんな前代未聞の派手なデビューを飾ったのは「S1（エスワン）」というメーカーであった。

エスワンは当時、大手セルメーカーとして頭角を現していたムーディーズと同じ、北都という会社に属するメーカーだった。北都は90年代に石川県で発足したAVメーカーで、当初はビデ倫系メーカーとして中野貴雄監督の特撮パロディAV「超妖魔伝説 うらつき童子」シリーズなどをリリースしていたが、1997年にビデ倫を脱退し、インディーズメーカーとして活動する。『インディーズ・ビデオ・ザ・ワールド'98』（コアマガジン、1999年）のインディーズメーカー64社紹介のコーナーを見ると、北都は「特価ビデオの最大手と言うべきか。実体のわからないレーベルの元締め」と書かれている。この頃の北都は、粗悪な作品を大量にリリースしている怪しいインディーズメーカーに過ぎなかったのだ。

しかし2000年に「ムーディーズ」レーベルを前面に押し出した方針に転換する。8月にはたけし軍団のガダルカナル・タカが司会を務める発足会見をおこない、第一弾として麻宮淳子、鈴木麻奈美、三浦あいか、金沢文子という4人の単体女優が共演する『Chaos

色情四姉妹』という2本組の大作をリリースする。さらに9月には200人乗りの大型クルーザーをチャーターしての「ムーディーズガール選考会」をグアムで開催、レンタルで人気の単体女優・藤崎彩花と11本契約をするなど、派手な話題を振りまき、たちまち人気メーカーへとのし上がっていった。

ハードなプレイの学園物「ドリーム学園」のようなヒットシリーズも生まれ、『ビデオメイトDX』2004年5月号では、3年8カ月にわたって「読者が選ぶ人気メーカーランキング」の首位を独占していたソフト・オン・デマンドを押しのけて、ムーディーズがトップの座につくまでになった。

そんな状況でのエスワンの登場である。12ページぶち抜き広告が掲載された『ビデオメイトDX』2004年10月号では、プロデューサーのE-YO!渡辺がインタビューに答えている。渡辺はそれまでムーディーズのプロデューサーだった。

これだけセルメーカーの市場が大きくなったにもかかわらず、現実的にはレンタルデビューの女優さんが大多数を占めています。この業界にAVアイドルを送り出しているのは、ジャパン・ホーム・ビデオさん、マックス・エーさん、芳友舎さん、KUKIさん、メディアステーションさんなどの大手ビデ倫メーカーなんですよね。要するにセルメーカーは新人を育てていくことの比重が低

かったその結果だと思います。

レンタルでデビューした女優に頼っているのがセルの現状であり、それを打破してセル生え抜きの女優を生み出していくのが新メーカー、エスワンの目的だというのだ。そのための新人8人一挙デビューだった。

しかし11月号では、その8人に加えて、レンタルメーカーで人気の単体女優である小倉ありす、蒼井そら、小川流果の3人の移籍が発表された。そして11月11日にエスワンの第一回リリース11作が発売されると、業界に衝撃的なニュースが走った。11作のうちの1作である『セル初 蒼井そら ギリギリモザイク』が即日完売し、結果的に10万本という売上を記録したのである。それは日本のAVが決してたどり着くことのできなかった前人未踏の数字だった。これはエスワンにとっても想定外のヒットだったらしい。『ビデオメイトDX』2005年2月号でのE-YO!渡辺へのインタビューでも驚きを隠していない。

〔……〕今まで僕が業界でやってきた経験に即して言うと、こういう大きな数字がAVで出るのかと驚きました。チョットありえないことです。こちらの思っていたよりも、彼女に対するユーザーの期待感が大きかったのでしょうね。〔……〕売れた要因はいろいろあると考えられますが、結局は見えないモノが見えたと

いう、すごく単純なことじゃないでしょうか。極論ですけど、蒼井そらのアナルを10万人が見たかったということだと思います。

この時点ではビデ倫はヘアとアナルを解禁しておらず、モザイクも大きかったため、特に人気の単体女優においては、疑似本番が当たり前という状況であった。ビデ倫レンタルメーカーで活躍していた女優のヘア、アナル、そして本番を見ることができるということはAVユーザーに対して大きなセールスポイントとなったのだ。あまりにもシンプルではあるが、そこに10万人のニーズがあった。ちなみに当時のエスワンのキャッチフレーズは「オチンチン入れちゃうセルメーカー」と、極めてストレートだった。「セル発」をコンセプトとしたエスワンだったが、ユーザーに熱狂的に受け入れられたのは「セル初」だった。そして以降しばらく、AVで最も売れるジャンルは「セル初」となったのである。

台頭する熟女

痴女ブームと同時期にAV業界には、もうひとつの、そして後に最も人気の高いジャンルとして定着するブームが起きていた。熟女である。熟女という言葉は80年代から使われはじめたが、AV業界に定着したのは90年代からである。80年代末から90年代前半にかけても熟女物は撮られているのだが、この頃の扱いとしては、あくまでもマニア物であった。

戦後すぐから70年代にかけて、人妻物はアダルトメディアにおいて重要なジャンルであり、成人映画などでも数多く撮られていた。80年代に入って登場したAVでも、黎明期においては人妻物も重要なジャンルのひとつであった。しかし80年代も半ばに差しかかると、AVから人妻物は姿を消しはじめる。「若くて可愛い普通っぽい女の子」が至上のものとされ、人妻、ましてや熟女は顧みられることがなくなっていった。数少ない人妻物も、若い女優が演じる幼な妻物がほとんどだった。

80年代末から90年代にかけて、安達かおる監督の「奥さん、いいじゃないですかへるもんじゃないし」シリーズ（V&Rプランニング）や芳賀栄太郎監督の「おふくろさんよ！」シリーズ（ビッグモーカル）などが人気を集め、熟女というジャンルに注目が集まりはじめる。しかしこの頃の熟女物は、マニア向けのジャンルに過ぎず、ビデオショップなどでもSMやスカトロ、ニューハーフなどの作品と一緒に扱われることが多かった。「普通の」男性は若い女の子を求めるのが当たり前というのが、AV業界の認識だったのだ。

その風向きが変わったのは、1999年にソフト・オン・デマンドから発売された『義母〜まり子34歳〜』がきっかけだった。それは美少女単体物を中心に撮っていた溜池ゴロー監督が、川奈まり子を主演に起用した単体ドラマ物であった。すでに熟女物はマニアッ

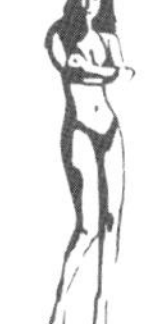

クなジャンルとして定着しつつあったが、複数の女優が出演する企画物がほとんどであり、制作費も安く抑えられるのが普通だった。溜池は、『NAO DVD』2009年10月号(三和出版)のインタビューで当時の状況をこう語っている。

その頃は熟女の単体というのは無かったんですよ。熟女というと、おばちゃんの企画モノだけ。大人の女をちゃんと綺麗に撮ろうといっても、どこのメーカーも話を聞いてくれなかった。[……]当時のAVメーカーは、ロリ系巨乳じゃないと売れないって勝手に決めつけてた。そんな統計はどこにもないのにね。

色気のある大人の女性が自分の性欲のツボだと感じていた溜池は、それは自分だけの嗜好ではないと考えていたが、そこに理解を示したメーカーはソフト・オン・デマンドただ1社だけだった。溜池は「面接ではじめて会った時から勃起した」(『NAO DVD』2009年10月号)という理想の熟女女優・川奈まり子を得て念願の作品に取りかかる。

『義母〜まり子34歳〜』は3日撮りという本格的なドラマ物であった。従来の美少女単体物以上の予算が投入されたという。この前代未聞の豪華な熟女単体物は販売総数2万本という大ヒットを記録した。熟女の単体作品を見たいと思っていたユーザーはそれだけ存在していたのである。『義母〜まり子34歳〜』のヒットにより、川奈まり子は一躍人気女優として注目される。

その少し前から、もうひとりの熟女女優も人気を集めていた。1998年にクリスタル映像から『31歳 恥じらいデビュー』でAVデビューした牧原れい子である。1990年に中山れい子の名前で『GORO』の「激写クイーンコンテスト」の5クイーンズのひとりに選出されたという過去をもつ整った容貌の美女だ。牧原れい子は『義母～まり子34歳～』に続く、ソフト・オン・デマンドの熟女単体作品第二弾『女教師～れい子34歳～』にも出演する。美貌と大人の女性ならではの色気を併せもつこのふたりの女優が牽引するかたちで「美熟女」ブームが巻きおこった。

『週刊SPA!』2001年11月21日号（扶桑社）では、「［熟女系］大ブームの秘密を探る!!」という特集まで組まれた。

今、熟女がブームだという。30・40代の女性が、若い男たちの性的対象としてもてはやされているのだ。

そういえばレンタルビデオ店のアダルトコーナーでも、熟女系の棚が幅を利かせるようになった。

「熟女系は回転率がいいので、入荷数を増やしていたら、自然にコーナーができてしまった感じですね」（渋谷のビデオレンタル店）

ブームといっても、一部マニアの嗜好がピックアップされただけじゃないか？とも思える。しかし「スカイパーフェクＴＶ」でダントツ人気のＡＶ系アダルトチャンネル『フラミンゴ９０３』を制作する岡野貴広さんは言う。

「熟女作品のＡＶが注目され始めたのは2年ほど前からですね。僕としては番組にメリハリをつける意味で、見世物的に熟女作品を取り上げたのですが、予想外に反響がありまして。今では番組視聴者数で、上位は熟女モノが占めているんで、僕も驚いてます」

若い女優の作品が大半を占めていた同番組は、３割が熟女作品にとって代わったというのだ。

熟女は、同時期に盛り上がりを見せた痴女ブームとも相性がよかった。性に対して積極的であるという熟女のイメージは痴女とも共通する。鏡麗子や桜田由加里といった痴女系熟女女優にも人気が集まった。ビッグモーカルやクリスタル映像、現映社などのレンタル系メーカー、センタービレッジやルビー、ジャネス、グローバルメディアエンタテインメント、そして溜池ゴロー監督を擁するドグマなどのセル系メーカーが熟女作品を次々とリリースしていた２００３年末に、ムーディーズが好調だった北都グループが初の熟女専門メーカー、マドンナをスタートさせる。

その第一弾となったのが楠真由美、友崎亜希、友田真希の『男喰い熟女～ザーメン搾り～』だった。当時熟女女優として人気絶頂だった3人が共演するという豪華なキャスティングで話題となり、大ヒットとなった。また00年代を代表する熟女女優となった紫彩乃の出演作を数多くリリースしたことも、マドンナの存在を確固たるものとした。人気熟女のドラマ物からナンパなどの企画物まで幅広いジャンルの作品を手掛けるマドンナは「熟女の総合デパート」の異名を取り、その後も熟女AVの王者として君臨する。

そして2005年、紫彩乃と赤坂ルナがミリオンマダムズに就任する。新興でありながら破竹の勢いでトップメーカーの仲間入りを果たしたkmpの看板レーベルであるミリオンが、そのイメージガールとして結成したミリオンガールズは、及川奈央、早坂ひとみ、小沢菜穂、如月カレンなどの超人気女優を選出していたのだが、この年に熟女部門ミリオンマダムズが新設されたのだ。かつてはマニア向けのキワモノ扱いだった熟女が、遂にAVの王道だと認められた瞬間であった。熟女はその後、さらにその人気を拡大していくことになる。

監督の時代の終わり

2005年4月、TOHJIRO監督率いるメーカー、ドグマの設立4周年記念イベントにおいて、「D－1クライマックス」開催が発表された。「D－1クライマックス」は、

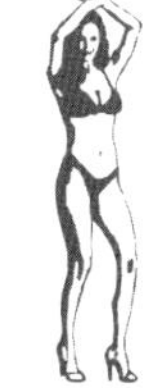

メーカーの枠組みを超えてAV監督たちが、オーディションで選ばれた女優を撮り、発売された作品の売上によって優勝を争うというイベントだ。2001年にもエムズ(MVG)が、ザーメンビデオ界のナンバーワン監督を作品売上で競うという「ザーメンチャンピオンカーニバル」を開催していたが、そのシステムを拡大したイベントだともいえる。

参加監督は、主催であるドグマ所属のTOHJIROと二村ヒトシ、ナチュラルハイの社長でもあるとっちん、SODクリエイトの社員監督である土屋幸嗣、V&Rプランニングから独立してフリーになり2004年にハマジムを設立したカンパニー松尾、過激な作品で名を上げたばば★ざ★ばびい、「ザーメンチャンピオンカーニバル」を主催していたエムズの松本和彦に加えて、男優の黒田将稔、女優の三上翔子という9人。優勝賞金は100万円だ。

女優の人気で売上が左右されるようになり、単体女優を売れている企画に当てはめるだけの作品ばかりになっていく状況に危機感を抱いたことが、このイベントの開催に結びついたとTOHJIRO監督は語っている。

TJ 去年の春から夏にかけての大手メーカーによるA級の女のコの取り合いによって、女優至上主義になってしまった。[……]その戦略が激しさを増し、ショップに行くと見事に単体ばかりになったなかで、インディーズはこれでいいのかと。レンタルに対するアンチだったインディーズなのに、大昔にレンタルがやってきたことを焼き直してるだけではないか。それはユーザーが本当に求めているものなのか。監督が作りたいと思うこだわりのエロ、それに共鳴してくれる女のコ…有名じゃなくてもいいから、今やエロ神話になった長瀬愛や堤さやかみたいなコが出てこないかなと思って、騒ぎを起こしてみようとしたのがD－1クライマックスです。

（『ビデオメイトDX』2006年1月号）

だからグランプリを取って100万円の賞金をもらうことよりも「俺はこういうのを撮りたいんだ」、「私の代表作を撮ってもらいたい」っていう憂さを、思い切りはらしてる。そんな場が、D－1クライマックスなんだよ。

（『D－1クライマックス公式ガイドブック2007』ジーオーティー、2007年）

監督の個性を打ち出したいという TOHJIRO のコンセプト通りに、発表会でも監督たちは派手に怪気炎を上げてそれぞれのキャラクターをアピールした。松本和彦などはバックダンサーを従えて登場するといったショーマンシップまで見せた。

結果は、1位が TOHJIRO ×星月まゆらの『Mドラッグ』、2位が二村ヒトシ×楓アイル・雨宮ラムの『この世で、いちばんエロいコト。』とドグマの監督が上位を独占し、ホームの強さを見せつけた。

商業的にも話題的にも成功を収めた「D－1クライマックス」は2006年に11人の監督が参加した第二回、そして2007年に14人の監督が参加した第三回が開催される。回数を重ねるにつれ、監督たちのパフォーマンスはエスカレートしていった。第二回の表彰式では、連覇を果たしたTOHJIROの「今回で監督としての参加は終える」という発言に松本和彦が「勝ち逃げするのかよ！」「エロシンデレラの発掘とかいって、知ってる女優で仲良しこよしで撮ってはずかしくないか？」と挑発。すると第二回には参加していなかった松本に対してTOHJIROが「お前がやるなら、もう1回やる」というやりとりがあり、ふたりは第三回にも参加することになる。

しかし第三回では、TOHJIROが「新人女優で撮る」という公約を破って日高ゆりあと泉まりんという人気女優を起用することになり、ペナルティとして売上ポイントを半分にするというハンディを負うことになる。TOHJIROは公開オーディションの場で土下座までしてみせた。ところがこれもすべてTOHJIROとの打ち合わせ通りだったと『公式ガイドブック2007』のインタビューで参加監督の松本和彦と松嶋クロスが暴露している。こうしたパフォーマンスも、AV監督たちのキャラクターが立っていたから成り立っていたともいえるだろう。

この第三回をもって「D－1クライマックス」は終了する。「とりあえず2回目は単体じゃないエロにお客さんがついて来てくれた。だから興行的にも成り立ったのに、3回目はついて来てくれない。終わりにしたのは興行的によくなかったのが一番」（『ビデオメイトDX』2008年3月号）とTOHJIROが語っているように終了は商業的な理由のようだ。D－1クライマックスが開催された2005年から2007年にかけて、インディーズ＝セルAV業界は大きく状況が変わっていたのだ。

結局のところ、TOHJIROが公約を破ってまで出演女優にこだわったという事件も、すでにAVが監督のものではなく、女優のものになっていた象徴だといえよう。女優至上主義に対して反旗を翻す目的で開催されたD－1クライマックスだが、もはやその状況を覆すことはできないことを証明してしまったわけだ。

それまでのインディーズAVでは、監督の名前がパッケージにも大きく記されていたし、AV雑誌でも監督をクローズアップし、半ばタレント的に扱うことが多かった。いや、それ以前のレンタルAVの時代でも、村西とおるをはじめとして監督の名前が前面に出ることは珍しいことではなかった。D－1クライマックスはそんな「監督の時代」を締めくくる最後の宴だったのかもしれない。

躍進するセルビデオ

デジタルモザイク戦争

90年代後半のインディーズ=セル黎明期においてモザイクの薄さ（ピクセルの小ささ）を競っていた時期があったことは先述したが、それとは別のアプローチでモザイクの影響を弱める手法が開発された。それがデジタルモザイクである。その先駆けとなったのは桃太郎映像出版が1998年に開発した「デジ消し」である。桃太郎映像出版は1994年の創立当初「薄消しの桃太郎」との異名を取るほどにそのモザイクは薄かったのだが、1996年に警察の指導が入ってからは方針を転換し、新たな「モザイク」を編み出した。

動画をコマ単位で修正すれば、細かく範囲指定ができるはずという発想から生まれたのが「デジ消し」だ。しかしそれには手作業で1コマずつ修正をしていくという膨大な労力がかかる。最初の作品は3人がかりで1カ月を要したという。何しろ動画1秒間あたり30フレームの静止画1枚1枚の性器部分を範囲指定してモザイクを入れていくのだ。ひとりで作業すると8時間かけても処理できるのは2分ほどなのだ。

完成した作品は画期的なものだった。性器そのものだけにモザイクがかけられ、フェラチオシーンなどでは唇や舌の動きまではっきりと確認することができた。まず実験的に洋ピン作品で試した後に、人気シリーズの「B☆Jean」などの5タイトルをデジ消しで発売した。その反応は凄まじく、池ノ内るりの出演作などは、3万本以上というメガヒットとなった。この結果を踏まえて、桃太郎映像出版はデジ消しに舵を切っていく。これまで「薄さ」を競っていた修正に、「範囲」というベクトルが生まれたのだ。性器自体はしっかりと隠しているこの修正ならば、「わいせつ」に抵触することはないはずだ。

桃太郎映像出版の「デジ消し」に続けとばかりに他社もデジタルモザイクを採用する。ソフト・オン・デマンド、レアル・ワークスは「デジモ」、ムーディーズは「ハイパーデジタルモザイク」、S1は「ギリギリモザイク」、アイデアポケットは「マックスモザイク」と各社それぞれに名称をつけているが、基本的な仕組みは「デジ消し」と同じである。

それ以前にも、AVではモザイク以外の修正は模索されていた。そもそも80年代初頭のAV黎明期には、まだモザイク修正は一般的ではなく、アングルによって局部が映らないようにするピンク映画的な手法や、下半身全部を覆ってしまうような大きな白いボカシを入れたりする修正が主流だった。SM物などでは、縄やシェービングクリームなどで物理的に局部を隠すことも多かった。ブラックパックや通販ビデオなどでは、その部分をネガポジ反転させる、股間に金粉を塗る、といった乱暴な修正もおこなわれていた。色は変わるものの、もちろん形状はまるわかりというグレーな手法だった。

モザイク修正がAVのスタンダードとして定着した80年代半ばにおいても、アリスジ

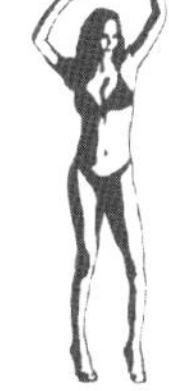

ャパンなどは、クロマキー処理を効果的に使った「ズームアップ」シリーズや「ザ・バイブル」シリーズ、局部に強い光を当てることによってハレーションを起こさせる「フラッシュバック」シリーズなど、様々な修正方法に挑んでいた。しかしビデ倫の規制が厳しくなり、せっかくの新機軸の修正が認められなくなってしまったため、結局はモザイク修正のみとなっていった。その後は修正の進化は停滞するが、非ビデ倫審査のインディーズAVが登場したことで、再び活発化していく。

1997年にはソフト・オン・デマンドがクロマキー処理を大胆に使用した「クロマキーフェラ&アナルファック」シリーズを発売したり、桃太郎映像出版が色数を減らすポスタリゼーション修正を「信玄ボカシ」という名称で使用したりと様々な工夫がおこなわれていた。薄消しもその延長にあったといえるだろう。そして合法的な修正の究極的な形態として誕生したのがデジタルモザイクだったのだ。

00年代半ばのセルビデオ市場では、モザイクの薄さがセールスを左右する状況だったため、大手メーカーはこぞってデジタルモザイクを採用した。しかしデジタルモザイクは手間もコストもかかった。修正だけで1本あたり100万円以上という金額が制作費としてのしかかった。ソフト・オン・デマンドは、2005年にデジタルモザイクの自動処理システム「デジエモン」を開発するなどしてコストダウンを図った。一方、デジタルモザイクの元祖である桃太郎映像出版は、モザイクのピクセルの境界をにじませる「MOE」

（Momotaro Original Effect）という新手法のデジタルモザイクを開発する。00年代後半は各セルメーカーがこうした修正技術を競い合っていたのだ。

第１回AV OPEN開催

２００５年12月14日、ホテルニューオータニのメインフロアで「第4回ＳＯＤ大賞」発表会がおこなわれた。ＳＯＤ大賞発表会はソフト・オン・デマンドグループの作品や女優に対しての授賞式なのだが、その席上でＡＶ業界を巻き込む一大イベントの開催が発表された。

「AV OPEN　あなたが決める！セルアダルトビデオ日本一決定戦」である。ソフト・オン・デマンドと東京スポーツの共同主催で、全16社のセルＡＶメーカーが参加し、エントリー作品の売上によって、日本一のセルＡＶメーカーを決めようというイベントだ。これまでにも監督が競うＭＶＧ主催の「ザーメンチャンピオンカーニバル」やドグマ主催の「Ｄ－１クライマックス」、あるいは２００４年のムーディーズとＶ＆Ｒプランニングのメーカー対抗戦などはおこなわれていたが、これほど多くのメーカーが戦うという大規模なイベントはＡＶの歴史でも初めてのことだった。

しかも参加するのは、アイエナジー、アウダーズ・ジャパン、アロマ企画、ＳＯＤクリエイト、エスワン、甲斐正明、グレイズ、ディープス、ドリームチケット、ナチュラルハイ、ヒビノ、プレステージ、ミリオン、ムーディーズ、レアル・ワークス、ワープエンタテインメントと当時の大手主要セルAVメーカーが、ほぼ顔を揃えている。また本選とは別に若手監督が競う「チャレンジステージ」が同時に開催されることも発表された。

優勝賞金は1000万円、賞金総額2500万円。名誉総裁としてリリー・フランキーを迎え、AV業界の枠に留まらない一大イベントでセルAV業界を活性化させようというのが目的である。華やかなイベント好きのソフト・オン・デマンドらしい試みだといえよう。各メーカーが1作品をエントリーし、2006年5月1日に発売し、6月までの2カ月間の実売本数で順位を決めるというのがルールで、エントリー作品のジャンル、制作費、出演女優などの制約はない。

参加メーカーのうち、アイエナジー、SODクリエイト、甲斐正明、ディープス、ナチュラルハイ、ヒビノがソフト・オン・デマンドのグループ、エスワン、ムーディーズが北都のグループ、ミリオン、レアル・ワークスがkmpのグループ、ワープエンタテインメントとドリームチケットが同じグループというように、メーカーのグループ化も進んでいた。この時点では、ソフト・オン・デマンドのグループ、北都のグループ、そしてkmpのグループの3つが大きな勢力だった。かつてはインディーズAV業界の王者として君臨し、一強と思われていたソフト・オン・デマンドだが、北都とkmpの台頭によって、追い詰められつつあった。

ソフト・オン・デマンドの旗艦メーカーであるSODクリエイトは、業界の王者でありイベントの主催という意地を見せつけるように、男女各250人が同時にセックスするという前代未聞の超大作『人類史上初!! 超ヤリまくり！イキまくり！ 500人SEX!!』で勝負をかける。

ムーディーズも自社で最も人気の高いシリーズである「ドリーム学園」に神谷りの、nao.、紅音ほたる、星月まゆら、長谷川ちひろなど人気女優8人をキャスティングした『ドリーム学園10』でエントリー。レアル・ワークスは、看板女優の如月カレンを中心に立花里子、乃亜、紅音ほたる、田中梨子が共演する『責め痴女 ハーレムSpecial』。そして、前年10月にビデ倫を離れてセルメーカーの仲間入りをしたミリオンは春咲あずみ、綾瀬メグ、上戸あい、早乙女優、早坂ひとみ、如月カレン、神谷姫、あいみ、天衣(あまい)みつという単体女優9人が競演する大作『ミリオン・ドリーム～私立ミリ商の天使たち～』で挑んだ。

一方、優勝候補といわれていたエスワンは蒼井そら、あいだゆあ、穂花、麻美ゆま、小澤マリアという自社の看板女優を揃え、さらに人気着エロアイドルからのAV転身で話題となっていた青木りんをデビュー前に特別収録した『ハイパーギリギリモザイク』。撮り下ろしでも共演作でもなくオムニバスということで、少々肩透かし感があった。いずれにせよ、大手メーカーはそれぞれの威信をかけた大作で競い合ったのである。

その結果は、下馬評どおりに優勝はエスワンの『ハイパーギリギリモザイク』、そして

準優勝がムーディーズの『ドリーム学園10』、3位がナチュラルハイの『痴漢○学生』というものであった。北都グループのメーカーが1、2位を独占し、話題性は十分だったSODクリエイトの『500人SEX!!』は4位だった。さらにレアル・ワークスは5位、ミリオンは7位となり、この第一回「AV OPEN」は、北都グループの強さを見せつけた結果となったのである。

第一次芸能人AVブーム

エスワンの『ハイパーギリギリモザイク』を第一回「AV OPEN」優勝へと導いた勝因のひとつが、青木りんの収録だった。青木りんは2002年にグラビアアイドルとしてデビューし、Kカップ爆乳という豊満なボディと過激な露出で、当時盛り上がりを見せていた着エロ界の女王となっていた。

そんな彼女のAVへの転身は大きな話題となった。『ハイパーギリギリモザイク』にパイズリシーンを収録した後、エスワンから2006年5月7日に『現役アイドル ギリギリモザイク Kカップ×ギリギリモザイク』で正式にAVデビューを果たし、10万本を売上る大ヒットを記録した。その2カ月後にグラビアや映画、テレビなどで活動していた範田紗々がSODクリエイトから『芸能人 範田紗々デビュー』でAVデビューし、こちらも大ヒットとなる。このふたりの活躍を機に「芸能人」の肩書をつけたAV女優が次々と登場し、芸能人AVブームが巻きおこった。

以降もテレビ番組で活躍したチチダス美々こと水原美々や、元黒BUTAオールスターズの矢吹まりなといった元芸能人AV女優は登場しているが、最も大きな衝撃を与えたのは2004年の小沢なつきのAVデビューだろう。テレビドラマで主演を果たすなど誰もが知っているような一線級アイドルのAVデビューは前代未聞だった。デビュー作『決心』（アリスジャパン）をはじめとして、その出演作は当然のように大ヒットを記録した。

そして2006年の芸能人AVブーム以降は、元ギリギリガールズの荒井美恵子や、元ねずみっ子クラブの山崎亜美など数多くの「芸能人」がAV女優へと転身していった。SODクリエイトは、範田紗々の出演作のタイトルには全て「芸能人 範田紗々」とつけて、彼女を徹底して芸能人AV女優として売り出した。この手法は翌年デビューした琴乃、板垣あずさ、櫻井ゆうこなどにも引き継がれた。

この時期、芸能人の肩書をもった新人AV女優が多くのメーカーから次々とデビューしたが、そのほとんどは着エロのイメージビデオを数本出したか、テレビの深夜番組に少しだけ出演したといったレベルの活動歴であった。AVデビューが決まってから、着エロアイドルとしてのイメージビデオを1本だけ出して、「芸能人」の肩書をつけるという手法まで横行し、やがて「芸能人」の神通力も衰えていった。

ビデ倫の終焉

ついに規制緩和したビデ倫

2007年8月23日、AV業界に激震が走った。AVメーカーのh.m.pとアットワンコミュニケーション、そしてビデ倫が警察に家宅捜索されたのである。


アダルト作品の審査基準を緩めた結果、わいせつなDVDが出回ったとして、警視庁は23日、業界の自主審査機関「日本ビデオ倫理協会」（ビデ倫 東京都中央区）をわいせつ図画頒布幇助容疑で、都内の制作会社数社を同頒布容疑で、それぞれ家宅捜索した。

保安課の調べでは、制作会社は、適切な画像処理をしていないDVDを販売した疑い。ビデ倫は、わいせつな商品の流通を助けた疑い。捜索は、DVDを販売している大手家電量販店なども対象となった。

ホームページや関係者の話によると、ビデ倫は制作会社業界の任意団体として72年設立。わいせつ性や年齢などの審査を受けたソフトには「倫理マーク」入りシールを貼って売ることができる。

ビデ倫は昨年に審査基準を緩和。その後、モザイクが薄いなどわいせつ性の高いソフトが増えた。量販店では「新基準モザイク採用」などのシールを貼った商品も数多く出回っているという。

（『朝日新聞』8月24日付朝刊）

厳しい審査基準を設けていたビデ倫が、基準を大幅に緩和したのが2006年8月だった。これによってその年の10月以降には新基準のビデ倫審査作品が発売された。モザイクの面積が小さくなり、陰毛や肛門の描写が解禁されたのである。セルビデオ系の審査団体であるCSA（旧メディ倫、SOD系など）やVSIC（北都系など）などの基準にようやく並んだわけだ。

この時期、セル系メーカーの作品もレンタルショップに並び、またビデ倫審査のレンタル系メーカーの作品もセルの割合が高くなっていた。つまり、レンタル／セルという区分けも意味がなくなり、同じ土俵で戦っているという状態になっていた。そうなると、修正が大きく濃いビデ倫審査作品はどうしても不利になってしまう。00年代には、ビデ倫系メーカーが単体女優をデビューさせ、その後にセル系メーカーに移籍してセルデビューを果たすというシステムが定着していた。ビデ倫審査作品では見ることのできなかったヘアやアナルが見られるということで、2度目のデビューとなる「セル初」作品が、最も売れるといわれていた。これは女優の人気の寿命を延ばすことができるというメリットもあった。

しかし、夏目ナナや小澤マリアのように最初からセル系メーカーでデビューする人気単体女優も増加しつつあり、レンタル系メーカーのアドバンテージは年々落ちつつあった。

クリスタル映像、V&Rプランニング、kmp、トライハートコーポレーションなどビデ倫を離脱するメーカーも続出し、かつて170社あった加盟メーカーは、2006年の時点で98社と半減していた。『オレンジ通信』2007年5月号で、ビデ倫の理事でもあるマックス・エーの石井社長が、ビデ倫系メーカーの置かれている状況についての取材に応えている。

石井 ビデ倫メーカーとして、というよりマックス・エーとして気付くのが遅かったのですが、去年というか、一昨年くらいから、弊社(レンタル単体メーカー)の先行きが怪しくなってきた。元々、単体メーカーはレンタル中心になってきたのですが、DVDメディアが出て来たことで、以前からのVHSに加えてDVDの売り上げがプラスされ、感覚的にバブリーになった。その後VHSからDVDにメディアが移り、レンタルからセルに市場が移行して来た段階で、ようやく足元や先の風景がちょっと違うな、と思い始めたんです。
[……]
自分たちの物作りの姿勢と非ビデ倫メーカーの物作りの姿勢と、どちらがいいかは一概に言えないのではないかと思います。どちらがいいのか、それを販売数で比べて言うのであれば現状非ビデ倫メーカーの方が良いということになる

かもしれません。女優さんが、本当にエッチをして本当に感じている姿をそのまま見せることがいいんだ、と言うのであれば、それはそれで良いと思います。が、弊社としては、女優さんがそれを演じて、演出家が更にエロチックな演出をして魅せる、ということの方を大事にしたいと思っています。本番をやれば盛り上がるのかと言えば、実はそうではなく、エッチまでのプロセスとか、様々なものが合わさって興奮するんだと思います。

このインタビューのなかでも触れられているが、ビデ倫系メーカーの単体作品では疑似本番が当たり前であった。つまりセルデビューはAV女優にとって作品中でヘアやアナルを露出するに留まらず、本番を解禁するということでもあった。

拙著『AV女優、のち』（角川新書、2018年）は00年代に活躍したAV女優へのインタビュー集だが、そのなかでみひろはAV出演を決意した理由のひとつとして「AVではあるけれど「疑似本番でいい」といわれたのも大きかったです。「それならVシネマと変わらないんじゃないか」って。そう思えたんです」と語っている。みひろは2002年にヌード写真集でデビューし、Vシネマで濡れ場も演じた後に2005年にビデ倫系メーカーのアリスジャパンとマックス・エーの2社専属でAV女優に転身。24本という破格の大型契約で話題となった。そして2007年にマキシングとエスワンの2社契約でセルデビューした。

本番行為に対しての抵抗はやっぱりありました。知らない人のものを自分の体内に入れたくないっていう気持ちですね。そこだけは譲れないというのはあったんです。
（『AV女優、のち』）

しかし、みひろは本番行為を受け入れることを決意し、セルデビューを果たす。

まだAVを辞める時期じゃないというのはありましたよ。まだまだやり切っていない。やり切るためには、それ（本番）も受け入れなくっちゃいけないんだって……。
（同前）

そして発売となったみひろのエスワンでのデビュー作『ハイパー×ギリギリモザイク×4時間 ハイパーギリギリモザイク みひろ』は2007年度下半期で最も売れた作品となった（DMM.R18調べ）。ビデ倫系メーカーは、露出度や本番に頼らない作品作りにプライドをもっていたようだが、ユーザーのニーズはそこにはなかったのだ。
こうしてビデ倫系メーカーはセールス的に追い詰められていき、「メーカー側は生活権をかけて、せめてヘアーとアナルの描写は他の審査団体と同じ土俵に立ちたいと審査基準の見直しをビデ倫に申し入れ、それを受け入れてもらった」（前掲、マックス・エー石井社長）という経緯で、ビデ倫もついに規制緩和に踏み出したのだ。

ビデ倫、消滅へ

２００６年10月より、ビデ倫の新基準審査による作品が発売されると、それは予想外の驚きをユーザーに与えた。『ビデオ・ザ・ワールド』２００６年11月号で『この熟女ぃやらしい！ あぁ、腰が勝手に…お願いこのままイカせて〜‼』（アテナ映像）を藤木ＴＤＣはこうレビューしている。

> [……] さて、読者の皆さんは今月あたりからビデ倫ものは修正の動向も気になると思うが、本作はビデ倫新基準で修正されていて、ヘアはバッチリ、大股開きのアップも小陰唇までバッチリ見える薄消し状態。スゴイデスネー。

同じ号の『猟奇の檻21』（アートビデオ）のレビューでも、藤木ＴＤＣは新基準修正の凄さに言及している。

［……］もともと本番など性器結合への興味が薄いメーカーなので、バイブで責めたりする映像はほとんど丸見え状態、二穴責めなどもはっきりわかるし、アナルバイブを脱いたあとのポッカリ穴の開いた肛門はノーモザでばっちり見える。［……］バイブで責められて失禁するシーンでは小陰唇・陰核などバッチリわかるモザ角でジョロジョロジョロ〜っとオシッコが流れ出る。（同前）

ビデ倫は、予想以上に審査基準を緩めていたのだ。それはまるで、これまでの遅れを取り戻そうとするかのようだった。メーカーによって差はあったが、一部には当時のセル系メーカーの作品より薄く、「ちょっと薄すぎてお店に並べられないってショップからの苦情があったのも事実」（『ビデオ・ザ・ワールド』２００７年10月号）といわれるほどだった。そのため、この後にはまた少し修正が濃くなったりもしている。

これでようやくセル系メーカーと同じ条件となった、とビデ倫系メーカーが巻き返しを図ろうとしていた、その矢先であった。２００７年8月23日の家宅捜索を経て、２００８年3月1日にビデ倫審査員ら5名とメーカー幹部ら4人が逮捕された。

問題となったのはh.m.pの『萌え〜イジられるの大好き！ 乙音奈々』『巨乳若奥さま♥ねっとり誘惑エッチ!! 竹内あい』、そしてアットワンコミュニケーションの『THE BAD HOLE 2 裏ナマ撮り』『エロマンドクター』（セル版『MISS Dr ミス・ドクター』も）の4タイトル。これらの作品は2006年10月に発売されたもので、家宅捜索は1年近く経ってからおこなわれたのだ。

この逮捕劇には、警察の天下り事情が関係しているという噂も囁かれた。『アサヒ芸能』2007年9月6日号には、AVメーカー関係者のこんなコメントが掲載されている。

かつてのビデ倫は警察の天下り先とされていた。しかし、最近、ビデ倫側で大きな内紛があり、警察関係者が誰もいなくなったと聞いている。だから、このタイミングでガサ入れが遂行されたようだ。より過激なインディーズ系の審査団体の中には、経産省の役人を抱え込むものもあり、逆に安全と見る向きもある。

裁判は最高裁までもち込まれたが2014年に有罪が確定する。裁判所は「[……]男女の性交、性戯等の場面が露骨かつ詳細に描写、しかも映像のかなりの部分がモザイク処理がきわめて細かいため、性器の結合状態などを如実に認識することができ、モザイクによる直接的映像の修正はないに等しい」（判決要旨より）と判断したのだ。この事件の影響を受け、ビデ倫は2008年6月までで作品の審査業務を終了。1972年に発足し、日本のAVとともに歩んできたビデ倫はその36年の歴史に幕を下ろすこととなったのだ。

そして、それまでビデ倫の審査を受けていた加盟メーカーの多くは新たに立ち上げられ

た「日本映像倫理審査機構」（日映審）に移行した。驚いたのは日映審の理事として、ソフト・オン・デマンドの代表取締役とエムズ・ファクトリー統括本部長の名前があったことだ。ＳＯＤとエムズ・ファクトリー（アロマ企画）といえば、セルビデオの代表的なメーカーである。さらに日映審は審査を審査センターという団体に委託するのだが、ＣＳＡ（旧メディ倫）もまた審査センターに審査を委託している。つまり、日映審とＣＳＡは同じ団体、同じ基準で審査を受けることになった。

ビデ倫が圧倒的な力をもっていた90年代には、ＳＯＤをはじめとするインディーズメーカーと関わった者はビデ倫系メーカーから出入り禁止を言い渡されることもあった。インディーズ作品と同じページで扱うなとＡＶ雑誌にクレームをつけたビデ倫系メーカーもあった。それほど対立していたふたつの陣営が、手を結ぶこととなったのである。さらに日映審は２０１０年にＣＳＡと審査業務を統合し、映像倫理機構（映像倫）を設立。さらに日本コンテンツ審査センターと改称して、現在にいたる。

90年代から続いたレンタルとセルの戦争はこうして幕を下ろした。結果として老舗のレンタル陣営が新興のセル陣営に吸収されるというかたちとなったといっていいだろう。ただ、この事件も一般のＡＶユーザーにはそれほど影響はなかった。ビデ倫審査作品がなくなったことに気づかなかったユーザーがほとんどだったのではないか。『NAO DVD』２００９年３月号に掲載されたライター（筆者含む）、編集者、業界関係者などによる

２００８年のＡＶ業界を振り返る座談会でも、ビデ倫終了はあっさりとした扱いだった。

安田　そういう意味で一般的なニュースと業界での反応の温度差を感じたのがビデ倫終了の話題。ＡＶ史から見れば、すごく大きな出来事なのに業界的には、ほとんど影響がなかったのが興味深かった。

Ｘ　ビデ倫メーカーは、そのまま日映審に移行したから、特に混乱もなかったし。

大坪　もう既にビデ倫の役割は終わってたから。XBOX 360の時代に、ファミコンが生産止めましたみたいな話でしょう。

麻　でも記者会見では新聞とか一般マスコミはいっぱい来てましたよ。

Ｘ　一般のマスコミにとっては、まだビデ倫が全てだと思ってるから、ＡＶ業界全体にガサが入ったという受け取られかただったね。

大坪　一般のマスコミの人って、ビデ倫時代で止まってるんですよね。Ｓ１も知らないし、せいぜいデマンドくらいまで。

安田　セルビデオって何？　みたいな人は多いよね。

時代はすでに変わっていたのだ。

交代と変化

疑惑の優勝

前年に引き続き2007年に「第2回AV OPEN あなたが決める！セルアダルトビデオ日本一決定戦」は開催された。主催は第一回と同じく東京スポーツとソフト・オン・デマンド。新たにクリスタル映像、V&Rプロダクツ、マキシング、ワンズファクトリー、そしてソフト・オン・デマンド代表だった高橋がなりが国立ファーム名義で参戦し、全19メーカーによって「日本一のセルメーカー」を競うこととなった。

ルールは前回と同じくエントリー作品の売上本数で順位を決定する。そして7月24日にその結果発表・表彰式がおこなわれたのだが、会場は異様な雰囲気に包まれていた。

下馬評では、エスワンの麻美ゆま、吉沢明歩、穂花をはじめとする12人の豪華キャスティングによる超大型共演物の『ハイパーギリギリモザイク 特殊浴場TSUBAKI 貸切入浴料1億円』が圧勝するであろうと見られていた。前回に引き続いてエスワンの優勝は揺らがないという声が大多数だったのだ。この結果発表式に筆者も立ち会っており、『オレンジ通信』に記事を書いているのだが、その時の会場の様子をこう描写している。

［……］しかし、下位から順位が発表されてゆき、3位のクリスタル映像に続いて2位でS1の名前が読み上げられた時、会場はどよめいた。いや、誰もが言葉を失ったと言った方がいいだろう。

2位がS1となれば、必然的に残る1位は、まだ名前が読み上げられていないSODクリエイト。『芸能人 琴乃 初・体・験 完全240分 10解禁スペシャル』が見事にグランプリを獲得したのだ。

しかし会場には白けたムードが流れていた。エントリー作に12人もの専属女優を投入していたS1が、会場に女優を一人も連れてきていなかったのも不自然だった。悲願のグランプリを獲得した割にSODクリエイト社員の喜びも控えめだったように感じられた。

盛り上がりに欠けたまま表彰式は終わったが、その後、多くの関係者が声を潜めてこの結果について話し合っていた。下馬評を覆しての、SODの見事な逆転劇を褒め称えるものは誰もいなかった。

（『オレンジ通信』2007年11月号）


それは結果発表前に飛び交っていた「ある噂」のためだった。SODクリエイトのエントリー作品を大量買いしていく怪しい客が、あちこちの店に出没しているという情報がネットなどで囁かれていたのだ。しかしそれはあくまでも噂に過ぎず、その真相が明らか

になることはないだろうと思われていた。

事態が急転直下したのは結果発表から約1カ月が経過した8月30日のことだった。ソフト・オン・デマンドとともにAV OPENを共同主催した東京スポーツの紙面に「発覚!! AVオープン不正」の大見出しが躍ったのである。

「第2回AV OPEN　あなたが決める! セルアダルトビデオ日本一決定戦」で重大な不正行為が行われていた。SODクリエイト社が自社のエントリー作品を大量に購入し、売上本数を水増しすることにより優勝していたことが明らかになった。AVファンを裏切る暴挙を、ソフト・オン・デマンドと共同の主催者でもある本紙は徹底追及する。なお、SODクリエイト社は今回の不正により失格となり、賞金の1000万円も没収される。

（『東京スポーツ』2007年8月30日付）

記事には、SODクリエイトは発表された有効売上本数3万3209本のうち、約1万6000本を自社で購入したことを認めたと書かれていた。便利屋などを使い、購入工作には約6000万円もの費用が投入されたという。SODクリエイトが失格となったために、優勝はエスワン、2位がクリスタル映像、3位がムーディーズと繰り上がる結果となることも発表された。

業界の主役の交代

SODクリエイトが、なぜこの不正行為をおこなうにいたったのか。6000万円という巨額の費用と、もし発覚すれば大きなイメージダウンとなるリスクを背負ってまでなぜAV OPENでの優勝を獲得しなければいけなかったのか。

それはここ数年におけるAV業界の勢力図の変化に理由があった。90年代後半からのインディーズ＝セルビデオ業界において、SODグループは間違いなくリーディングカンパニーであった。しかし00年代も半ばにさしかかるとムーディーズやエスワンを擁する北都グループの台頭によって劣勢に追い込まれていた。第一回AV OPENの結果は、それを象徴するものだった。

またSODクリエイトの社内的な事情もあった。改めて説明しておくと、ソフト・オン・デマンドは流通・販売の会社であり、SODクリエイトはその制作部が独立するかたちで設立されたメーカーである。つまりSODクリエイトが制作した作品を、ソフト・オン・デマンドが販売するという関係で、グループ企業ではあるが、それぞれ独立した会社となっている。

このふたつの会社を育て上げてきたのは高橋がなりだが、2005年にソフト・オン・

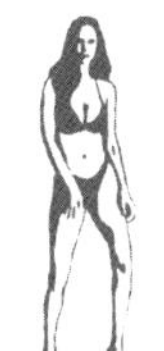

デマンドの代表取締役を辞任していた。とはいえ大株主であり、大きな影響力をもつ存在であることには間違いなかった。そして高橋がなりには、ＳＯＤは業界のリーディングカンパニーでなければいけないという考えがあったのだ。

不正事件発覚後に筆者がインタビューしたＳＯＤクリエイト葛西取締役（当時）は、この頃の状況について、こう語っていた。

トップでいなければいけないのに、そこから堕ちたらどうしよう、というプレッシャーは日頃からありました。業績的には順調に上がってはいるんですが、収益構造が４年前とは大きく変わっていて、薄利多売によって支えられているんです。そして現在我々が置かれている立場はショップへ行ってみれば一目瞭然なんです。他のメーカーさんに負けているのは、認めざるをえない現実でした。［……］AV OPENだけではなく、全てに対して1位でなくてはいけないと思っていました。全てにおいて虚勢を張っていたというのがここ数年のＳＯＤクリエイトだったんです。まずはAV OPENで優勝しなければならない。真珠湾攻撃のようなもので、ここで負けたら、もう立ち直る術はないというくらいの思いがあったんです。

（『オレンジ通信』２００７年11月号）

カリスマ経営者から受け継いだ会社をトップの座から落とすわけにはいかないというプレッシャーから、AV OPENで優勝すれば全ては変わる、優勝できなければ未来はないのだと思いこんでしまったのだ。それは結局のところ現状から目を逸らしているに過ぎないのだが。その強迫観念にも似た優勝への欲望が、彼らを不正行為に走らせてしまったのである。

この事件によってAV OPENは第二回で終了となった。ところがこの年の年末に「AVグランプリ」というイベントが開催される。参加メーカーは77社、賞金総額は3000万円と規模においては全ての面でAV OPENを上回っていた。

主催はAVグランプリ事務局となっているが、実質はアウトビジョン、デジタルメディアマート（DMM）、ジーオーティィー、TISという北都グループである。AV OPENはエントリー作品の流通をソフト・オン・デマンドが一手に引き受けていたが、AVグランプリでは北都グループの流通組織であるアウトビジョンが一括でおこなった。

この年は、第二回AV OPENの不正事件が報じられた8月30日の1週間前の8月23日にビデ倫の家宅捜索がおこなわれ、ビデ倫崩壊劇がはじまっていた。2007年は、業界の主役の交代がはっきりとしたかたちで目に見えた年でもあったのだ。

AVグランプリも、さらに規模を拡大して97社が参加した第二回で終了している。またAV OPENは2014年に復活し、2018年まで毎年開催された。この第二期AV

OPENはAVの著作権保護を主な目的とする団体IPPA（知的財産振興協会）の主催となっている。ちなみにAVグランプリの2回、そして第一期・第二期をあわせたAV OPENの7回のグランプリは全て北都グループの作品が獲得している。

AV OPENやAVグランプリにおいては、監督の名前がクローズアップされることも少なかった（AV OPENでは若手監督による「チャレンジステージ」も設けられていたが）。監督同士が特異なキャラクターを打ち出しあっていた「D－1クライマックス」とは対照的だ。むしろエスワンのE-YO!渡辺などのプロデューサーの方が目立っていたほどだった。

AVは、どんな女優でどんな企画を撮るのかが重視されるようになっていた。監督からプロデューサーへと、作り手のなかでも主役が代わったといえるかもしれない。

AVは「抜くため」のツールに

2006年、2007年におこなわれたAV OPENは、AV業界の様々な状況を可視化させたイベントでもあった。その成績結果から時代の変化を嗅ぎ取った作り手も多かった。

2015年に筆者はレアル・ワークスの創立10周年を記念して、その歴史をたどった原稿をkmpのサイトに書いたのだが（現在は非公開）、そこでインタビューに応えてくれたレアル・ワークス社長（当時）の北もそんなひとりだった。

レアル・ワークスは2005年にスタートしたセルメーカーで、いきなり早坂ひとみや紋舞らん、nao.など豪華な女優陣の作品をリリースし、「銀河系スター女優軍団」という華やかなキャッチフレーズで話題を呼んだ。実はレアル・ワークスが、人気レンタル系メーカーであるミリオンを擁するkmpの関連会社だという関係は、業界では囁かれていたが、当時のビデ倫は加盟メーカーが非審査作品を販売することを禁じていたため、それは公然の秘密とされていた。

この頃のAV業界で最も売れる作品は「セル初」であった。ビデ倫審査のレンタル作品では見ることができないヘアやアナルを解禁するということで、セル移籍第一弾の作品は高いセールスが約束されていた。そのため、セルメーカーはいかに「セル初」を獲得するかに力を注いでいた。

また女優のギャラの高騰により、レンタル作品だけではギャラを回収できないという状況だったという。そのため、レンタル系のミリオンで契約していた女優を、そのまま系列のセルメーカーで撮ることができれば合理的ではないか。そんな考えから生まれたのがレアル・ワークスだったのだ。

ミリオンでデビューし、レアル・ワークスに移籍した如月カレンなどはその代表的な存在だ。さらに小沢菜穂、早坂ひとみ、水元ゆうな、神谷姫など女優陣も充実し、「銀河系スター女優軍団」というキャッチフレーズそのものの豪華なラインナップで単体セルメーカーの代表的存在という地位を確立していったのである。

豪華なキャスティングにもかかわらず、「ユーザーが見たいものをしっかりと見せる」姿勢はユーザーに支持された。特に「ギリギリまで見せる」ことにこだわった「超デジモ」シリーズなどは、トップクラスの女優がここまで露骨に見せるのかと、驚きをもってユーザーに迎えられていた。

そしてレアル・ワークスはミリオンとともに2回のAV OPENに参加する。第一回のレアル・ワークスのエントリー作品は『責め痴女 ハーレムSpecial』。如月カレン、立花里子、乃亜、紅音ほたる、田中梨子という人気女優5人の共演による大作だった。前年にビデ倫から離脱し、セルメーカーとして再出発していたミリオンは『ミリオン・ドリーム～私立ミリ商の天使たち～』でエントリー。こちらは春咲あずみ、綾瀬メグ、上戸あい、早乙女優、早坂ひとみ、如月カレン、神谷姫、あいみ、天衣みつの9人が共演するという豪華さで、当時のインタビューでもはっきりと「優勝を狙っている」と宣言している。

しかし結果はレアル・ワークスが5位、ミリオンは7位という不本意なものだった。第二回では、乃亜、麻生岬、@YOU、春名えみ、大石もえで挑んだレアル・ワークスの『奥さんになってあげる ハーレム4時間SP』は9位、糸矢めい、春咲あずみ、相崎琴音、立花里子、乃亜、椎名りく、清原りょう、今野由愛(ゆめ)、山城美姫、Rico、早坂ひとみ、長谷川瞳という豪華な競演大作であるミリオンの『ミリオンドリーム2007 前編』は12

位と、それぞれ前回よりも順位を落としてしまったのだ。先述したレアル・ワークスの創立10周年記事で北はその結果を受けて、こう語っている。

> この時にもう、ミリオン的なものは時代とズレてしまったのかもしれないという認識が社内の中にも出てきたんです。〔……〕実際の順位もショックでしたけど、それ以上にプレステージさんの『DAISY』が4位だったという事実は大きかったんです。
> （「レアル10年史 第二部 AV OPENでの完敗と方向修正」）

ミリオン的なもの、それは「楽しく見れてしっかり抜ける！」というキャッチフレーズに代表されるエンターテインメント性だろう。ミリオンは、もともとドラマ大作を数多く作るなどエンタメ志向の強いメーカーだ。その方向性が実用本位のセルという市場では、マイナスに作用したのではないか。そしてそれを裏づけたのが第二回AV OPENでのプレステージの『DAISY』という作品が4位という好成績を残したことだった。

『DAISY』は、いわゆるロリ系の作品で、女優名を出さない企画的な作りだった。他のエントリー作が単体女優の競演やハードな内容の大作ばかりというなかで、地味な企画物が4位に入るほど売れたという事実に、北は時代の変化を感じたのだという。

プレステージは2002年に設立されたセルメーカーで「エスカレートするドしろー

と娘」や「過激生素人」「萌えあがる募集若妻」といったドキュメント色の強いハメ撮り作品のシリーズをヒットさせていた。またファッショナブルなテイストを打ち出した「Tokyo流儀」や、ギャル系女優のブームを生み出した「WATER POLE」などのシリーズも成功させ、独自路線で人気を集めていた。

AV OPENにおいても、第一回は『ウリをはじめた制服少女 大塚初ウリ少女』、第二回は『DAISY ルル・メグミ・チナツ』と、通常のシリーズ作品の最新作でエントリーするなど、他メーカーの大作志向を横目にゴーイング・マイウェイな姿勢を見せていた。

第二回AV OPEN開催の翌年である2008年にkmpは新レーベル「S級素人」をスタートさせる。その名の通りにレベルの高い素人女性のハメ撮り作品をリリースするレーベルで、コンセプトからパッケージデザインまで、あからさまにプレステージの路線を狙ったものだった。そしてそれは、これまでのミリオンの単体女優によるエンターテインメント路線とは、全く逆のアプローチだったのである。

この頃から、他のメーカーでもエンターテインメント色の強い大作は姿を消しはじめる。また監督の作家性が打ち出されることもなくなっていく。

AVはあくまでも「抜くためのツール」なのだという認識が、作り手の側にも共有されたのがこの時期であり、以降AVは「抜くためのツール」としての機能性を、より研ぎ澄ませるという方向へ進化していく。

第7章 ボーダーレス化するAV

芸能界とつながるAV業界

恵比寿マスカッツ、デビュー

2008年4月7日の深夜にテレビ東京系で『おねがい!マスカット』という番組の放映が開始された。司会は、おぎやはぎの小木博明と矢作兼、アシスタントとしてオアシズの大久保佳代子とお笑いタレントが出演しているが、この番組の主人公は「恵比寿マスカッツ」と名づけられた女性グループだった。

当初のメンバーは蒼井そら、麻美ゆま、あのあるる、安藤あいか、小川あさ美、小倉遥、小澤マリア、かすみりさ、片岡さき、川村えな、くるみひな、庄司ゆうこ、夏実かほ、西野翔、初音みのり、花園うらら、モカ、桃瀬えみる、吉沢明歩、Rio、若杉夏希。このうち、あのあ、安藤、小倉、片岡、川村、庄司、夏実、花園、若杉はグラビアアイドルだったが、それ以外はAV女優であった(あのあ、片岡は後にAVデビュー)。しかし番組中では裸になるわけでもなく、AV女優であることも明かされず、バラエティタレントとして扱われていた。

『おねがい!マスカット』は、翌2009年に『おねだり!!マスカット』にリニューアル。以降も『ちょいとマスカット!』『おねだりマスカットDX!』『おねだりマスカットSP!』とタイトルを変えつつ2013年まで継続した。それにつれ、恵比寿マスカッツもメンバーの加入、脱退が繰り返され、かすみ果穂、希崎ジェシカ、希志あいの、希島あいり、里美ゆりあ、佐山愛、そしてみひろなどの人気AV女優が参加する。

2010年にはCD『バナナ・マンゴー・ハイスクール』を発売、ライブ活動もおこない、恵比寿マスカッツはアイドルグループとしても活発に活動するようになっていく。8枚目のシングル『逆走♡アイドル』はオリコンチャートで最高7位を記録するスマッシュヒットとなり、中野サンプラザや渋谷公会堂といったホールでもコンサートを成功させる。アイドルとして十分な成功を収めたグループだといっていいだろう。

そうなると、恵比寿マスカッツを「普通の」アイドルグループとして知り、ファンになるという層も出てくる。拙著『AV女優、のち』は、00年代にデビューした7人の「元」AV女優に引退後の活動を語ってもらったインタビュー集だが、そのなかにみひろと麻美ゆまという恵比寿マスカッツのメンバーがふたりいる。

麻美ゆまは『おねがい！マスカット』に出演してからの周囲の状況の変化について、こう話してくれた。

それまでにも、ドラマなどには出させてもらったりはしていたのですが、バラエティ番組でレギュラーで、しかも脱がないわけじゃないですか。普段ならAVを見ないような人たちにも見てもらえるし、知ってもらうこともできる。

お蕎麦屋さんで食事していたときに、後ろの席でOLさんたちが「深夜に、おぎやはぎがやってる番組知ってる？　あれ、面白いよね」って話をしてたんです。わたしはそこで、「ここに出演してる人、いるよ！」って思いながら聞いていました（笑）。

ライブには女のコもいっぱい来るし、親子連れも来る。子どもがわたしに「リーダー、大変だけど頑張ってね！」みたいな手紙をくれるんですよ。涙が出ちゃいました。でも、その半面で複雑な気持ちもあった……。その子たちは、わたしが裸のしごとをしていることを知らないんですよね。「ゆまちゃん可愛い、頑張ってね！」なんて言ってくれて嬉しいけど、どこかで騙しているような気持ちもあった。

（『AV女優、のち』）


それまで男性向けの「お色気枠」に閉じ込められていたAV女優の存在が変わりはじめていた。『おねがい！マスカット』は、AV女優であっても裸を売りにすることなく、「可愛くて面白い女のコ」として評価されることもできることを証明したのだ。

80年代後半、AV女優たちがこぞってレコードデビューを果たし、芸能界へと進出しようとして、失敗した時期があった。その時は、AV女優を「普通のアイドルと変わらない清楚な可愛い女の子」として売り出そうとしたことが敗因だった。以降もAV女優の芸能界進出の試みは繰り返されたが、なかなか脱ぎ要員や下ネタ担当というお色気サービス枠を飛び出すことはできなかった。

成功例としては、『ギルガメッシュないと』のお色気要員としてスタートしながらも、一線のバラエティ・タレントとなった飯島愛と、『炎神戦隊ゴーオンジャー』などの特撮番組や、NHK大河ドラマ『龍馬伝』にも女優として出演した及川奈央が挙げられるくらいだろうか。

しかし恵比寿マスカッツの成功は、AV女優に対するイメージを大きく変えた。興味深かったのは、AV以外の世界でも活躍するようになった恵比寿マスカッツのメンバーのなかに、「もうAVはやりたくない」「芸能の世界に専念したい」という者がいなかったことだ。そのことに関して麻美ゆまは冷静にこう分析している。

AVをやっているから恵比寿マスカッツがあるというのはわかっていたんですよ。だから、「AVの仕事は絶対におろそかにしちゃいけない」とみんな考えていたと思います。それから、番組では総合演出のマッコイ斉藤さんがとにかく厳しかった。毎回のように泣かされて帰ってました。みんなで番組を作る「団体戦」ってそれまで経験がなかったから難しかった。でも、AVでは「個人戦」で勝負してるわけじゃないですか。その自信が自分を支えてくれたと思うんで

――す。もしそれがなかったら、やっていけなかったんじゃないでしょうか。（同前）――

麻美ゆまは2013年に卵巣の境界悪性腫瘍が判明し手術を受けることになったが、そのわずか1カ月後におこなわれた恵比寿マスカッツの解散ライブのステージに立っている。大きな手術の後であり、抗がん剤治療も受けているという状況にもかかわらず、5時間のステージを歌い、躍り抜いたのだ。麻美は自分の病状が判明した時点で、マスカッツの解散ライブに出演することを目標として、それにあわせられるかたちで病院も治療も選んだのだという。

一方、みひろは恵比寿マスカッツへの加入と同時に『志村けんのだいじょうぶだぁ』をはじめとする志村けん関係の番組や舞台に出演するようになり、映画『SR サイタマノラッパー』（2009年）での演技が評価されるなど女優としての活動を活発化させ、2010年にAVを引退する。この際に恵比寿マスカッツも脱退しているのだが、それは円満な卒業ではなく、番組中でのアナウンスもないフェードアウトだった。総合演出のマッコイ斉藤との軋轢もあったらしい。

『おねだりマスカットSP！』が終了した2年後の2015年に、新たに『マスカッツナイト』という番組がはじまり、メンバーを一新した新生「恵比寿★マスカッツ」が結成される。番組は『マスカットナイト・フィーバー!!!』を経て『恵比寿マスカッツ横丁！』

へとリニューアルし、恵比寿★マスカッツは一度解散し、新たに恵比寿マスカッツ1・5が結成される。そこに新メンバーとして登場したのが、初代マスカッツのメンバーであったみひろだった。みひろ自身、きちんとしたかたちでの卒業ではなく、恵比寿マスカッツを離脱したことが心残りとなっていたために、再加入することになったのだという。35歳の新メンバーだ。またPTAという肩書で、麻美ゆまも番組に参加した。

このように、ふたりにとっても恵比寿マスカッツは極めて思い入れの強いものだった。そして、それは以降のAV女優にも大きな影響を与えた。マスカッツのメンバーに憧れてAV女優になったと公言する新人女優が続出したのである。

AV女優は、女の子が憧れる職業へと変わりつつあったのだ。

第二次芸能人ブームの到来

2008年8月発売の複数の雑誌に、こんな広告が掲載された。

大きな女性のシルエットに「芸能人限定メーカー MUTEKI」「あの芸能人がこんなことを！」「芸能人しかキャスティングしません。」「はっきりいって無敵です。」という挑戦的なキャッチコピー。そして「9月1日始動 第一弾芸能人 イニシャル発表！」「S・M」という情報にマスコミは色めき立った。様々な女性タレントの名前が浮かんでは消えた。なかには「松田聖子」ではないか、などという意見まで出た。そして発表された第一弾出

演者の名前は三枝実央だった。90年代にグラビアやバラエティ番組で活躍し、すでに写真集などでヌードも披露している。一般的な知名度があるタレントではなく、正直肩透かしの感はあった。

しかし翌月の第二弾の出演者として発表された名前は、マスコミに大きな衝撃を与えた。東洋紡水着キャンペーンガールやフジテレビビジュアルクイーンに選ばれ、CMやテレビ番組、映画などで活躍していた吉野公佳だったのだ。知名度的にも「芸能人」と呼ぶに相応しかった。

MUTEKIは大きな話題となりAV業界だけではなく、一般マスコミまで巻き込んだ騒動となった。当然の如く売上も凄まじく、DMMの2008年度下半期DVDランキングでは、1位が『吉野公佳 インパクト』、さらに2位が『パーフェクト 佳山三花』、そして3位が『スキャンダル 三枝実央』とMUTEKI作品がベスト3を独占した。肩透かしだといわれたものの、三枝実央出演作も売れに売れたのだ。実際には吉野公佳の出演作『インパクト』は、AVではなく「アダルトイメージビデオ」という扱いになっており、セックスシーンも下着を穿いたままという、映画の濡れ場シーン以下の露出度であり極めてソフトな内容であった。

MUTEKIは続けて、虚偽告訴された裁判とIカップの爆乳で話題になった女優の桜セレナ、着エロ界のスターである藤浦めぐなど、一般的にはやや知名度の劣る「芸能人」出演作をリリースしていったが、２００９年には元セイントフォーの濱田のり子、そして元ウィンクの鈴木早智子という大物芸能人を立て続けに出演させ、またも大きな話題を呼ぶ。

MUTEKIの戦略の巧妙なところは、あえてＡＶとアダルトイメージビデオを同じレーベルで扱ったことだ。通常であれば、別のレーベルに分類するところを同一に扱うため、「あの有名タレントがＡＶに出演した」と誤解が起きやすくなるわけだ。そのため極めてソフトな内容であっても、高いセールスを記録することができたのである。

MUTEKIは以降も、つぐみ、島田陽子、小松千春、パイレーツの西本はるか、嘉門洋子、後藤理沙といった大物芸能人をアダルトイメージビデオに出演させ、話題を集めていった。その一方で藤浦めぐ、春菜はな、星美りか、丘咲エミリなどMUTEKI以降はエスワンなどのメーカーに移籍し、本格的に活動して人気ＡＶ女優となっていく者も多かった。

MUTEKIが大きな話題とともに活動を開始した２００８年から２００９年にかけては、第二次芸能人ブームとも呼ぶべき状況が訪れていた。

第一次芸能人ブームの際に範田紗々、琴乃、板垣あずさ、櫻井ゆうこなどをデビューさせたＳＯＤクリエイトは、その路線を継続させ、さらにグラビアアイドルの矢沢のん、爆乳着エロのHitomi、女優の原紗央莉もデビューさせ、この時期はなんと専属女優全員が「芸能人」の肩書をもっていた。当時のＳＯＤクリエイトの「芸能人」女優に対する

姿勢を、林プロデューサーはこう語っている。

うちは単に注目されるためだけに「芸能人」とつけているわけじゃないんです。まず以前から芸能関係の仕事をしていること、そして今後も芸能活動をしていきたいと考えている子にだけ「芸能人」の肩書きをつけています。だから、その子が「これからはAV女優だけを末永くやっていきます。芸能活動には興味がないです」と言ってきたら外すかもしれないですね。彼女たちには一般の芸能活動をしたいという意志がある。だから僕らもバックアップしていきたい。

（『NAO DVD』2009年7月号）

実際、この時期から芸能界とAV業界は、よりシームレスになっていく。以前のように、芸能界が単なるお色気要員としてAV女優を利用する、AV業界が話題作りとして芸能人の肩書を利用するといったお互いを利用する関係ではなく、もっと自然に密接なつながりを見せるようになっていったのだ。

過激化するプレイ

イカセ物の乱立

恵比寿マスカッツの人気や芸能人AVブームは、AVの一般化の象徴ともいえるが、その一方でAVの内容は過激化していった。この時期に流行していたのは「イカセ」と呼ばれるプレイだった。激しい愛撫によって、女優を何度も何度も絶頂に追い上げるというもので、拘束して電動マッサージ機、さらには電動掘削機を改造した強力バイブ機などの道具を用いるなど、SM的な要素も強い行為だった。

普通のセックスでの感じ方とは違い、極限まで快感を与え続けるため、女性の反応も激しい。体を仰け反(のぞ)らせ、声がかれるほど絶叫し、涙やヨダレを流し、そして失禁や潮吹きまでしてしまう。普段は取り澄ましたような美女でも、イカセ責めにかけられると、人格が崩壊したかのような醜態をさらしてしまうのだ。

「鬼イカセ」(レアル・ワークス)、「爆イキ」(アートビデオ)、「達磨アクメ」(ベイビーエンターテイメント)、「イキ地獄」(ワンズファクトリー)など、ダークでおどろおどろしいタイトルとジャケットの「イカセ」シリーズが乱立した。

こうした「イカセ」ジャンルの源流はSMだろう。緊縛してバイブなどで責めるというのはAVの黎明期からSM物での定番プレイだった。特にSMメーカーの雄、アートビデオの社長でもある峰一也監督がMr.ミネックを名乗って90年代から撮っていた作品は、SMといっても苦痛はほとんど与えずに、女性をひたすらイカセまくる快楽責めを延々とおこなうというもので、イカセ物の原型的な存在だといっていいだろう。

さらに、インディーズブーム前夜ともいえる90年代前半に松下一夫監督が撮っていた「美少女スパイ拷問」シリーズ（松下プロ）は、拘束した女性をくすぐる責めが中心だが、いち早く電動マッサージ機を使い、絶頂に追い詰め続けるというプレイを見せており、以降のイカセ物の元祖的な存在となった。

イカセ物のスタイルを完成させたのは、koolong率いるベイビーエンターテイメントだ。代表的なシリーズである「女体拷問研究所」は2004年からスタートし、外伝を含む50作以上が連続性のある大河ドラマとなっており、2008年の「AVグランプリ」では『女体拷問研究所11』でマニアステージ最優秀作品賞と配信売上賞の2冠を制したほどの高い人気を誇っていた。もちろん大河ドラマといっても、毎回、女捜査官が捕らえられて快楽責めの拷問に遭うという内容が繰り返されるのだが、そのダークなムードと激しい快楽責めは後のイカセ物に大きな影響を与えている。また、10年代以降に定番ジャンルとして定着する「女捜査官」物も、この流れにあるといえるだろう。

もうひとつの元祖的な存在がTOHJIRO監督の「拘束椅子トランス」シリーズ（ドグマ）

だ。椅子に拘束された女優を、様々な責めやセックスでイカせまくるという作品で、黒い椅子にM字開脚で拘束されているパッケージにもインパクトがあり、こちらも人気シリーズとなった。これらのシリーズや、単体女優を起用し、大掛かりなセットを使用してバラエティ番組的なアプローチをした「完全なるイカセ4時間」（ミリオン）シリーズなどが人気を集めると、多くのメーカーがそこに参入し、空前のイカセ物ブームが訪れたのである。

ベイビーエンターテイメントの総合プロデューサーで監督のkoolongは、イカセ物の人気についてこう分析していた。

イカセモノを見ている人は、責め手の男じゃなくて、責められている女性の方に感情移入するんですよ。ああ、あの子は今、どんな気持ちなんだろう。どんな快感なんだろうと想像する。むしろMですね。自分の中にある女の気持ちが刺激される。M性が全くない人は、そんなことは考えないですよね。オス的な気持ちだけの人は、子宮に一直線だと思うんです。もうハメるだけでいいはずですよ。ベイビーのファンからは、自分もやられてみたいって意見をよく聞きますよ。

（『NAO DVD』2007年8月号）

またイカセ物が増加した背景には、実は意外な理由もあった。AV女優、特に単体女優にはNG項目というものがある。NG項目とはSMはできない、アナルファックはできないというように、できないプレイのことを指す。00年代以降は段階的にそのNG項目を解禁していくのが単体女優の定番コースとなっていた。次第にハードな作品にエスカレートしていくことにより、ユーザーの興味を惹くわけだ。

ところがイカセがNGという女優はほどんどいないのである。一見ハードそうに見えるが、肉体的な負担や精神的なハードルもあまり高くないため、ほとんどの女優がイカセ物を断らない。また、電動マッサージ機さえあれば、それほど苦労せずにイカセ物が作れてしまうという点も制作サイドとしては大きなメリットだった。

女優を拘束し、多めに用意した男優に電マ片手に襲いかからせれば、イカセ物らしき作品は作ることができる。それでいて過激でハードな作品に見えるのだ。そうした安易な姿勢の作品も多く作られたことで、ブームにつながったのである。

ハードルが低くなる「中出し」

この時期、「イカセ」と並んでブームとなっていたのが「中出し」である。2007年6月に発売された1143作のうち、タイトルに「中出し」を含む作品は106作にものぼっていた。モブスターズ・エンターテインメントのように「中出し」へのこだわりをコンセプトとしたメーカーまで登場していた。

中出しとは、膣内射精を意味し、コンドームを装着しないセックスということになる。AVで中出しを大胆に打ち出したのは、1997年に設立されたアタッカーズが最初だといわれている。レイプ物専門メーカーのため、コンドームを装着するのは不自然ということでフィニッシュは中出しとなっていたのだ。

ただしアタッカーズは中出しをタイトルにつけてアピールするというようなことはなかったため、中出しブームの原点としては桃太郎映像出版が1999年からスタートさせた市原克也監督の「中出し」シリーズの方がふさわしいかもしれない。市原克也は白夜書房の編集者から転身し、80年代から活躍しているベテラン男優であり、本作では監督としてクレジットされているが、むしろ主役といってもいいだろう。出演女優にいかに中出しセックスをするかというのがコンセプトであり、そのために様々な作戦を立てていくというドキュメントだ。市原と女優の緊迫感あふれるやりとりが見どころとなっている。

90年代末のこの時期に中出し物というジャンルが誕生したのは、ビデ倫の審査を受けないインディーズビデオが台頭したからでもある。それまでのビデ倫審査では、モザイクが大きく濃いため、中出しをしても性器からこぼれ落ちる精液を見せることができなかったので、映像的にあまり意味がなかったのだ。

コンドームなしでのセックス、そして膣内射精を特別視するようになったのは、

1987年のエイズショックの影響が大きいだろう。日本初のエイズ女性感染者が神戸の「売春婦」であったこと（後に誤報と判明）、そして1993年にソープランドのメッカである吉原でも感染者が発覚し、大パニックとなる。これ以降、風俗でも「生中出し」をさせる店は大幅に減少。このような事件から、生・中出しを貴重なものとして見る風潮が生まれたのだ。

その一方で、エイズやSTD（性病）の危険性は深刻化しているにもかかわらず、若い層でのコンドーム使用率は減少の一途をたどっている。人口ひとりあたりの年間コンドーム使用率が非常に高い日本だが（1998年度調べで年間4・55個。ちなみにアメリカは1・35個）、その後10年で消費量は全盛期の約6割に落ち込むなど、若者のコンドーム離れは激しかった。つまり出演する女の子側の「生中出し」に対する抵抗感は、以前より薄くなっていたのだ。さらにアフターピルなどの避妊薬の進歩、男優への性病検査の徹底などから、女の子が「生中出し」を受け入れやすい状況も整ってきた。

もともと中出しは、レイプ物などで凌辱感を強調するための演出として描かれる一方、素人ナンパ物などでは、最も高いハードルとして描かれたりもした。つまり素人で「生で中出しまでさせてくれる女が最もいい女、すごい女」という価値観である。シンプルSANO監督の「ハッピーマン」のように生中出しを徹底するナンパメーカーが生まれたり、カンパニー松尾監督が生ハメにこだわるのも（射精は膣外だが）、こうした背景があるのだろう。これらはあくまでも素人や企画女優に対するものだった。

しかし、この時期においては人気の単体女優が中出し物に出演することが多くなってきた。例えば人気絶頂の春咲あずみや小澤マリア、「芸能人」の青木りんや櫻井ゆうこが中出し物に出演するなどということは、少し前には考えられなかったことだった。ぶっかけやアナルファックのような、単体女優の解禁ステップのひとつに中出しが組み込まれたのだ。とはいえ、当時においても疑似精液を使用した「疑似中出し」が横行していたのも事実であり、「真正中出し」などという自己矛盾を含んだタイトルの作品までもリリースされていた。

混沌化するAV業界

2007年から2008年にかけて、目立ったのは「イカセ」「中出し」だけではなかった。それまではごく一部のマニア向けだと思われていた「浣腸」「ニューハーフ」といったジャンルの作品までもが一気に増加したのだ。2007年度のAV業界を振り返った（筆者を含む）業界関係者の座談会を見てみよう。

安田　［……］それから浣腸モノが一気に増えました。浣腸なんて、それまでSMやスカトロなどのマニアに限定されていたのに、ちょっと信じられなかった。

大坪　オペラあたりが単体の子を使って浣腸をやったり、ばば・ザ・ばびぃ監督がVでハードな浣腸プレイをやったりしてましたね。

藤木　女の子が耐えられるようになってきたんじゃないかな。AV女優の数も増えてきて、それくらい出来ないとって感じで。電マ潮吹きなんかは当然だし、浣腸もやらないとって感じ。

X氏　気がつけばトップ単体でも電マやぶっかけは当たり前になってるもんなぁ。

安田　SODも単体は結構ハードですよね。

土屋　いや、うちはそんなことないですよ。単体はハードは売りにしていないです。

安田　でも、ぶっかけも中出しも露出も集団痴漢もやってるじゃないですか。あれがハードじゃないと思っている感覚自体が、麻痺してるのでは?

土屋　言われてみれば確かにそうですね(笑)。一作目から顔射やって、もうそれが普通になっていたり。

麻　単体は本番もしない、フェラもしないなんて時代もあったんですけどね(笑)。

[……]

安田　ハードとはちょっと違いますが、2007年はニューハーフものもかなり売れたんですよね。

藤木　ニューハーフの子のルックスのレベルが上がったでしょ、愛間みるくとか月野姫とか。

X氏　やっぱりニューハーフもオペラが単体っぽく綺麗に撮り始めたのが大きいかな。

安田　浣腸とニューハーフが一般化した年って、なんかすごいですよね（笑）。混沌としてる。

藤木　２００５年にＳ１が出来て、それによってセルショップに流れてきたライトユーザーが成熟したんじゃないかな。

安田　１年でＳ１から一気にニューハーフまで行っちゃった（笑）。

（『NAO DVD』２００９年９月号）

こうした過激なジャンルの一般化を象徴するのが２００８年３月に引退した南波杏だ。南波杏は２００２年のデビュー以来、ムーディーズの看板女優として高い人気を誇っていたが、アナルファック、レズ、黒人、ぶっかけ、中出し、ごっくん、イカセ、そしてニューハーフとの乱交にいたるまで、過激なプレイに挑戦し続けていた。文字通りにナンバーワン女優である彼女がここまでやってしまったのだ。もはや、人気単体女優＝ソフト、企画女優＝ハードという図式も成り立たなくなっていた。

また、この時期もうひとつ注目されていたのが、オタク系、アキバ系ともいうべきジャンルだった。90年代にもゲームやアニメのコスプレを取り入れた作品が作られていたが、2004年にTMAが人気アニメをモチーフにした『マリア様がみてる』を発売し、そのあまりにも忠実な再現度がネットで話題となる。以降も『涼宮ハヒルの憂鬱』『ひぐらしがなく頃に』『きら☆すた』など、AVとは思えないほどに凝ったドラマ作品を連発し、一部のファンに熱狂的に支持された。

さらにSOD系のイフリートや、90年代から特撮系AVにこだわっていたGIGAなどのメーカーも含めて、2・5次元ブームともいえる盛り上がりを見せた。またコスプレイヤーとして人気の高かったきこうでんみさが2007年にAVデビューするなど、コスプレイヤーやアキバ系アイドルのAV進出も、この頃から目立つようになっていた。

オタク趣味を公言するAV女優も珍しくなくなり、オタク系カルチャーとAV業界のつながりも進んでいったのだ。

広がりを見せる市場

プレステージの急伸

2007年から2008年にかけてのAV業界は、まさに混沌とした状況ともいえる時期であったが、そんななかで著しい躍進を見せたメーカーがプレステージだった。前出の『NAO DVD』での業界関係者座談会でも、プレステージ人気に触れている。

大坪　プレイのハード化が進んだ2007年というけれど、その一方でプレステージが売れていたという状況もありましたね。あそこは内容は基本的にあまりハードではない。

安田　内容は極めてオーソドックスなんだよね。デートしてハメ撮りして、とか。

A氏　やっぱりパッケージのよさですね。なんだかんだ言って、ショップで手に取らせるにはパッケージが全てですから。プレステージの方に聞いたんですけどパッケージと衣装にはすごいお金をかけてるそうです。ただ、パッケージだけじゃ続かないと思うんですよ。

X氏　実際に出演している女の子のレベルは高いですよ。パッケージ詐欺なんて言われる時もあるけど（笑）、中を見ても結構可愛い。

大坪　他で見ない新人を連れてくるし、プレステージでデビューして人気が出る子も多いです。

安田　可愛い子のセックスが見たいというAVの基本を押さえてるんですよね、プレステージは。ある意味、AVって、それでいいんじゃないかという気がします。やり方としては対極だけど、エスワンと共通するものがありますね。結局、AVユーザーが見たいものは、これでしょ？　っていうわかりやすさ。

X氏　そりゃ、ほとんどの男にとっては、浣腸やニューハーフはちょっとキツイよ（笑）。AVの基本はやっぱりこっちにあるでしょう。

（『NAO DVD』２００９年9月号）

プレステージは、それまでAV業界とは一切関係のなかった素人が集まって２００２年に立ち上げたメーカーだった。インディーズ＝セルビデオメーカーもすでに飽和状態という時期だったために、当初は業界からも無視されるような存在だったが、「エスカレートするドしろーと娘」シリーズなどがヒットし、一躍人気メーカーとして注目されるようになる。

業界経験がなかっただけに、シンプルに「売れる作品とは何か」を考えることができたのがプレステージが躍進した理由だった。店頭で少しでも目立つためにとトレーシングペーパーの帯をつけたり、化粧箱に入れるなど特殊パッケージを採用していたことも成功の鍵となった。そして月に150人もの面接をしたなかから選び抜いて、出演させるなど、出演女優のルックスのレベルを上げることで、「素人＝あまり可愛くない」という常識を覆した。それは「素人」という存在の意味を否定する部分もあるが、ユーザーはそれを支持したのだ。「素人」であっても、可愛くなければいけないという新しい常識が生まれつつあった。

プレステージの作品は、内容自体はノーマルなハメ撮り中心で極めてオーソドックスなのだが、それでも高いセールスを記録した。他のメーカーが話題性を重視したり、マニアックな方向に走っていくのを後目に着々とライトユーザーを取り込んでいたのが、プレステージだったのだ。

また、2006年に発売された『一冊まるごとプレステージ』（三和出版）を皮切りに、エロ本出版社とのコラボレーションを展開したのも大きかった。

『一冊まるごとプレステージ』はムックの形態を取っているものの、本誌はわずか36ページで、プレステージの人気シリーズ「Tokyo流儀」20作のダイジェスト映像を収録したトールケース入りDVDが付録となっている。本誌と付録が完全に逆転しているのだ。また本誌で使われている画像もすべてプレステージから提供されたものだ。つまり、文字通り一冊の全ての素材をプレステージのもので構成したムックなのである。

『一冊まるごとプレステージ』以降、多くの出版社からプレステージのＤＶＤ付きムックが発売され、一時期その数は10誌を超えるほどになった。当然のように他のメーカーのムックも発売されるようになったが、その先駆けとなったことから、こうしたムックは業界では「プレステージ本」などと呼ばれていた。当時、「プレステージ本」を出すことに対して、プレステージの広報担当者はこう語っている。

うちとしてはパブリシティということが第一で、特にこれで利益を出そうということは考えていないんですよ。それよりも、こういう形でプレステージの本が書店にたくさん並んでいるということで、メーカーのイメージがより効果的にアップするんですね。

（『NAO DVD』２００７年11月号）

コンビニや書店という場を使ったＰＲなのだとメーカー側は考えていたのだ。しかしこれは結果的にエロ本を終焉へと導くこととなった。
インターネットの普及につれ、売上を落としていた出版社にとって、制作費を抑えられ、高い売上が期待できる「プレステージ本」は福音であったが、全ての素材をＡＶメーカーに頼るという制作体制に移行していったため、自社で撮影するというスキルを失ってしまったのだ。こうしてエロ本は、ＡＶメーカーから提供された素材を編集するだけの存在となり、出版のオリジナリティは失われていき、読者からも見放されることとなる。

女性向けというブルーオーシャン

2009年にリリースを開始したソフト・オン・デマンドグループのメーカー、シルクラボは女性向けAVに初めて本格的に取り組んだメーカーだ。シルクラボが誕生した経緯について、『週刊SPA!』2012年6月2日号で、社長の牧野江里がこう語っている。

> 自分はもともと、男性向けAVを作る仕事をしていたんですが、日々抱く仕事への疑問がスタートでした。映像内で行われるプレイに対して「なんて、現実離れしてるんだろうな」って。
>
> [……]
>
> 潮吹き、かきまぜ系の手マンですね。女優さんから「痛い」「嫌だ」といったグチを聞いていましたし、自分の経験からも世のメンズはなんでこんなに「ガシガシ教」に洗脳されてるのか？と。

女性誌である『anan』（マガジンハウス）は、1989年に「セックスで、きれいになる」

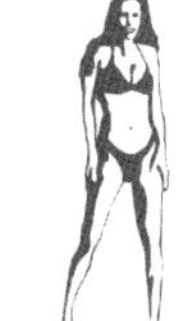

という正面からセックスに取り組んだ特集で話題となり、以降セックス特集は毎年の恒例となっていた。そして2006年には夏目ナナを主演としたDVDを付録につけて大きな注目を集める。そのDVDの制作を担当したのがソフト・オン・デマンドだった。その流れにシルクラボもあったのだろう。実際に2009年のセックス特集以降、『anan』の付録DVDはシルクラボが手掛けている。

70年代の『微笑』『新鮮』(ともに祥伝社)などの女性誌でも直接的なセックス記事は取り上げられていたが、女性向けアダルトメディアとして商業的に大きな成功を収めたのは、90年代初頭のレディースコミックブームが最初だろう。もともとは少女漫画を卒業した層への女性向け漫画として誕生したレディースコミックだが、次第に性表現が過激化していった。最盛期には200誌以上が乱立し、それぞれが10万部以上を売り上げていたという。

また1992年には女性向けセックスのハウトゥ本である『ジョアンナの愛し方』(オリビア・セント・クレア著、飛鳥新社)がベストセラーになるなど、90年代は女性のセックスへの興味が表面化しはじめた時代だったといえる。さらに1993年には『綺麗(Kirei)』(笠倉出版社)をはじめとして、多くの女性向けエロ雑誌も創刊された。『anan』の成功をきっかけに、紙媒体においては女性向けの「エロ」は大きなジャンルとして商業的に確立していったのである。

その一方で、女性向けのAVを作るという試みは80年代から何度となくおこなわれているのだが、なかなか成功には結びつかなかった。その理由のひとつとしては、AVを見るためにはレンタルビデオショップで借りる、もしくはセルビデオショップで購入するというハードルがあったからだ。女性にとって、AVをカウンターへ差し出すことは、やはり抵抗があるだろう。しかし90年代後半からCS放送でAVなどのアダルト番組が放送されると、主婦がこっそりと鑑賞するといった動きが見えはじめる。午前中に熟女物の視聴率が高くなるというのだ。これは主婦たちが主演の熟女女優に自分を重ねて観ていたのではないかと推測されていた。CS放送ならば、店員の目を気にすることなく自宅でAVを楽しむことができる。

こうした動きが2000年代初頭の南佳也のブレイクへとつながる。南佳也は90年代末にAV男優としてデビューし、熟女物などに多数出演。その端正な顔立ちとガッチリとした肉体で元祖イケメン男優として女性たちから熱狂的に支持され、写真集まで発売された。CSのアダルトチャンネルで放送されていた熟女AVの男優として南佳也がよく出演していたことが、人気の発火点となったといわれている。

その南佳也出演作品の多くを監督していたのが、女性監督の長崎みなみだ。彼女がホームグラウンドとしていたメーカー、ロイヤルアートのこの時期の公式サイトでは、トップページから南佳也のアップ画像が表示され、南佳也の特設コーナーが作られるなど、男性向けのAVメーカーであるにもかかわらず、南佳也ファンに向けた内容になっていた。

それほど彼の人気は高かったのだ。長崎みなみはこの時期に、「男と女のワイドショー」シリーズ（グラフィティジャパン）のような本格的な女性向けAV作品も監督している。00年代後半になると、もうひとつのインフラが大きな役割を果たす。携帯電話である。『週刊SPA!』2009年2月3日号の「女が夢中の「携帯エロサイト」鑑賞会」という特集は、プレステージの面接担当者のこんなコメントからはじまっている。

1年ほど前から、携帯で動画を見てオナニーのオカズにする、という女のコが増え始めた。感覚的には面接に来る女のコの7〜8割がオナニーをしていて、そのうち2〜3割の女のコが携帯をオカズにしているという印象。ほとんどが動画を見ているようです。

この特集では、全国の18歳から29歳までの女性へのアンケートをおこなっているのだが、そのなかの「オカズに利用したことがあるのは？」という質問では、「携帯電話で見たエッチなサイト」という回答が全体の26・2％を占め第三位となっている。また、取材された25歳の女性はこんなコメントをしている。

週に2〜3回は、携帯サイトでエッチな動画を見ながらオナニーしています。

［……］雑誌やDVDのように手元に物が残らないし、寝ながらこっそり見られるので、パソコンのように周りを気にする心配もないいんです。両親がいる時間にトイレに携帯を持ち込んでオナニーすることもあります。（同前）

携帯電話が進歩し、動画を気軽に楽しめるようになったことで女性の間にAVを観るという習慣が根づきはじめたのだ。そうした状況のなかで、シルクラボは注目を集めたのである。シルクラボは設立にあたって、250人の女性モニターに50項目に及ぶアンケート調査をおこない、女性の性的な悩みを解消するための提案をおこなうプロジェクトとして発足したのだという。そのため当初はセックス・ハウトゥ的な作品も多かったが、やがてイケメン男優をメインにしたロマンチックなドラマ物が中心となっていく。恋愛ドラマのようなタッチで描かれ、セックスシーンは少なく、それも極めてソフトなものだった。

やがてシルクラボ作品に出演する男優たちの人気が高まっていく。なかでも一徹、月野帯人、ムーミンの3人は「エロメン三銃士」と呼ばれ、彼らの出演するイベントには女性ファンが殺到した。さらに2011年にはCS放送局のパラダイステレビ系の女性向けAVメーカー「JUICY DINER」が登場したり、h.m.pが一徹の出演シーンを女性向けに編集したベスト盤DVDを発売するなど、女性向けAVというジャンルが盛り上がりを見せた。

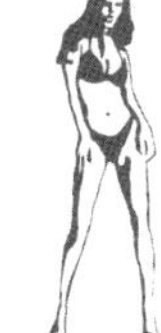

ただし、実際にはその後の女性向けAVメーカーとしてはシルクラボのみが継続するに留まった。これは「女性が見たいAV」が必ずしも「イケメンとのロマンチックなドラマ」ばかりではないという現実があったからかもしれない。

日本最大のAV配信・通販サイトであるFANZA（旧DMM.R18）が2018年に発表した「FANZA REPORT 2018」によると、女性ユーザーの検索ワードの1位「クンニ」に次いで2位は「痴漢」、さらに8位「潮吹き」、10位「媚薬」、11位「中出し」、12位「アナル」、21位「レイプ」、25位「乱交」など刺激的なワードが並んでいる。男性のランキングと変わらない、というよりも、1位「熟女」、2位「巨乳」、3位「人妻」という男性のランキングの方には大人しささすら感じられる。男性には「レイプ」「乱交」などの凌辱的なワードはランクインしていないのだから。

女性は、男性が好んで観るような過激で暴力的なAVを好まないというイメージは完全に覆される。これは海外においても同様で、世界最大級のアダルト動画配信サイトであるPornhubが発表した2019年度の検索ワードランキングを見ても、男性の上位3ワードが「Japanese（日本人）」「Amateur（素人）」「Mature（熟女）」となっており、以下も特に過激なワードはランクインしていない。

一方、女性の上位3ワードは「Lesbian（レズビアン）」「Popular With Woman（女性に人気）」「Japanese（日本人）」となっており、上位2ワードに女性らしさは感じられるものの、以下は男性のランキングと変わったワードは出てこない。むしろ「Gangbang（輪姦、乱交）」のような過激なワードは女性ランキングのみに登場している。男性も女性も、「見たいAV」の内容はあまり変わらず、むしろ女性の方が過激なものを求める傾向がある、といってもよいのではないだろうか。こうした状況について実はシルクラボ側もわかっているようで、『週刊SPA!』の記事でも、牧野社長はこんな発言をしている。

「胸キュン補充をしてます」っていう意見がすごく多いです。女の人がヌケる作品をという気持ちもあったんですが、よくよく考えると、そういう人は普通のAVでいい。男性向けAVのジャンルは幅広いですから。[……]あくまでエッチな世界の入門編。シコれはしないけど濡れるみたいなレベルで留める感じですね。

（『週刊SPA!』2012年6月2日号）

00年代に入り、スマートフォンが普及すると、「AVはスマホで観るもの」という意識が強くなっていく。それは当然のように女性のAV視聴者の増加にもつながっていく。そして多くの女性は、女性向けではなく、男性向けのAVを観ていたのだ。

AVのほとんどは、あくまでも男性の性的欲求を満たすために作られている。それを見ることで、女性の性に対する意識にも変化が起きていったのだ。

芸能人と若妻旋風

第三次芸能人ブーム

2008年のMUTEKI設立からはじまる第二次芸能人ブームが一段落ついたと思われた頃、今度は別のメーカーからデビューした女優が、「芸能人AV」に新たな潮流をもたらした。2010年8月にアリスジャパンから『日本中が待望した国民的アイドル やまぐちりこ AV DEBUT』でAVデビューを果たしたやまぐちりこである。

作品中では触れられていないが、その2カ月前に発売された『フライデー』7月9日号の袋とじグラビアで、やまぐちりこは「元「AKB48」初期メンバーが衝撃ヌード」としてヌードを披露している。人気絶頂の国民的アイドルグループの元メンバーのAV出演は大きな話題となり、発売1カ月で8万本という驚異的な売上を記録する。

これまでの「芸能人AV」は、活動の黄金期を過ぎて30代になっていたり、もしくはあまり有名ではなかったりということが多かったが、やまぐちりこの場合は前年までアイドル活動をおこなっており、まだ19歳という年齢であった。しかもその作品は、「MUTEKI」のようなアダルトイメージビデオではなく、しっかりと本番まで見せるAVだったのだ。

さらにその2カ月後には、SODクリエイトから『元ミスマ○ジン 芸能人ほしのあすか AV Debut』で、2004年に「ミス週刊少年マガジン」に選ばれた経歴をもつほしのあすかもAVデビュー。こちらもしっかり3回のセックスシーンをこなしているAV作品だった。知名度や肩書があれば、イメージ作品でも「芸能人AV」として成立する時代は終わったのである。

そして、その決定打ともなる女優が翌2011年にAVデビューする。00年代にグラビアアイドルとして活躍した小向美奈子である。2000年にデビューし、15歳ながらもFカップというプロポーションを武器に、2001年にはフジテレビビジュアルクイーン・オブ・ジ・イヤーに選ばれるなど人気を博した。しかしその一方で、15歳の時に水着姿でいかつい男たちとじゃれあいながら喫煙をしていた写真が発掘されるなどスキャンダルも相次いだ。2008年には、所属事務所が契約解除を発表。そして2009年1月には覚せい剤取締法違反の容疑で逮捕されてしまう。

さらに執行猶予中の2009年6月に浅草ロック座でストリップデビューを果たし大きな話題を呼ぶ。AV出演も囁かれるなか、2010年にソフト・オン・デマンドからDVD『デンジャラス ストリッパー』を発売するが、これはストリップを収録したイメージビデオだった。2011年2月に成田空港で再び覚せい剤取締法違反容疑で逮捕されるも、証拠不十分で釈放され、不起訴となる。

そしてその年の10月、アリスジャパンから『AV女優 小向美奈子』が発売された。度重なる逮捕やストリップ出演などで、グラビアアイドル時代以上の注目を集めていたため、このAV出演は大きな話題となった。その内容もまた「元芸能人だけにユルいプレイに終始すると思って見てみたら、とんでもない。男優に抱かれる小向が、顔を紅潮させて〝スライム乳〟を揺らし、汗だくでヨガリ狂う、本気度あふれる120分に仕上がっていた」(「ZAKZAK」2011年10月15日)とマスコミが驚くほどハードな作品であった。

話題が話題を呼び、この『AV女優 小向美奈子』は、なんと20万本というセールスを記録。これはAV史上最大の売上記録であり、その後も破られていない。芸能人の知名度の強さを見せつけたのと同時に、芸能人であってもAVとしての内容が伴うことの重要さを業界に印象づけた「事件」であった。

若妻という新しいジャンル

1999年から火がついた「熟女・人妻」というジャンルの人気は年々過熱していった。2003年のマドンナ設立を皮切りに、美熟女ブームの立役者である溜池ゴロー監督が自らの名前を冠したメーカー「溜池ゴロー」を2006年に立ち上げ、続いてケイ・エム・プロデュース(kmp)がNadeshiko(なでしこ)、ソフト・オン・デマンドグループがWOMANといったレーベルをスタートさせた。ロリ系や素人物を中心にリリースしていたタカラ映像も熟女メインのラインナップに路線変更するなど、熟女・人妻ジャンルは、AVのなかでも一大勢力へと成長していた。

そして10年代を迎えると、そこに新しいアプローチの作品が増えはじめる。「若妻」だ。それまで、おばちゃん扱いされていた30代以上の女性を「成熟したいい女」と再定義したのが熟女・人妻というジャンルだが、そこに20代の女優を起用した作品が増えてくる。

若妻とは、文字通り若い妻のことだが、AVにおける若妻物は特に目新しいものではなく、1989年に樹まり子が19歳で『若妻プレイ 叫びと悦楽』（シェール）、1991年に星野ひかるが20歳で『幼な妻・ひかる 今夜もなすがまま』（芳友舎）といった作品に出演しているし、2008年にもみひろが26歳で『みひろは俺の嫁。叶え！この愛あるFUCK!!』（マキシング）という作品を残している。つまり、単体女優作品のバリエーションのひとつとして「若妻」というテーマは存在していたのだ。しかし2010年代以降に増加した若妻物は、熟女・人妻系メーカーやレーベルが、若い女優を起用したということで、意味が大きく違っている。いわば熟女・人妻ジャンルが、その範囲を拡大したのだ。

若妻ブームの起爆剤となったのは2010年にマドンナが発売した『夫よりも義父を愛して…。浜崎りお』だ。主演は当時22歳で、ギャルの印象が強い人気単体女優の浜崎りおだった。この作品を担当した富野プロデューサーは、浜崎の起用についてこう語る。

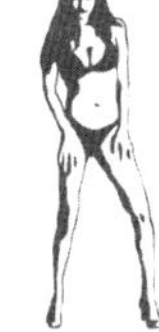

当時、浜崎りおは大人気でしたが、熟女メーカーのうちで撮るなんて誰も考えなかった。正直、クビ覚悟で撮ったんです。これが売れなかったら、もうマドンナにいられないと思いました。結果として大ヒットになり、これ以降若妻路線が出来たんです。

（『NAO DVD』２０１２年10月号）

若妻人気の理由には、人妻ユーザーのライト化があった。

今のユーザーは熟女にも、体の美しさを求めるんです。以前は、多少崩れていたり、妊娠線があったとしても、それが熟女の色気だと感じてくれたんですが、そうはいかなくなってきた。体がだらしなくてダメなんて言われてしまう。体の綺麗さを求めるとなると、やはり若い女優さんということになるわけです。それまで普通の単体を見ていたユーザーが、人妻物を見てみようかと思った時に、若妻物は手に取りやすいんですね。

（同前）

人気女優の若妻物なら、その女優のファンも、人妻ファンも両方のニーズに応えられるというメリットがあるわけだ。かつてはマニア物であった熟女・人妻物が、広いユーザー層に受け入れられるようになったために、そのニーズも変わってきたのだ。

kmpの中村プロデューサーも若妻人気について、こう語っている。

若妻物の場合は、熟女が好きな層よりも、もう少し若い人が見てくれているのではないでしょうか。熟女はちょっとマニアックだけど、人妻には興味があるといったくらいの。単に二十代の普通の女性ですというよりも、何らかの属性があった方が興奮しやすいですよね。中でも人妻は他人の物であるというのが一番大きい。［……］若妻というのは妄想をかきたてやすいキーワードではありますね。（同前）

面白いのは、若妻物が人気とはいえ、タイトルに「若妻」という単語を入れる作品は少ないことだ。その理由をマドンナの富野プロデューサーが説明している。

なぜか若妻というタイトルにすると、あまり売上がよくないんです。あくまでも人妻じゃないと。たぶん若妻というと、チャラチャラしたヤンママのようなイメージを受けるんじゃないでしょうか。若くても、あくまでも人妻、とした方が数字がいいです。（同前）

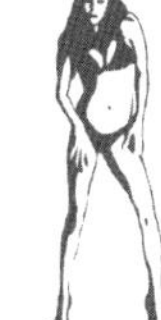

さらに「重要なのは子供がいないということ。子供がいると思うと、一気に所帯じみて、印象が変わるんですよね」（同前）という証言もある。若くして結婚しているけれど、子供はいないために暇をもて余しており、年上の夫は仕事に忙しく、セックスレス状態となり欲求不満……というのが、AVにおける若妻の基本前提なのだ。

浜崎りおの成功以降、成瀬心美や仁科百華といった若い人気企画単体が人妻物に出演することが増えていった。その一方で、妃悠愛（きさきゆあ）や森ななこ、菅野しずかのように20代にして人妻物を中心に活躍する女優も目立ってきた。こうした動きによって、熟女・人妻は20代から50代までの女優をカバーする巨大なジャンルとなっていたのである。

新フォーマットの苦戦

1996年に登場し、2004年頃には完全にVHSと置き換わり主流メディアとなったDVDだが、さらに新しいフォーマットが次の王座を狙っていた。それまでの画質よりも5倍美しいといわれるハイビジョン撮影が普及しはじめていたが、そうなると従来のDVDでは対応することができない。

そこで登場したのがBlu-rayディスクとHD DVDという新フォーマットだった。これまでにもVHSとβ（ベータ）、レーザーディスクとVHDという規格の対立が繰り広げられてきたが、Blu-rayとHD DVDの戦争は、2年足らずであっさりと終結し、Blurayの圧勝となった。実は、アダルトメディアにおけるハイビジョンディスクとしては、2006年8月11日にグレイズからリリースされたHD DVD『立花里子の奴隷部屋 野々宮りん』が第一号であり、Blu-rayのリリースよりも早かった。ただし、その後HD DVDのアダルトソフトが発売されることはなく、この1枚のみとなったようだ。

ちなみにDVD時代の前後にも、1993年に登場してアジア地方を中心に普及したビデオCDや、2004年に登場したソニーのゲーム機PSPでのみ再生できるUMDといった新メディアでもアダルト作品がリリースされたのだが、いずれも短命に終わった。そしてHD DVDもそうした幻の新メディアの仲間入りをしたわけである。

ただし勝者となったBlu-rayも、一気に普及が進んだわけではない。第一号となる『JK GLAY'z専属モデル 上原優実』(グレイズ)が2006年12月12日に発売された後もリリースはなかなか進まず、2009年になってようやく本格化するが、それでも年間177作と、1万作を超えるといわれる総リリース数に比べると、ほんの一部に過ぎなかった。

これは大画面テレビで観ることが少ないという、AVならではの性質にも関わっていた。AVをパソコンやポータブルプレイヤーで観ている人も多く、そしてこの頃には携帯電話やスマートフォンでAVを観ることも一般化していたという状況において、それらの小さな画面ではハイビジョンのメリットはなくなってしまう。一部の人気単体女優の出演作のみがBlu-rayでも同時リリースされるという状況が続いた。

とはいえ、Blu-rayの普及が進まなかったのはアダルトジャンルに限ったことではない。業界団体が2012年に主催した「ブルーレイ拡大会議」では、「2013年にBDソフトの出荷額がDVDを逆転し、2014年にはBDシェア7割を目指す」と宣言しているものの、実際に出荷枚数でDVDに逆転したのは2021年（GfK Japan調べ）と、当初の予測から大幅に遅れているのだ（金額構成では2019年に逆転している。日本映像ソフト協会調べ）。Blu-rayソフトが発売されてから実に15年もの歳月がかかっているのである。

ただし2010年前後から、Blu-rayでの発売の予定がなくとも、AVの現場ではHD画質で撮影するようになっていた。つまりHD画質で撮ったものを、わざわざSD画質にダウンコンバートし、DVDとして販売するわけだ。ハイビジョン配信もはじまっており、後にそれが中心になっていくだろうことを見越した対応だった。

さらに2010年頃に注目を集めた新しいフォーマットとしては3Dもあった。ジェームズ・キャメロン監督の『アバター』（2009年）の空前のヒットから、映画には3Dブームが訪れ、そして家庭用のテレビにも3D機能を搭載したものが発売された。2010年10月に発表された「最新3D市場の現状と店舗」（NPリサーチ）というレポートでは、3D対応テレビは2010年は320万台の販売だが、2015年には8450万台に達すると予測。「テレビにおいてはSDから3Dへの切り替えが急速に進むことは、ほぼ確実であろう」と断言までしている。

そうなると当然ＡＶも３Ｄへ進出する。最初に発売されたのは、当時大きな話題となっていた元アイドルの小向美奈子のストリップを収録した『デンジャラス ストリッパー』（ソフト・オン・デマンド）だった。２０１０年1月とかなり早い発売だったが、あくまでもイメージビデオであり、３Ｄ映像は一部であった。本格的な３ＤＡＶ作品としては、この年の6月にエスワンから発売された『３Ｄ×佳山三花』『３Ｄ×麻美ゆま』となる。

以降、ゆっくりとしたペースだが、３Ｄに参入するメーカーも増えはじめる。特に３Ｄに力を入れていたのはTOHJIRO監督率いるドグマで、２０１１年には都内のムービーシアターを借り切っての３ＤＡＶ上映会までおこなっている。

２０１３年には１００タイトル強の３ＤＡＶが発売されるまでになったが、３Ｄ対応テレビが高価であることや、いちいち特殊眼鏡をかけなければいけないなどの問題がネックとなり、２０１４年には失速してしまう。３Ｄ対応テレビも２０１６年を最後に新製品は開発されず、結局３Ｄは大きな盛り上がりを見せることなく終焉してしまう。アダルトの３Ｄ映像が本当に注目されるには、その数年後に訪れるＶＲブームを待たねばならない。

ちなみにＡＶ史上初の３Ｄ作品は、黎明期の１９８３年にスタジオ４１８から発売された『３Ｄ浣腸ザ・ターザン』である。排泄物が画面から飛び出すというアイディアが秀逸であったが、もちろんこの時も３ＤＡＶブームが起きることはなかった。

国境を越えて

女優自身が発信する時代へ

2003年頃から日本でも注目されはじめたブログ。2004年9月には南波杏がいち早く公式ブログを開始し、推理小説やゲームといった自分の趣味についての記事を頻繁に更新して話題となった。特にファンだという島田荘司の作品について書くことが多かったことから、それがきっかけとなり島田本人との対面も果たしている。

翌年には蒼井そらもブログをスタートさせ、2006年にブログの記事をまとめて、書き下ろしエッセイを加えた書籍『そら模様』(講談社)を発売した。

2005年はブログをはじめるAV女優が一気に増え、特に単体女優はブログを書くのが仕事の一部というような状況へとなっていく。2004年からブログを開始している吉沢明歩は、自分のブログについて、こう語っている。

ブログに関しては、あまり仕事でやってるとは思われたくないんですけど(笑)。AV女優って自分の気持ちを言う場があまり無いんですね。インタビューでもエッチな話ばかりがクローズアップされるし。でも、AV女優なんだからって特別じゃなくて普通の女の子なんだよってことを伝えたいです。毎日書くのは大変ですけどね。書くのに30分くらいかかるので疲れている時なんか、携帯持ったまま眠っちゃったりして。

（『NAO DVD』２００８年4月号）

ＡＶ女優本人としても、自分の声を直接ファンに届けられる初めてのツールとしてブログは機能したのだ。ブログの登場により、この頃からＡＶ女優の意識が変わりはじめたといえるのかもしれない。

さらにＡＶ女優とファンの関係を身近なものにしたのが、２００８年に日本で本格的にサービスが開始されたTwitterだ。じわじわと利用者が広がり、２０１０年頃にTwitterをはじめるＡＶ女優が一気に増加する。ある程度の文章量が必要なブログよりも、気軽に「つぶやける」Twitterは、書く側にも見る側にも親しみを感じやすいメディアであり、ＡＶ女優とファンとの相性はよかった。２０１０年の段階で１００人以上のＡＶ女優がTwitterをはじめており、また監督やメーカーの公式アカウントも増え、ＡＶの情報を入手するためのツールとしてＡＶファンにとっては、必要不可欠なものとなっていった。

その一方で失速していったのがＡＶ情報誌だった。２００７年に『アップル通信』（三和出版）が休刊したのを皮切りに、２００９年『オレンジ通信』（東京三世社）、２０１０年『ビデオメイトＤＸ』（コアマガジン）、そして２０１２年に『ビデオ・ザ・ワールド』（コアマ

ガジン）と、AV業界を牽引してきた雑誌のほとんどが立て続けに休刊してしまったのだ。

エロ雑誌自体が00年代に入って急速に売上を落とし、姿を消していったわけだが、AV情報誌もその流れから逃れることはできなかった。

エロ雑誌衰退の原因となったのは、やはりインターネットだろう。特に即時性が求められる情報誌においては、印刷物はネットにはかなわない。しかもネットの情報は、ほとんどが無料なのだ。AVの情報はメーカーのサイトやDMM.R18（現・FANZA）のような通販サイト、あるいは無料の情報サイトで入手できるし、ユーザーレビューも読むことができる。そしてそれまで、AV作品以外でAV女優の素顔に触れることができる貴重な場であった彼女たちによる連載コラムも、ブログやTwitterの方がより本人の生々しい声を楽しめるのだから、雑誌のアドバンテージはどんどん薄れていった。

2012年に『ビデオ・ザ・ワールド』が休刊すると、残ったのはDMMグループ（当時）が発行している『月刊DMM』（現『月刊FANZA』ジー・オー・ティー）と、ソフト・オン・デマンドが発行している『月刊ソフト・オン・デマンド』、そして『ベストビデオ スーパードキュメント』（三和出版）の3誌のみとなった。メーカー系である『月刊DMM』『月刊ソフト・オン・デマンド』に対抗できる唯一の出版社系の雑誌であった『ベストビデオ スーパードキュメント』も2013年に休刊。スタッフは版元を移して『ベストDVDスーパーライブ』（ブレインハウス）として再出発を図るが、2019年に休刊となってしまう。最盛期には数十誌が乱立していたAV情報誌も、こうして終焉を迎えたのだ。

AV女優たちの海外進出

さらにインターネットの普及は、国境を曖昧なものにしていった。日本のAV女優の海外での人気が過熱していったのである。もともとアジア圏、特に台湾や香港では日本のAVが海賊版として数多く出回り、日本のAV女優も高い人気を誇っていた。

なかでも特に人気が高かった女優が、飯島愛と夕樹舞子である。1997年には、現地の風俗情報誌『ナイトライフ』の招待で夕樹舞子が香港を訪れ、サイン会を開催しようとしたが、会場のショッピングモールには8000人以上のファンが押し寄せ、また毒ガス散布の噂が流れたため、急遽中止となるという騒動もあった。また彼女を主演にした映画も撮影され、大ヒットを記録している。

そして2000年代になり、ブロードバンド回線が普及するにつれ、ネットを介して日本のAVの人気はさらに高まり、日本のAV女優への注目度もまた高くなっていた。そんななかで、ずば抜けた人気を誇ったのが蒼井そらだった。

そのきっかけとなったのがTwitterであった。2010年4月に、彼女が中国で自分のフォロワーが急増したことに驚いたというツイートをしたところ、それに反応した中国人ユーザーのレスが殺到し、フォロワーがさらに急増したのである。さらにちょっとした事

件が彼女の中国での人気を煽った。

蒼井がグーグル翻訳を使って「中国のファンたちありがとう」と中国語でツイートしたところ、たまたま翻訳ミスで「ファン」がサッカーファンを意味する「球迷」と訳された。「球」が女性のバストを婉曲にイメージさせる単語だったことがネット民のセンスに合い、これが中国側のネット上でバズったのであった。

（安田峰俊「「中国人が最も愛した日本人」蒼井そらの功罪」JBpress、2018年1月8日）

蒼井そらは中国国内でも芸能活動を開始し、ドラマやバラエティ番組、CMなどにも出演するようになり、中国での人気を確固たるものとしていった。彼女の中国での人気を日本国内に印象づけたのが、2012年に日本政府が尖閣諸島の国有化を決めたことをきっかけに中国各地で起こった大規模な反日デモだった。その抗議のなかで、「尖閣諸島は中国のもの。蒼井そらは世界のもの」というフレーズが使われたのだ。

また台湾の人気女優、リン・チーリンに似ているというところから、波多野結衣が台湾を中心に高い人気を得て、交通ICカードのイメージキャラクターを務めたり、小澤マリアがインドネシアで主演映画を撮影した際には、イスラム教の聖職者たちが抗議するという事件が起きて社会問題化するなど、日本のAV女優の海外での人気を実感させるニユースが次々と飛び込んできた。

アジア圏だけではない。2011年に単身で渡米してアメリカのポルノ業界で活動を開始し、数々の賞を受賞するなどの華やかな実績を残しているまりか（Marica Hase）や、世界最大級の巨乳サイトとして知られる「SCORELAND」で「Model of the Decade」（10年間で最も人気のあるモデル）のひとりに選ばれたHitomiなどの欧米での活躍も印象深い。

しかし中国をはじめとする諸外国では、AVの販売が禁止されているということもあり、海外のユーザーが観ているのは、そのほとんどが違法アップロードされた動画であった。どれだけ知名度が上がろうと、正式に商品を販売することはできず、メーカーとしてAVの市場を広げることは難しかった。それでも、AV女優のイベントの開催や彼女たちの写真を使ったアダルトグッズなどの販売によって、海外ビジネスは着実に広がっていったのだ。

無修正動画配信の隆盛

そしてインターネットは海外から日本への無修正動画の流入を促進した。1990年代末から、海外制作による日本人女優の無修正AVの逆輸入が話題となっていたが、2000年代半ばには撮り下ろしの無修正動画配信が中心となっていく。

なかでも2005年から配信を開始した「Tora-Tora-Tora」は、金沢文子、鈴木麻奈美、

瀧ジュンといったトップクラスの人気単体女優を撮り下ろし、それまでの無修正配信動画とは一線を画したインパクトをユーザーに与えた。さらに、90年代から動画配信をしていた「カリビアンコム」や、いち早くハイビジョン動画を手がけた「一本道」、過激な凌辱物中心の「TOKYO-HOT（東京熱）」、素人物の「Ｈな４６１０」、素人熟女物の「Ｈな０９３０」、そして老舗の「99bb」（後に「Tora-Tora-Tora」とともに「ＸＶＮ」に統合）など多くの無修正動画配信サイドが競い合うように盛り上がりを見せた。２００８年には海外での人気も高かった小澤マリアがＸＶＮで撮り下ろし無修正動画に初登場し大きな話題となる。

２０１０年代に入ると、一般のＡＶで活躍している企画単体女優が無修正動画に出演することが珍しくなくなってくる。気になる女優の名前を検索してみると、まず無修正作品がヒットするというようなことも起こっていた。

人気女優が引退作として無修正動画配信を選ぶということも増えてくる。松浦亜弥似ということで話題となった紋舞らんも、２００６年に突如活動を停止した後、２００７年に無修正動画の『ラストもんち』を引退作として発表（２００６年にNEXT GROUPより引退作をうたった『紋舞らん最終回。』という作品が出ているが、『ラストもんち』の作中ではスタッフが引退をねぎらうシーンが収録されている）、他にも藤井彩、愛咲れいら（原千尋）や京本かえで、つかもと友希（牧本千幸）なども無修正動画を引退作としている。上原亜衣のように引退直前に無修正動画に多数出演するという例もあった。

なかでも業界を驚かせたのが、ミリオンの看板女優として大人気であった麻倉憂が2013年3月発売の『8時間10本番！引退』（ミリオン）で引退し、その半年後にカリビアンコムの『女熱大陸 File.032』で復帰したことだった。超人気女優が復帰作として無修正を選ぶとは前代未聞の事件だった。無修正動画サイトは、AVメーカーに比べて2～3倍、有名女優の場合には10倍ものギャラを払うという話もあり、一時期はプロダクションも、そして女優自身も無修正への出演を容認していたようだ。

またこの時期には海外のアダルト動画共有サービスであるXVideosなどに、無修正動画が多数アップされ、無料で観られることから、無修正が一般的なものになっていた。有料のAVよりも、無修正の方が簡単に観られてしまうというねじれ現象が起きていたのだ。スマートフォンの爆発的な普及もあり、誰もが簡単に無修正動画を観ることができるという時代が到来し、もはや「無修正」は特別なものではなくなっていた。

その一方で2013年に無修正動画に出演したことで、わいせつ電磁的記録媒体頒布幇助容疑で、27歳の女優が逮捕されるという事件もあった。「無修正のままインターネットで配信されることを知りながらAVに出演したことが逮捕容疑」（『フライデー』2013年12月20日号）ということだが、出演しているだけの女優が幇助容疑で逮捕されることは珍しい。また彼女が現役のオペラ歌手であり、小学校の非常勤講師であったことから大きく

報道された。ただし、視聴に関しては問題がないというのが当時のユーザーの意識だった。
この時期、警察庁生活安全局保安課はこんな見解を示している。

あくまでも猥褻な文書や図画、電磁的記録に係る記録媒体などを頒布し、または公然と陳列した者は罰せられるというもので、個人的に楽しむ目的で海外の動画を購入したとしても罪に問われることはありません。
(『週刊ポスト』2015年4月3日号)

海外配信の無修正動画は犯罪なのか合法なのか、曖昧なまま市民権を得つつあった。

第

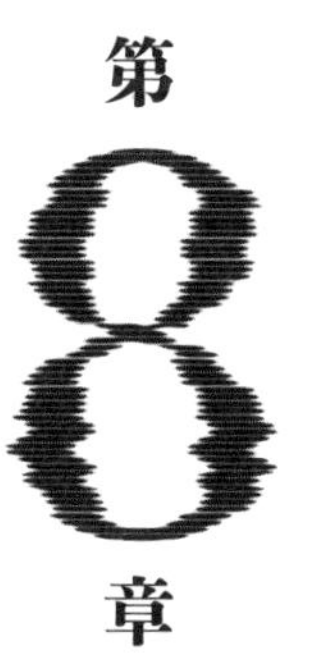

8章

AVと人権

許されざるもの

出演強要問題のはじまり

「タレントにならない？」「モデルにならない？」などとスカウトされ、タレントやモデルになる夢を膨らませて誘いに応じる若い女性たちが、アダルトビデオの出演を強要されるという被害が相次いで報告されています。

という文章からはじまる「ポルノ・アダルトビデオ産業が生み出す、女性・少女に対する人権侵害　調査報告書」が2016年3月3日に公表された。この報告書をまとめたのは、人権団体「ヒューマンライツ・ナウ」（HRN）である。報告書は、PAPS（ポルノ被害と性暴力を考える会）に寄せられた相談件数が2012年から2015年（9月28日現在）の間に累計93件に及び、その数は急増していると伝えている。

さらに、「グラビアモデルにならないか」とスカウトされたが、着エロの仕事を強制され、さらにはAVにも出演させられ、拒むと1000万円もの違約金がかかると脅された例、12リットル以上の水を飲まされたり、コンドームなしで大人数から凌辱されるなど過激な撮影に無理やり出演させられた例、気の弱い女の子が強引に説得されてAVに出演させられたことで自殺に追い込まれた例など、悪質なケースが実例としていくつも挙げられていた。記者会見もおこなわれ、HRNの伊藤和子事務局長は「意に反する性行為を強要され、その一部始終が半永久的に公にさらされる。女性に対する重大な人権侵害だ」（『毎日新聞』2016年3月4日付）と語り、法整備を強く訴えた。

そしてHRNは5月26日には、参議院議員会館でシンポジウムをおこなう。会場にはNHKをはじめとする各テレビ局の報道陣、各党の議員も駆けつけ、この問題に対する世間の注目度の高さを知らしめた。

『モザイクの向こう側』（双葉社、2016年）は、脚本家、監督としても活躍するルポライターの井川楊枝が、この時期のAV業界の問題をレポートした書籍で、そのなかにはHRNによるシンポジウムの現場の様子も描かれている。

会の冒頭では、被害女性によるビデオメッセージが上映されたのだが、「淡々とした口調で、話すぶん、余計にその凄惨さが際立って伝わってくる。息が詰まるような話が終わり、会場内は重苦しい空気に包まれていた」と井川は描写する。シンポジウムでは、被害者としてフリーアナウンサーの松本圭世（かよ）も登場した。テレビ愛知のアナウンサーだった彼女は、大学生時代に素人ナンパ物AVに出演していたことが週刊誌で報じられた。出演といっても、彼女が男性器を模した飴を舐めているシーンが使われただけで、それも「男性の悩みを聞いて下さい」と声をかけられ、バラエティ番組の収録だとだまされて撮影さ

れたのだという。

今は笑ってお話しはできるんですけど、当時はご飯も喉も通らなくて、毎日泣いて過ごしていました。世間からの声も厳しくて自殺まで考えたほどでした。

（『モザイクの向こう側』）

この報道以降、松本は当時担当していた番組を全て降板させられ、1年以上アナウンサーとしての仕事をすることができず、結局退社に追い込まれた。

シンポジウムで流されたビデオメッセージでも、グラビアの仕事だと紹介されたのにAVに出演させられてしまった例などが語られ、「甘い言葉で騙して出演強要するAV業界」という印象が強く打ち出された。それは、AV女優がアイドルのようなイメージで語られ、海外でも高い人気を得るというような2010年代の業界の盛り上がりに冷水をかけるものだった。

しかし、この時点ではAV業界側は、まだ「これまでにもよくあったバッシング」だと思っていただろう。そう、これまでにもAV業界は何度となく世間から非難を受けてきていたのだ。

『女犯』が巻き起こした騒動

AVに出演している女性への人権侵害が社会問題となったということでは、1991年に起こった『女犯2』を巡る騒動がよく知られている。

バクシーシ山下が監督した『女犯2』（V&Rプランニング、1990年）は、山下の初監督作である前作『女犯』（V&Rプランニング、1990年）に続いて、過激なレイプ、凌辱を描いた作品だ。嫌がる女性を男優たちが暴力的に犯し、ゲロまで吐きかけるという内容だが、山下が自作を語った著書『セックス障害者たち』（太田出版、1995年）によれば、撮影でどんなことをするかは、女優もプロダクションも事前に了承済みだったという。しかし現場のムードを巧みに盛り上げていく山下の演出法によって、とても演技とは思えないリアルな作品に仕上がっている。

この『女犯2』が「自主講座の仲間」というグループのイベントで上映されたことが騒動のきっかけだった。「自主講座の仲間」は、様々な社会問題を検討するというグループだった。その第五回の自主講座「性の商品化を考える」で『女犯2』が上映され、参加者は大きな衝撃を受けた。それは実際の凌辱行為を撮影したドキュメンタリーとしか思えなかったからである。

そして1991年10月6日に第六回の自主講座として「AVビデオ『女犯2』を考える」が開催され、監督であるバクシーシ山下もその場に呼ばれた。山下は『セックス障害者た

ち』のなかで、その時の様子をこう書いている。

[……]この作品はノンフィクションだろうという話になるわけです。違うと言っても聞く耳を持とうとしない。「どうしてあんな演出ができるんだ」って言うから、「しようと思ったら出来ますよ」と。そうしたら「これが演出だったら、あなたは黒澤明以上で、女優さんは大竹しのぶ以上だ」と。そう言われれば「ありがとうございます」としか言いようがないですよ。だから結局、その話し合いに結論なんてありませんでした。

このグループは1992年にAV女優の人権を守ろうという目的で「AV人権ネットワーク」を結成し、相談ホットラインを開設するが、山下によれば「結局、誰も駆け込まなかった」(同前)らしく、自然消滅している。

しかしAV人権ネットワークは、ビデ倫には「人権の観点からの審査は行われているか」、AV制作会社15社には出演者の契約・合意の内容に関する公開質問状をそれぞれに出したり、ブラジルで撮影された『スーパー女犯』(V&Rプランニング、1992年)をブラジル大使館やキリスト教女性団体に送りつけるといった活動をしている。こうした動きが、結果的に当時のビデ倫の規制強化、そしてV&Rプランニングのビデ倫退会へとつながったのだから、ある意味で目的は果たせたといえるのかもしれない。

ちなみに、この15年後の２００７年に、理論社の中高生向けの教養書「よりみちパン！セ」シリーズからバクシーシ山下の『ひとはみな、ハダカになる。』が出版されることに対して抗議運動がおこなわれ、これをきっかけに結成されたのが、２０１６年の出演強要問題で大きな役割を果たした、ＰＡＰＳ（ポルノ被害と性暴力を考える会）である。

史上最悪のバッキー事件

40年を超える日本のＡＶの歴史のなかで、最悪の「黒歴史」といわれているのが、２００４年の「バッキー事件」である。出演女優に残虐なプレイをおこない、身体を傷つけたということでＡＶメーカー、バッキービジュアルプランニングの社長以下関係者８人が逮捕された事件だ。

バッキービジュアルプランニング（以下バッキー）は２００２年に設立されたセルビデオメーカーで、１００億円の資産をもつ富豪という触れ込みの栗山龍が立ち上げたことで話題となった。２００３年には、賞金総額６０００万円という「国民的ＡＶ女優コンテスト」を大々的に実施するなど、華々しい活動を繰り広げていた。ちなみに「国民的ＡＶ女優コンテスト」は審査員に、ドクター中松、三浦和義、高須基仁（もとじ）、リリー・フラン

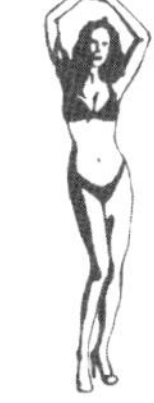

キー、室井佑月、チョコボール向井といった錚々たる顔ぶれが並んでいたが、なぜか筆者もその末席に名を連ねていた。筆者も出席したそのイベントは華やかなもので、「ずいぶんお金をもっているメーカーなのだなぁ」という印象を受けた。

この「国民的 AV女優コンテスト」でグランプリに輝いたのが水希遥で、バッキーもこの時期は彼女を専属女優としたメジャー志向の展開をしていたメーカーであった。

しかし、すでに飽和状態にあったセルメーカー市場において、バッキーは苦戦を強いられる。関係者によれば設立1年目にして2億円の赤字を出していたという。そこで、他のメーカーがやらないような過激路線へとシフトして、何十人もの男優がひとりの女優を凌辱し続ける「問答無用強制子宮破壊」シリーズや、女優をプールなどでひたすら水責めにする「水地獄」シリーズ、脱法ドラッグを飲ませたうえでセックスする「セックス・オン・ザ・ドラッグ」シリーズなどを次々とリリース。竹下通りを全裸で駆け抜けさせたりと、完全に公然わいせつ罪に該当する野外露出物「露出バカ一代」シリーズなどもあった。この時期は、インディーズ＝セル AVの各メーカーは、ビデ倫系 AVにはできないような過激なプレイを競い合っていたのだが、そんななかでもバッキーの作品は群を抜いていた。

そうした過激路線は評判となり、業績も上向きになっていった。バッキーの過激凌辱作品の多くは女優の了承をとらないままに撮影されていた。「軽いレイプもの」だという説明をされた女優は、撮影がはじまってから、その過酷な行為に悲鳴をあげ、中断を申し入れるが聞き入れられずに、撮影は続行される。『モザイクの向こう側』の著者である井川楊枝は、実はこのバッキーの撮影に関わったことがあると、著書『封印されたアダルトビデオ』（彩図社、2012年）のなかで告白し、その凄まじい現場の様子を記している。

〔……〕私は、セカンドカメラマンとしてAVの撮影に参加する。このとき、私はバッキーというマニアックなメーカーのことなどは知らなかったし、どういう撮影なのかすらもろくに説明を受けていなかった。
〔……〕
現場は地獄だった。まずそれはごく普通の絡みのAVではなく「スカトロ」だった。そしてなおかつ、私自身もよく内容を把握していなかったように、この撮影の被害者となったAV女優のAも、なんと、スカトロの現場だとは一切聞かされずにやってきていたのだ。

『うんこ大戦』というこの作品は、拘束された女優Aの顔の上に、20人もの女優が次々と排便していくという凄まじいものだった。

1時間近くにもわたって20人分の糞を顔の上に垂らされるという想像を絶する

拷問のあと、ベルトの拘束がとかれたAは、両脇を抱えられ、ビニールシートの敷かれた一室へと移動させられた。そこで今度は通称「うんこ男優」と呼ばれている5人の男たちが、先ほど「うんこ女優」たちがひり出した糞を手に持ち、女優の頭からつま先まで糞を塗りたくった。

「おまえら、全員訴えてやる!」

全身隈なく汚物で染まり「うんこ男優」に向かってそう叫んだ女優の言葉は、今でも鋭く私の胸に突き刺さっている。

こんな現場にいたら逮捕されるに違いない。私はカメラを置いて逃げ出そうとした。しかし、その場にいた関係者から「職場放棄するのか」と糾弾され、現場へ戻ることを命じられた。

現場を離脱することを禁じられた井川は、さらなる地獄のような撮影現場を目撃させられることとなる。後に井川は監督から撮影の裏事情を聞く。

「事務所側も撮影内容は承知済みだったよ。知らないのは女優だけ。あの子は所属事務所と関係が悪くてね、事務所も彼女を辞めさせる前に一稼ぎしようと思って送り込んできたんだよ」(同前)。プロダクションもグルだったのである。

2004年12月、バッキー代表の栗山龍を含む監督、スタッフ8人が逮捕された。罪名は強制わいせつ致傷である。その年の6月におこなわれた「セックス・オン・ザ・ドラッグ」シリーズの1本の撮影で、脱法ドラッグを吸わされて意識が朦朧（もうろう）となった女優を数人の男優が凌辱。その過程で肛門に器具を挿入するなどしたことで、女優は直腸穿孔（せんこう）や肛門裂傷などで全治4カ月の重傷を負ったという。処置が遅ければ死亡していたかもしれないほどの重傷だった。

しかし薬を飲まされていたために女優の記憶がおぼろげだったこともあり、逮捕された関係者は証拠不十分で釈放された。それでも、事件を重く見た警察は本格的に捜査を開始し、結局10人以上の関係者が逮捕され、有罪判決を受けた。代表である栗山は18年の実刑判決となった。

この事件が公になると、世間はその凶悪さに震撼（しんかん）した。AV業界人の多くは、バッキーは極端で特別な例に過ぎない、ほとんどの現場は女優も納得したうえで、和気あいあいと撮影が進んでいるのだと主張した。しかし今なお「AV業界では非人道的な行為がおこなわれている」としてこのバッキー事件の例が語られることがあるほどに、AVのイメージを大きく悪化させ、多くの人々の心に傷跡を残したことも、また事実なのである。

揺れるAV業界

大手プロダクションの摘発

2016年6月、AV業界に衝撃が走った。大手プロダクションであるマークスジャパンの元社長や当時の社長ら3人が逮捕されたのである。

アダルトビデオ（AV）の撮影のために所属女優を派遣したのは違法だとして、警視庁は、芸能プロダクション「マークスジャパン」（東京都渋谷区）の元社長A容疑者（49）ら3人を、労働者派遣法違反（有害業務就労目的派遣）などの疑いで逮捕し、13日発表した。

保安課によると、ほかに逮捕されたのは同社社長B容疑者（50）と男性社員（34）。3人は2019年9月30日と10月1日の両日、同社に所属する20代の女性をAV制作会社に派遣し、公衆道徳上の有害業務にあたるAVに出演させた疑いがある。

［……］女性は09年ごろ、「グラビアモデルの仕事ができる」と説明を受け、タレントとしてマークス社と契約。その後にAVに出演する契約書にも署名したが、同社に契約解除を求めても、「親に請求書を送る」などと解除に応じてもらえなかったという。

女性から昨年12月に相談を受けていた警視庁は今年３月下旬、同社やＡＶ制作会社を捜索。女性の相談内容から、労働者派遣法が禁じる有害実務への派遣にあたると特定したという。
国際人権団体ＮＧＯヒューマンライツ・ナウ（ＨＲＮ）は今年３月、ＡＶ出演をめぐる被害相談が３年ほどの間に72件寄せられたと発表。十分な説明なしにＡＶに出演する契約を結ばせ、断ろうとすると「違約金」を要求して出演を強要する事例が多いという。
また、出演者が著作権などの権利を放棄する内容の契約が大半で、ＡＶを制作するメーカーは自由に二次利用、三次利用ができ、販売が止められない構造になっていると指摘した。

（『朝日新聞』２０１６年６月13日付夕刊）

さらに警視庁は系列プロダクションのファイブプロモーション、ＡＶメーカーであるＣＡ、ピエロの家宅捜索にも踏み込んだ。この事件を受けた６月18日の産経ニュースでは、「本番」行為が問題であったと指摘している。

実際の行為は同法〔筆者注：労働者派遣法〕の「公衆衛生上有害な業務」として規制されている。作品のモザイクの有無は関係ない。ところが最近は無修正をうたう海外発の動画配信サイトの拡大などで、AV撮影での実際の行為はほとんど当たり前になっている。
「本番行為がダメだと今更強く認識している関係者はいなかったかもしれない」と業界関係者。「過激な撮影のため女性はその都度、経口避妊薬の服用と性病検査を続けさせられていたようだ」と、捜査関係者も最近の傾向を問題視する。
［……］
同庁保安課によると、労働者派遣法違反容疑での摘発は9年ぶり。これだけ実際の行為が蔓（まん）延（えん）しているにも関わ［ママ］らず摘発例が少ないのは、性犯罪などと同様、女性が特定されることなどを恐れて裁判などで証言することに消極的になってしまうためだ。同庁は（平成）26年から十数件、女性から相談を受けているが、途中で相談を取り下げる女性もおり、摘発に漕ぎ着けるまで時間を要した。
［……］
一連の問題を受け、内閣府や関係省庁は実態把握を進める方針だ。内閣府は、啓発の推進や、被害者が相談しやすい体制づくりを通じて、効果的な支援の拡充を図ることを決めた。
内閣府暴力対策推進室の担当者は、「世間の関心も高く、放っておけない問題となっている。支援団体への聞き取りなどを通して、何が必要か把握していきたい」と話している。（「産経ニュース」2016年6月18日）

マークスジャパンは多くの人気女優を抱えた大手事務所であった。正直、この時期には悪い噂を聞く事務所もないではなかったが、そんななかでもマークスは優良な会社というイメージが強かった。筆者も同社が主催するAV女優のトークイベントの司会を定期的に担当するなど、つきあいも深かったのだが、他の事務所に比べても和気あいあいとしたムードを強く感じていたし、女優からの信頼も篤いように思えた。

そのマークスジャパンが摘発された。しかもその容疑は、所属女優をAV撮影に派遣したこと。つまりAV女優を擁する全てのプロダクションが該当してしまうのだ。さらに業界最大手のメーカーであるCA（北都が2009年に社名変更）にも家宅捜索がおこなわれたというニュースは、AV業界を震撼させた。

野外撮影が問題に

井川楊枝『モザイクの向こう側』には、この事件を受けた「AV業界で長年活動してきた関係者」のコメントが紹介されている。

「……」なんでAVが買春罪に当たらないかというと、AVはモザイクを入れているでしょ？　モザイクの向こう側では本番行為を行っていなくて、疑似セックスだから問題ないというのが一説にあります。あと、女優にも男優にもお金を払っているから、それは買春ではないという説もあります。どちらにせよ、本番AVを発売してもOKなんて法はそもそもどこにもないわけです。僕らはそういう苦しい言い訳で逃げているだけで、女優が警察に駆け込んでしまったら、すぐに職安法やらでパクられるんですよ。

AVという存在自体が曖昧な理由で「見逃されている」状況なのだということだ。そのため世間の風向きが変われば、いつでも非合法な存在へと落とされてしまう。前出の産経ニュースでの内閣府暴力対策推進室の「世間の関心も高く、放っておけない問題となっている」というコメントは、AV業界にとっては恐ろしい宣告でもあった。

さらに同年7月、第二の衝撃がAV業界を襲った。

神奈川県内にあるキャンプ場を2日間借り切り、人目に触れる屋外でアダルトビデオの撮影を行ったとして、警視庁は、出演していた女優やカメラマン、プロダクション会社の元社長ら合わせて52人を公然わいせつなどの疑いで書類送検しました。

書類送検されたのは、アダルトビデオに出演していた女優9人や映像制作会社のカメラマン、プロダクション会社の元社長ら、撮影や制作に関わっていた合わせて52人です。

警視庁の調べによりますと、3年前の9月から10月にかけて、神奈川県相模原市内にあるキャンプ場を2日間借り切り、人目に触れると知りながら屋外でアダルトビデオの撮影を行ったとして、公然わいせつやそれをほう助した疑いが持たれています。

警視庁によりますと、調べに対し女優やプロダクション会社の元社長ら35人は容疑を認めていますが、映像制作会社のカメラマンら17人は「外部の人が立ち入れない場所で撮影をしていて公然わいせつではない」などと容疑を否認しているということです。

（「NHKニュース」2016年7月8日）


問題となった作品は、『MOODYZファン感謝祭　バコバコ中出しキャンプ2014』（ムーディーズ、2014年）だといわれている。しかし、撮影は3年前、販売は2年前の作品がなぜこの時になって摘発されたのか。

一説によれば、マークスジャパンの事件で訴えを出した女優が本作にも参加していたた

め、彼女の出演作を調べているうちにこの件が発覚したらしい。さらに皮肉なことに、この件ではその女優も出演者のひとりとして書類送検されてしまったのだという。「バコバコ中出しキャンプ」は、募集で集まった素人男性たちとAV女優たちが、キャンプ場で性的なゲームや乱交を繰り広げるという内容の人気シリーズだった。

この事件に関しては、日本最大級の法律相談ポータルサイトである「弁護士ドットコム」でも、刑事事件に詳しい落合洋司弁護士が「今回、公然性の強さや社会、第三者におよぼした迷惑といった観点では、それほど事件性が強い案件とは考えにくく、2013年の撮影が今になって立件されていることからも、AV出演強要問題にからむ見せしめ的な要素を感じずにはいられないものもあります。どちらかというと、不起訴処分になる可能性が高そうです」（「弁護士ドットコムニュース」2016年7月11日）と回答しているように、9月24日に全員不起訴となっている。

屋外とはいえ、借り切ったキャンプ場で見張りを立てて一般の人が入れないようにしたうえでの撮影を公然わいせつ罪に問うのは、さすがに無理があったようだ。ちなみに、逮捕されたマークスジャパンの3人も略式起訴となり、50万円から100万円の罰金という軽いものとなっている。

それでもこの逮捕劇によって、業界大手プロダクションであったマークスジャパンは解散に追い込まれ、『バコバコ中出しキャンプ2014』の書類送検により、AV業界は大人数の撮影を避けるなど自主規制に向かうこととなる。「バコバコ中出しキャンプ」は「バコバコバスツアー」（ムーディーズ）シリーズのスピンオフ的なシリーズだったが、この事件により本編である「バコバコバスツアー」もリリースを停止した。

「バコバコバスツアー」は、2001年から続く超人気シリーズであり、人気企画単体が勢揃いする豪華な作品として注目を集めていた。2015年の「AV OPEN」では総合部門・企画部門・配信売上賞の3部門で1位を獲得するなど、2010年代前半のAVを代表するタイトルともいえる存在であったが、以降続編は作られることもなく、シリーズは消滅する。

また超人気企画単体女優である上原亜衣の引退記念作となった大作『上原亜衣引退スペシャル　100人×中出し』五部作（本中、2016年）も、屋外での撮影シーンがあったためか、リリースされてからすぐに発売停止となり、その影響で、この作品のスピンオフとして平野勝之が監督したドキュメンタリー映画『青春100キロ』も上映中止となってしまう。鬼才・平野勝之が久々に本領発揮した快作ともいえる作品だったこともあり、これは極めて残念な結果だった。

IPPAとAVAN

出演強要問題からはじまるAVへの逆風は、強まるばかりだった。新聞や週刊誌がこ

の問題を大きく取り上げ、7月25日にはNHKがドキュメンタリー番組『クローズアップ現代』で「私はAV出演を強要された 普通の子が狙われる」を放映し、大きな反響を呼んだ。こうなると業界側も無視を続けるわけにはいかず、対応を迫られることになる。

まず動いたのは、知的財産振興協会（IPPA）だった。IPPAは、海賊盤販売や違法アップロードなど著作権侵害への対策を目的として2010年に任意団体として設立され、2011年に法人化されたNPO団体だ。5月26日にHRNが参議院議員会館でおこなったシンポジウムで読み上げられたIPPAのコメントでは「成人向けの実写・アニメ・ゲームなどの制作会社、メーカーが会員となり、関連する約240社の作品の著作権保護、自主規制の基準統一推進、業界活性化を目指してのイベント主催などに取り組んでいる協会団体です」と自己紹介している。

それまで業界を統括する団体がなかったため、主要メーカーのほとんどが参加しているこのIPPAが実質的に業界の窓口としての役割を担い、2014年から2019年にかけては、「AV OPEN」をソフト・オン・デマンドと東京スポーツから引き継ぐかたちで主催もしている。

このコメントではIPPAはHRNに対し「御団体は、AV業界内の私共では見えない側面が見えておられると存じます。内外両方から見えるもの、知っていることを合わせ調整することにより、今回のようなAV被害をなくしていくシステムを整備し、AV業界の健全化を一歩進められるのではないかと思います」と協力を求めている。

そして一般社団法人表現者ネットワーク（AVAN）が設立される。AVANは、00年代の美熟女ブームの火つけ役のひとりであった川奈まり子が立ち上げたアダルト産業実演家権利擁護団体だ。川奈まり子は2004年にAV女優を引退し、その後はホラーを中心とした作家活動をしていたが、この出演強要問題に対応するかたちでAVANを設立し、その代表となった。

AVANはAVの出演者を「表現者」だと位置づけたところが新しかった。HRNやPAPSがAV女優をあくまでも「被害者」だと位置づけていたこととは対照的である。元出演者である川奈まり子だからこその切り口だろう。

AVANはAV女優、男優、監督などのスタッフを支援することを目的とした団体で、女優らが正会員となり、プロダクションが準会員、メーカーが賛助会員として参加するというかたちを取る、いわばAV「表現者」の労働組合を目指した。これが出演強要問題に対する、「表現者」側からの解決策だということだ。

出演者とプロダクションの間で交わす統一契約書をつくるなどして、正会員（女優、男優、クリエイター）の働く環境を整えながら、人権侵害から守るようにすることを目指す。今回オープンした公式サイトなどを通じて、女優や男優などの正会員を募集していく。

（「弁護士ドットコムニュース」2016年9月1日）

それまでそれぞれのメーカー、プロダクション、審査団体がバラバラに動いていたAV業界が、世論の影響を受け、ひとつのルール作りに向けて動きはじめた。このままではAV業界自体が潰されてしまうという危機感は、それほど強かったのだ。そして、その結論として生まれたのが、「適正AV」という言葉であった。

適正AVの時代

「適正なAV」とは

出演強要問題を受けて、2017年4月1日に発足したのが、「AV業界改革推進有識者委員会」だ。法社会学者の志田陽子、犯罪学者の河合幹雄、そして弁護士の山口貴士、歌門彩という、表現規制や犯罪学などに詳しいAV業界外の有識者を委員とする第三者委員会である。同年7月29日におこなわれたAVAN主催のパネルディスカッションで、河合委員はこの有識者委員会が発足した理由をこう語っている。

日本の場合、産業に対する業界団体が決まっていることがほとんどです。立法や行政指導などルールを変える際には、業界、官僚、有識者が話し合って、業界側に大丈夫か確認を取って、OKなら初めて通ります。ところが、AV業界は名前だけは「業界」なのに、働く人間をケアするためのしっかりした業界団体もなければ、監督官庁が不明でした。パチンコや風俗は、はっきりと警察が監督官庁ですが、AVの場合は明確になっていない。強いて言えば警察なのかもしれません。

> おそらく内閣府の男女共同参画会議は、そうした状況を改正しようと思っているのでしょう。〔……〕どんな改革をさせられるかわからなければ業界側も怖いでしょうし、改革する側もそれが業界に合っているかわからない。
>
> （「しらべぇ」2017年8月17日）

「その隙間を埋めるために我々がいます」と河合は言う。「ある種の監督官庁のような役」を担うのが、AV業界改革推進有識者委員会なのだと説明している。

そしてこの有識者委員会が提唱したのが、「適正AV」という概念だった。IPPA（知的財産振興協会）の公式サイトには、「適正AV」の説明として、こう書かれている。

> 「適正AV」とは、AV人権倫理機構が提唱する「女優の人権に配慮した過程を経て制作され、正規の審査団体の審査を受けたAV作品」のことをいいます。
>
> （作品の表現内容に関して指すものではありません。）

ここで出てくる「AV人権倫理機構」（人権倫）とは、AV業界改革推進有識者委員会の後継組織（2017年10月1日発足）である。IPPAに加入したメーカーが、人権倫が提唱するルールを守って制作し、IPPAに加入している審査団体の審査を受けた作品を「適正AV」と位置づけ、無審査AVや海外配信の無修正作品とは分けて認識してもらおうということだ。

そして配信・通販サイトのDMM.R18（現FANZA）やレンタルチェーンのTSUTAYAといった大手の流通は基本的に適正AVのみを扱うといった方針も打ち出される。つまり「普通のAV」とは適正AVを指し、IPPAに加入していないメーカーの作品は「非」適正AVとなるわけだ。

90年代のビデ倫作品とインディーズ作品の対立を思い出すが、適正AVは作品の制作過程にも言及しているところが新しい考え方だった。いや、むしろ説明に「作品の表現内容に関して指すものではありません」と注釈をつけているように、内容ではなく、あくまでも制作過程において人権侵害がないかをチェックするのだと強調している。7月29日のイベントでも、志田代表委員がこう発言している。

第三者委員会が掲げる「適正AV」という概念は、内容について是正を求めるものではありません。制作される途中のプロセスで「人権侵害」がないか、女優さんの場合だと、「こんなはずじゃなかったのに」とか「契約違反じゃないか」とか、不満も不安もない中で、出演者と制作者が同意してつくるものが「適正AV」です。

作品の内容については、私たちはタッチしないことになります。

（「しらべぇ」2017年8月17日）

ただ実際には、日本コンテンツ審査センター、日本映像ソフト制作・販売倫理機構、ビジュアルソフト・コンテンツ産業協同組合などのIPPAの指定審査団体の審査が必要なため、内容に関しても規制があるともいえるのだが……。

2018年から「適正」ルールは順次実施されていった。そして2019年に入ると「適正AV」のシールが貼られた商品が流通していき、AVは新しい時代を迎えた。

定められた新しいルール

「適正」ルールは、プロダクションとの契約の時点から作品の販売終了にいたるまで、多岐にわたり細かく定められている。

例えば、AVであることを隠して出演者を募集することを禁じ、面接時の様子も録画する。さらにメーカーから支払われる出演料の総額と、実際に女優へ支払われる金額をきちんと説明することも求められる。つまりプロダクションがいくら「抜いた」のかを承諾してもらわなければならないのだ。

プロダクションと女優の出演料取り分は半々というのが一般的ではあったが、その割合にはかなりの差があり、なかにはプロダクションが9割も差し引いてしまうといったケースもあったようだ。これによって、ギャラの流れはかなりクリーンになった。

また、女優が出演のキャンセルを申し出た場合、プロダクションやメーカーは女優に対してキャンセル料や賠償金を要求できない。これは高額のキャンセル料を迫ることで、出演強要がおこなわれるというケースを防ぐためだ。さらに女優・男優を問わずに事前の性病検査が必須となる。

制作側として意外な負担となったのが、撮影当日の集合時間の48時間前までに女優に台本を渡して撮影内容を確認してもらわなければならないということだ。

筆者が『週刊プレイボーイ』に書いた「AV業界の〝潔癖〟すぎる⁉「自主規制」のウラ側」（2020年4月13日号）という記事では、この「適正」ルールに困惑する業界人たちを取材した。撮影でおこなわれる内容は事前に全て女優に伝えなければならなくなったため、台本にはセックスの回数はもちろん、どんな体位でするかも全て書かれているというのだ。人気監督の朝霧浄は、その苦労をこう語っている。

「台本に書かれていないことは絶対にやっちゃいけないので、体位などはあらかじめ多めに書いておくんです。やらないだろうなという体位でも念の為に書いておきます。」

（『週刊プレイボーイ』2020年4月13日号）

撮影ギリギリまで内容に悩むということは許されないのだ。しかし一方で、これは女優にとっては安心できる変化ではある。

「数年前までは現場に行くまで何をするかわからないということが普通にあったんです。でも今は台本に男優さんの顔写真や体位の参考写真まで貼ってあったり、女優向けに「何かあったらいつでも撮影を止めて大丈夫ですから必ず言って下さい」といった内容の文言も書いてあるので、安心度は格段に上がったと思います。」（同前）

そう語るのは、この時点でデビュー14年となっていた超ベテラン女優のつぼみだ。彼女がデビューした時期に比べると、業界は大きく変わったのだ。

もうひとつの大きな変化は、自身の出演作品について、発売から5年を過ぎると、女優が要請すれば発売を停止させることができるということだ。それまでは一度発売されてしまったら、メーカーはいつまでも販売し続けることができたのだが、これを差し止めることが可能になったのだ。

さらに出演作がオムニバスなどの再編集作品に再使用される時は、出演女優に二次使用料が支払われることも決められた。

メーカー、プロダクション、そして多くのAV女優にヒアリングをしたうえで決められたこの「適正AV」ルールに従って、AV業界は動き出していったのだ。

分断されるAV業界

AVが「適正AV」となったことによって、失われたものもあった。それがドキュメント性だ。

「適正」ルールのなかに「撮影で行われる内容は事前に全て女優に伝えなければならない」という項目があるため、撮影はすべて台本どおりに進行しなければならない。いわゆるドッキリ物や、行き当たりばったりの旅行を撮影するロードムービー物などは作れなくなるわけだ。

また、人権倫の正会員である日本プロダクション協会、および第二プロダクション協会のいずれかに加盟しているプロダクションの所属女優でなければ、適正AVには出演できない（プロダクションに所属していないフリーランスの女優でも、第二プロダクション協会傘下のフリー女優連盟に所属していれば出演が可能）。つまり素人女性は、事実上出演することが不可能になる。ということは、ナンパ物は作れなくなるのだ。もちろん、そうした設定による「ヤラセ」で撮ることは可能だし、実際にこの後もそうした作品は数多く作られている。

しかし、AVがそれまでの成人映画とは違った新しい性表現メディアとして存在を確立

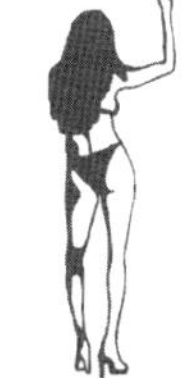

できたのは、機動性に優れたビデオという撮影方法ならではの特性であるドキュメント性によるところが大きかった。そして90年代にバクシーシ山下やカンパニー松尾、平野勝之らに代表される若き監督たちが、AVというジャンルの表現の枠を大きく広げることができたのもドキュメントという手法ならではだった。それがここで失われてしまうことになったのは残念でならない。

そうした異色ドキュメント作品の梁山泊として機能したメーカー、V&Rプランニングの総帥であった安達かおるもまた、この「適正AV」からはみ出してしまった。安達かおる率いるV&Rプランニングは、審査団体を通さない自主規制によって作品をリリースしていた。90年代に内容を巡ってビデ倫と激しく軋轢があった経緯から、審査団体に対する不信感を拭えないのだろう。

しかしIPPAの指定審査団体の審査を経ていなければ「適正AV」とはならない。安達は、適正AVに対してこう発言している。

> 第三者にモラル、倫理の判断を預けたくない。何を表現する、しないを自分で決めたい。お金やモザイクの濃い、薄いの問題ではないのです。
>
> (「withnews」2018年7月6日)

ＡＶというのは僕はある意味、他のメディアでは映しきれない人間の裏側を描ける、貴重な表現手段だと思っています。４月にＡＶ業界改革推進有識者委員会ができて「適正ＡＶ」という言葉も生まれましたが、ＡＶが社会に迎合してしまったら存在意義はなくなるのではないか。もちろん、出演強要被害を無くすことはとても大事だから、委員会の取り組みには賛同しています。しかし適正と不適正にＡＶを分断することに対しては、僕はふざけるなと言いたい。

（「ダ・ヴィンチWeb」２０１７年７月７日）

さらに安達は「適正ＡＶ」に参加していない個人メーカーなどを会員とする「映像制作者ネットワーク」を設立し、勉強会をおこなうなど独自の活動を見せた。もともと安達は、女優の身元確認の記録化や出演契約書の書面化など、健全化に向けた試みを以前からおこなっていたのだ。

しかし、日本プロダクション協会や第二プロダクション協会は「適正ＡＶ」以外に女優を派遣することができない。Ｖ＆Ｒプランニングをはじめとする「非・適正ＡＶ」は、フリーの女優や素人モデルを起用するしかなかった。同じように一時期は有名女優が数多く出演していた海外配信の無修正動画も、無名の女優しか出演しなくなり、勢いを失っていた。

安達かおるが指摘していたように日本のAVは、適正AVと非・適正AVに、はっきりと分断されていった。

第9章

新たな可能性を求めて

VRというフロンティア

アダルトVRの黎明

VR（バーチャル・リアリティ）のアダルトコンテンツが話題になりはじめたのは、2016年頃だ。6月には、秋葉原のイベントスペースで「アダルトVRエキスポ」が開催されたが、主催側の想定以上の来場者が押し寄せたために途中で中止となってしまった。筆者はプレス取材時に会場を見ることができたのだが、ほとんどの出展がアマチュアの開発グループによる実験的なもので、正直いってVRに興味をもっているのは、まだまだIT系の一部の人たちだけに過ぎないのでは、という印象を受けた。

しかし、そのわずか半年後の11月10日にディファ有明で開催されたAV業界の一大イベント「Japan Adult Expo 2016」では、多くのメーカーがアダルトVRコンテンツを展示しており、VR時代の到来を感じさせた。

さらにこのイベントと同じ日に、DMM.R18もアダルトVR動画の有料配信を本格的に開始する（サンプル動画は2014年に実験的に配信していた）。それ以前にもAdultFestaTVやAVVRなどのアダルトVR配信サイトは存在していたが、最大手の動画配信サイトが乗り出したことにより、時代は一気に動きだした。そのため2016年を「アダルト

VR元年」と呼ぶことが多い。

アダルトVRは、現時点ではヘッドセットで観る全視野AVといったところだろうか。そのほとんどが、女優が男優を愛撫しているのを主観撮影した映像を3D（初期には2D作品もあった）で楽しめるというものだ。顔の方向を動かすと、視点が変わるので、よりリアルに楽しめる。ただ、こちらのアクションによって映像の反応が変わるといったインタラクティブ性はなく、一方的に映像を観るだけなので、本来の意味でのVRではない。それでもヘッドセットで観る映像は、それまでのAVとは比べ物にならないほどの臨場感で女優との性行為を疑似体験させてくれた。

この時期、VR作品を観るための環境としては、PCと接続して使用するOculus RiftやSamsungのスマートフォンに対応したGear VR、そしてプレイステーションVR（2017年4月からDMMに対応）などのゴーグルがあったが、いずれも高価であり、一般ユーザーが手を出すにはハードルが高かった。そのため、多くのユーザーはスマートフォンのディスプレイをそのまま使用する簡易ゴーグルを使用してVRを楽しんでいた。

2016年の12月にはソフト・オン・デマンドが秋葉原にVRを体験できる個室ビデオボックス「SOD VR」をオープンさせる。個室で高性能PCに接続したゴーグルで高画質にVRが楽しめるということで、最大5時間待ちになるほどの人気店となった。高価な機材を購入することなくVRが体験できるというだけでなく、同居人などに気兼ねなく楽しめる点も大きなメリットだった。なにしろVRは、ゴーグルによって視覚も聴覚も奪われてしまうため、その姿を第三者に見られる可能性があるということは、アダルトコンテンツという性質上、かなり危険なのだ。このウィークポイントは、その後もVRの普及に大きなブレーキとなった。

2018年には、PCなどに接続せずに単体で使用できるスタンドアローン型のゴーグルOculus Goが2万円台という低価格で発売されるなど、環境も整いはじめ、またコンテンツの高画質化も進んでいった。

女優のスキルが求められるVR

アダルトVR作品には、かなり特殊な撮影方法が必要となる。主観撮影が基本なので、男優の視点から撮ることになるのだ。そのため男優は目の前に設置されたカメラに当たらないように顔をひねりつつも、体の軸はズレないように仰向けで全身を伸ばすことが要求される。終始そんな厳しい体勢を取らされることになり、自分から動くこともあまりない。

また原則的に、声を出すことも禁じられるし（息を荒らげることも禁止）、無理な姿勢のままで動くことも、話すことも許されないと、一般的な男優のスキルを封じられてしまうのだ。それでいて、きちんと勃起はさせなければならない。カメラに邪魔されて、女優の顔も見ることができないのにもかかわらず、だ。つまりVR撮影において男優は、通常の

AV撮影とは別のスキルを要求されるわけである。そのため、VR撮影に向いた男優の需要が高まっていった。VR撮影を中心に活躍するVR男優という存在が生まれたのだ。ただし、作品中に顔は一切登場しないので、ユーザーにはその存在が伝わることはないのだが。

そしてVR男優と同じように、特にVRで人気の高い女優も現れた。VR撮影においては女優も、通常の作品とは違ったスキルを要求されるためだ。

最初に「VRクィーン」として注目を集めたのは美咲かんなだった。美咲は、2014年にエスワンの専属女優としてデビューしたが、それほど目立つ存在ではなかった。しかし、2016年に企画単体となり、VR作品に出演するようになってから、その作品が次々とヒット。特に初VR出演作である『【VR】美咲かんな 生中出しスペシャル!! VRセックスだから、すごくリアルでしょ?』（kmp）は、DMM.R18の2016年度下半期動画ランキングで、VR作品として初めて20位内へのランク入りを果たし（12位）、さらには2017年度上半期動画ランキングでは、堂々の1位を獲得している。

リアルな臨場感が重要なVR作品においては、普通のAV以上に生々しさを感じさせる演技が必要となる。彼女自身は、VRでのブレイクの理由を聞かれてこう答えている。

——ファンの方からはよく「演技がいい意味でプロっぽくない」と言われますね。——

アダルトVRの魅力は見てくださっている方が実際にセックスしているような気分になれることなので、キスの回数を増やしたり、無理に演技はせず画面の向こう側の人と話しているんだと自分に言い聞かせています。エロいかどうかは受け手次第なので、作品に没頭してもらいたい、抜いてもらいたいという一心ですね。

（『週刊SPA！』2018年4月10・17日合併号）

しかしVR撮影では、前述の通りに男優は動かず、セリフも言えない。カメラに隠されて表情すら見えない。女優は、無機質なレンズに向かってひとり芝居を続けなければならないのだ。

通常のAV撮影においては、カラミでは男優がリードしていくことが多く、時間配分なども男優に頼るのが普通だ。だがVRでは女優が全てをリードしていかなければならない。もちろん監督からの指示が出されることもあるが、それを見るためにレンズから視線を外すことも許されない。美咲かんなに匹敵するVR作品の出演作を誇る人気女優の麻里梨夏もVR撮影の苦労をこう語っている。

VR撮影現場では男性視点の主観作品がほとんどなのでセリフをカメラに向かって30分くらい延々と話しかけるものが多いんです。シーンとしたスタジオでエロい言葉をしゃべり続けるのは実はかなり孤独です（苦笑）。
（『週刊ポスト』２０１８年６月29日号）

通常のＡＶに比べて、ＶＲ撮影は女優にかかる負担が大きいのだ。そうなると女優のスキルによる部分も大きくなり、そこでＶＲでこそ輝く女優も生まれてくるわけだ。美咲かんなも、ＶＲ撮影に対してはかなり細かい部分まで気を使っているようだ。

意識しているのは、カメラとの距離感ですね。近づきすぎて絵が割れてもダメ。けどおっぱいをカメラに押し付けて焦点が合わないのがいいと言ってくれる方もいて、いろいろ試行錯誤です。あとはアドリブで前後・上下の動きを増やし、ＶＲならではの臨場感を出したり。機材によっても違うので、撮影前に実際にＶＲゴーグルをつけてどれぐらい動けるのかをしっかりチェックしています。
（『週刊ＳＰＡ！』２０１８年４月10・17日合併号）

単にルックスが優れているだけではなく、よりプロフェッショナルな意識の女優が求められるのがＶＲ作品だといえそうだ。

VRにより変化する勢力図

注目はされるものの、なかなか収益化には結びつかないVR市場だったが、そのなかでも唯一商業的に成功しているのがアダルトVRだった。

2017年7月6日に渋谷で開催された「VR業界の現在と未来」というパネルディスカッションに登壇したDMM.comの動画事業部長は、6月末までにDMM.comではVRの一般作を約300タイトル、アダルト作品を約1500タイトル配信していると述べ、「ちなみにその金額は2億円！　一番売れているタイトルで5000万円以上！2000万円売れているのが5タイトル、1000万円以上が10タイトル以上」（「PANORA」2017年7月7日）と売上を発表して、観客を驚かせた。まだ未成熟なVR市場にあって、アダルト作品はすでに成功を収めていたのだ。成長に行き詰まりを見せていたAV業界にとって、VRという新しい市場は魅力的であった。多くのメーカーがVRの製作に乗り出した。

しかし当初は、まだ制作側もVRの技術を把握しきれておらず、その作品の完成度はお世辞にも褒められるものではなかった。それでも、少しずつ改善は進み、ユーザーの期待に応えられるような作品も生まれてくる。そうしたなかで、ケイ・エム・プロデュース（kmp）やTMA、クリスタル映像といったメーカーが人気を集めるようになってきた。

kmpは2000年代には最大手メーカーの一角として派手な活躍を見せていたが、

２０１０年代に入ると、時代とのズレから次第に失速し、その存在感を薄れさせてしまっていた。それがいち早くＶＲに本格参入し、質の高い作品を数多くリリースしたことで、ＶＲユーザーからの信頼を集めたのだ。

アダルトＶＲの熱烈なファンによるランキングサイト「このエロＶＲがすごい！」でも、２０１７年から２０２１年までメーカー部門（人気作品のメーカー別集計）ランキングで１位を独占し続けているほど、その評価は圧倒的に高い。

ＳＯＤクリエイトも２０１６年末にＶＲに参入したのだが、この時点でアダルトＶＲは３Ｄが一般的になっていたのにもかかわらず２Ｄで制作していたため、セールス的に惨敗を喫してしまう。２０１７年春にはそれまでの２Ｄ作品の配信を全て停止、新たに３Ｄ作品をリリースするが、スタートダッシュでつまずいたことは大きく、その後にユーザーからの評価を得られるようになるまでには時間がかかってしまった。

この時点でＡＶ業界ではWILL（ＣＡが２０１６年に社名変更）が圧倒的なシェアを誇っていたのだが、新たに立ち上がったアダルトＶＲの市場では、それほど存在感を示すことができないというのも興味深い。またアダルトＶＲはユーザーの熱量が高く、ネットでのレビューなども評価が細かく、長文のものが多い。そのためユーザーの評価が売上を大きく左右する傾向があり、ユーザーの評価が高ければ小規模なメーカーの作品であっても大ヒットにつながりやすいのだ。とはいえ、ＶＲ作品の配信は、WILLの系列会社であるDMM.R18（2018年にFANZAに改名）が圧倒的なシェアを占めているのだから、結果的に大きな利益を手にしているのはWILLのグループではあるのだが。

VRはまだまだ発展途上のメディアということもあり、その技術進化のスピードは早い。画質の向上だけではなく、「天井特化」（上向きの広角アングル。騎乗位向き）、「地面特化」（下向きの広角アングル。正常位向き）、「顔面特化」（顔のアップ）など、新しい撮影方法が次々と開発されているのも特色だ。内容に関しても、実験的な作品が数多くリリースされている。

それはAVが80年代～90年代に様々な手法を開発して、その表現の幅を広げていったことを思い起こさせる。あの時代の作り手の熱さをVRの制作スタッフからは感じることができるのだ。しかし、専用のヘッドセットが必要であること、いちいちヘッドセットをかぶらなければならないこと、同居人がいる場合は自宅での視聴が難しいことなどのハードルが解決される目処も立たず、今後も普通のAV（2D動画）に取って代わることはないと思われる。

VRはAVとは別のジャンルのアダルトメディアであると考えた方がいいだろう。

ドラマの復活

ドラマAVの興亡

「適正AV」施行後、AVの作品内容にも変化が見えた。ハードなプレイの作品が少なくなっていき、00年代以降は激減していたドラマ物の作品が再び増加したのだ。

90年代まではドラマ物はAVの王道だった。特にレンタル系の単体女優作品では、ドラマ物が大半を占めており、企画物は一段下に見られるような風潮もあった。しかし00年代にセル系が中心になっていくと、プレイの過激さや企画の面白さで見せる作品が主流になり、人気の単体女優でもそうした作品への出演が多くなっていった。女優が、女生徒やOLといった役を演じるような作品であっても、1本のドラマではなく、コーナーごとに分割され、設定を説明するための短い寸劇がカラミの前にあるといった程度に抑えられていた。

ドラマ物の不振は、00年代後半におこなわれた「AV OPEN」「D−1クライマックス」といったAVイベントの結果にも顕著だった。ドラマ物で挑んだ作品は、いずれも好成績を残すことができなかったのだ。

次第にドラマ物AVは姿を消していった。その理由としては、いくつかの要因が考えられる。まず、ユーザーのニーズとして、そもそもドラマ性があまり求められていなかったということだ。ユーザーがAVに求めるものは、やはりカラミなどの「実用的な」シーンであり、ドラマ部分は早送りしてしまうという声は少なくなかった。

結局、ドラマは作り手側の自己満足に過ぎなかったというのは、いい過ぎだろうか。ドラマが見たくて、AVを観るというユーザーは決して多くはないのだ。それがセル市場においては、数字としてはっきり現れ、その結果をメーカーが受け入れたのだと考えられる。レンタル以上にセルは、ユーザーのニーズが反映されやすいからだ。

さらにAVのメディアがVHSからDVDへと移行したことも大きかった。チャプター機能により、ボタンひとつで観たいシーンへ飛ばせることができるDVDでは、ドラマ部分は容易にジャンプできてしまう。飛ばされてしまうなら、ドラマ部分を撮る意味はない。そうなると予算も手間もかかるドラマ物が敬遠されるようになるのも、自然な流れだった。

ただし、熟女物と一部の凌辱物に関してはドラマ要素の強い作品が主流であった。人妻であったり、母であったりという背景が興奮度を左右する熟女物に関しては、そのほとんどがドラマ物であり、ドラマ部分に力を注いだ作品が多かった。

最大手の熟女・人妻専門メーカー、マドンナの主力監督であった英泉のインタビューでもこんな発言がある。

――特にマドンナさんの作品は、カラミが始まるまで結構長いですよね。

英泉　最初に書いた台本よりも、カラミが少なくなることも多いですよ。プロデューサーから「なんでここで脱ぐのかわかりづらいから、もっとその前を描写しましょう」なんて言われますから。

――普通の単体物だと前フリが長いとユーザーに怒られそうですが。

英泉　熟女ファンは、やっぱり求めている物が違うんでしょうね。ちゃんと話がないと面白くないみたいです。

（『本当にあったH（エッチ）な話』2012年7月号）


熟女AVのユーザーはドラマ部分を重視するという話は、当時のプロデューサーからもよく耳にした。成熟した肉体だけではなく、その女性の背景があってはじめて熟女は魅力を感じさせるということなのだろう。

またレイプやSMなど凌辱的な作品でもドラマは重視された。脚本家の名前をジャケットにまでクレジットするなど、ストーリーに力を入れている凌辱系メーカー、アタッカーズの丸山プロデューサーは、その理由をこう語っている。


アタッカーズのユーザーが見たがっているのは、初めて調教される女の子、初めて人前で裸にされる女の子です。既に活躍しているAV女優じゃだめなんで

す。そうなるとドキュメントではAV初出演の女の子しか、その状況は成り立たない。しかしドラマならAV女優であっても、その中では初めて凌辱される子になれるわけです。

（『NAO DVD』2008年5月号）

2000年代に入ってから、凌辱系のなかでも人気ジャンルとなっている潜入捜査官物は、エスワンなどの単体メーカーでもシリーズが作られ、アイドル的な単体女優も数多く出演する貴重なドラマ作品となっていた。また昭和のセックスに強いこだわりを見せ、80年代からドラマ物を作り続けているFAプロのヘンリー塚本のように、独自のドラマ世界が高く評価されている監督もおり、根強い固定ファンに支持されていた。

このように、一部のジャンルでのみドラマ物は生き続けているというのが2010年代半ばまでの状況であった。

NTR、相部屋、3日間……

00年代末から成人向けゲーム業界を中心とした2次元方面で「NTR」ブームが起きる。NTRとは「寝取られ」の略で、自分の妻や恋人が別の男に奪われてしまうことに興奮するというシチュエーションだ。AVでも人妻物では定番のモチーフであり、「他人棒に寝取られた妻」シリーズ（グローリークエスト）、「あなた、許して…。」シリーズ（アタッカーズ）といった「寝取られ」をテーマにした作品は以前から数多く作られていた。2012年の『嫁は他人にNTR（寝とら）れ俺は別の女に何回もイカされてしまった。』（アキノリ）あたりから、2次元方面でのブームに影響を受け、「NTR」をタイトルに取り入れた作品が増えはじめる。

NTR作品の第一人者といわれるモルツくん監督によれば、NTRブームの起点となったのは、2016年発売の『泥酔BBQNTR　妻の会社の飲み会ビデオ』（JET映像）だという。

モルツ　AVの方で明らかにNTRブームの起点になったなというのが、2016年に出た『泥酔BBQNTR』（JET映像）だと思うんですよ。奥さんがパート先の宅飲みパーティに参加した時のホームビデオを旦那が見てしまうって作品で、そこには泥酔してセックスされまくっている妻が映っているという。

安田　NTR物は、よくビデオとかスマホ動画を使うよね。

モルツ　AVでそういう手法は嫌われてたのに、これは成功してるなというのも驚きましたね。

沢木　NTRはあるあるネタだから、そういう動画も効果的なんだよね。

モルツ　スマホで動画を撮影するのも、今はみんなやってることじゃないですか。

だからスマホ動画を使うことで、ユーザーの目線に近づく効果があるんですよね。
(『実話BUNKAタブー』2020年9月号)

この作品のヒット以降、NTR物では撮影動画をストーリーに組み込むことが定番テクニックとなっていく。

10年代後半からNTR作品は大人気となり、やたらと「NTR」をタイトルにつけた作品が急増し、一大ジャンルとして定着。AV専門誌『月刊FANZA』でも、2020年から「美女・美少女」「巨乳・巨尻」「コスチューム」「バラエティ」「熟女」「ドラマ」「ハードSM」に並んで「NTR」を独立したジャンルとして分類しているほどである。NTRも「寝取られ」るにいたる過程を描くドラマが重要視されるジャンルだ。

また、2018年頃から人気となったドラマのモチーフとして目立ったものに「相部屋」と「3日間」というものがある。

前者は、出張などで異性の上司と部下が、何らかのトラブルによってひとつの部屋に宿泊することになり、そこで関係を結んでしまうというのが共通した基本ストーリーで、上司が女性で部下が男性のパターンと、上司が中年男性で部下が若い女性のパターンがある。このシチュエーション自体は企画物としては以前からあったが、『出張先のビジネスホテルでずっと憧れていた女上司とまさかまさかの相部屋宿泊 黒川すみれ』(マドンナ)あたりから、単体女優や人気の企画単体女優が出演するようになっていく。

後者は、『彼女が3日間家族旅行で家を空けるというので、彼女の友達と3日間ハメまくった記録（仮）川上奈々美』（アリスジャパン）という作品のヒットがきっかけとなり、類似のシチュエーションとタイトルの作品が次々に作られるようになった。原点となった『彼女が3日間……』は、タイトル通りに彼女が不在の3日間、彼女の友人である女性とセックスしまくるという内容だ。3日間という限定の期間に濃密な時間を過ごすというのが見どころで、この作品でもスマホ撮影の動画が効果的に使われている。

『彼女が3日間……』を撮った朝霧浄は、この作品のヒットで一躍人気監督となり、以降のドラマAVブームを牽引する存在となった。

この3ジャンルに共通するのが、セックスにいたる過程の必然性を描くためにドラマが存在するという点だ。80～90年代のドラマAVは、ドラマのなかにセックスシーンが組み込まれている作品が多かったが、10年代以降の作品では、あくまでもセックスのためにドラマが展開するという印象を受ける。このあたりは熟女物や潜入捜査官物などにも共通している。

ドラマ作品が再び増加した理由

単体系のトップメーカーともいえるエスワンは、00年代以降の単体AVのスタンダー

ドスタイルを作ったメーカーでもある。独立した5~6個のコーナーによる構成や極力男優を映さない画面作り、「ハメシロ」に代表されるユーザーが観たいところにポイントを絞った撮り方など、「より抜きやすいオナニーツール」としてのAVへのこだわりである。このスタイルは他のメーカーにも大きな影響を与えた。

しかし、常に「売れる」流行を取り入れてスタイルを変化させていくのもエスワンのスタンスでもある。つまりエスワンのラインナップを見れば、AVの流行がある程度つかめるわけだ。

適正AV施行以前にあたる2016年9月のエスワンのリリースは、総集編などの編集版を除くと19タイトルで、そのうちドラマ作品といえるのは『狙われた巨乳水泳部エース 鍛え抜かれた女子校生の身体は媚薬漬けに…白石真琴』の1作のみ。多くは『完全固定されて身動きが取れない美竹すず 腰がガクガク砕けるまでイッてもイッても止めない無限ピストンSEX』のような特定のプレイを中心にドキュメント的に撮った作品だ。

しかし、適正AVが施行されて2年後の2021年9月にリリースされたエスワン作品の編集版、VR作品を除いた29タイトルのうち、ドラマ作品は、なんと12本。3分の1以上がドラマとなっているのだ。もちろん『相部屋NTR 絶倫上司と新入社員が朝から晩まで、不倫セックスに明け暮れた出張先の夜 藤田こずえ』や『上司が出張で不在中、上司の妻とめちゃくちゃハメまくった3日間。夢乃あいか』など、NTR、相部屋、3

日間といった前述の人気ジャンルもそのなかには多く含まれている。

そしてこれは他のメーカーでも同じ傾向が見られる。現在、最も大きなジャンルへと成長した熟女・人妻系の作品では、その大半がドラマ作品であることを考えると、AV全体から見たドラマ作品の割合は、かなり増大しているといえるだろう。

00年代以降、滅びかけていたドラマ物AVが急速に復興したのは、なぜだろうか。本節の冒頭でも述べたように、その理由のひとつとして、出演強要問題以降、メーカーが過激なプレイ内容の作品を控えるようになったことが挙げられるだろう。大人数物やSMチックなハードなプレイ、露出など00年代には過激化が進んでいたが、AVが社会的に監視されるようになると、人権的に問題となりそうな作品は一気に減少した。目をつけられたくないというのがメーカー側の本音だろう。

また出演にあたっての契約が厳密になった適正AVのルール下においては、ハプニングを含んだドキュメント物は、原則として作ることができなくなった。撮影ではどんな行為がおこなわれるかを全て台本に書いておかなければならないからだ。そうなるとドラマ作品というのは、消去法的に最も作りやすくなる。

さらに、メディアがDVDから配信へと移り変わっていたことも大きな理由だといえるかもしれない。配信では、DVDのようにチャプターごとに飛ばして観ることがやりにくいのだ。VHSからDVDに主流が移った時に、チャプター操作によってドラマは

その意味を失ったが、それと反対のことがDVDから配信への移行によって起きたのである。

人気女優の寿命（活動期間）が延びたということも、ドラマ作品増加の理由のひとつかもしれない。特に単体女優の場合、プレイ内容を主体にした作品だと、毎回違うプレイをテーマにすることが難しいのだ。どうしても「ついに○○解禁！」とエスカレートしていくことになるが、過激化が難しくなった適正ルール下では、そこに重点を置くことはできない。そうなると同じプレイを繰り返すことになり、マンネリ化は避けられない。その点、ドラマ物であれば、毎回設定やストーリーを変えさえすればバリエーションはいくらでも増やせるわけだ。キャリアが長い単体女優で、ドラマ作品の比率が高くなっていくのは、こうした背景があるためだ。

AVはある面では90年代以前の状況へと戻っているともいえるのかもしれない。

新時代の到来

もうひとつのAV業界・同人AV

00年代半ば頃から「同人AV」と呼ばれる自主制作動画が注目されはじめた。

そもそもは、同人誌のように即売会などで流通する、漫画やアニメ、ゲームなどの二次創作的な内容を扱ったコスプレ系の自主制作AVを指す言葉だった。コスプレイヤーなどが露出度の高い写真を収録したCD-ROMを販売していた流れの延長線上にあるともいえる。

また、この頃に同人ゲームなどをダウンロード販売するサイト「DL.Getchu.com」も誕生し、ここでも同人AVを扱うようになる。さらに2010年には、成人向けの過激な作品も扱う大規模な同人即売会「コスホリック」もスタートし、同人AVは大きな盛り上がりを見せていく。

高画質なビデオカメラの低価格化や、一般的なパソコンでの動画編集が可能になったことから、AVの制作が簡単になっていたのだ。また、女性が性的なコンテンツに出演することに対する心理的ハードルが下がっていることも大きかった。そしてアダルト系の動画共有サービスとして知られるFC2動画でもFC2コンテンツマーケットという、コンテンツを販売することができるサービスがあり、ここが同人AV最大の市場となった。

10年代後半には、同人AVを制作・販売するサークルの数は2000を超え、人気サークルのなかには、その利益で「家を建てた」「タワーマンションを買った」という噂まで聞こえるほどだった。すると、それまで一般のAVを制作していたスタッフも市場に参入するようになる。なかでも目立ったのは、エロ本を作っていた編集者たちだった。

00年代に入って売上不振から休刊が続き、壊滅状態となっていたエロ本業界から、多くの編集者が同人AVへと流れ込んだ。付録DVDなどで動画制作のノウハウも身につけていた編集者たちにとっては、自分のスキルを活かせる場所だったのだ。モデルプロダクションとのつきあいもあったため、AV女優を起用することができたことも彼らにとっては大きなアドバンテージとなった。しかしAV業界で適正ルールが徹底されるようになると、多くのプロダクションが適正AV以外に女優を出演させないようになってしまい、同人AVでは基本的に素人やセミプロのモデルに頼るようになる。

FC2は、アメリカで法人登記している海外の会社ということで、無修正動画も扱っている。FC2では同人AVでも無修正の作品が多く販売されていた。とはいえ、無修正動画の販売は、サーバーが海外にあったとしても国内での犯罪だと判断されて、「わいせつ電磁的記録等送信頒布罪及びわいせつ電磁的記録有償頒布目的保管罪」に問われ、多くの逮捕者が出ている。それでも、無修正作品は修正作品に比べて売上がよいということで、FC2コンテンツマーケットでは、今もなお無修正の同人AVが販売されているのだ。

出演強要問題を受けて、ＡＶ業界に適正ルールが施行されてからは、そのルールに従った作品を「適正ＡＶ」とし、それ以外のＡＶをまとめて「同人ＡＶ」と分類することが一般的となる。出演に関しての契約が厳密な適正ＡＶと比べて、そうした面の整備がなされていない同人ＡＶにはトラブルも多く、またＦＣ２などの無修正作品の問題もあり、「ＡＶの無法地帯」といったイメージも強いが、それでも大きな市場を形成し、確実に「もうひとつのＡＶ業界」へと成長していった。

そもそも「適正ＡＶ」業界の主流となっているメーカーのほぼ全てが、90年代から00年代にかけてはインディーズと呼ばれていた「もうひとつのＡＶ業界」出身であるという事実も、忘れてはいけないだろう。同人ＡＶが適正ＡＶに取って代わる未来も、ありえないとはいえないのだ。

テクノロジーが生んだ新しい「無修正」

90年代には修正前にＡＶの素材テープがなんらかの理由で流出し、裏ビデオとして流通するという事件が多く見られた。その後も修正前のＡＶ素材が流出する事例は度々あったが、00年代以降にその市場となったのはインターネットだった。まずは有料サイトで販売され、しばらくすると無料の動画共有サイトで拡散するというのが基本的なパターンである。

10年代以降、その主な舞台となったのは、中華系と呼ばれる中国国内で運営されていると思われる動画サイトだった。ウイルスやフィッシング詐欺、ワンクリック詐欺などのトラップが数多く仕掛けられた危険なサイトが多いが、それでも貴重な無修正動画を求めてアクセスするユーザーは多かった。セキュリティがしっかりしているはずの大手メーカーの有名女優出演作品も、度々大量流出に見舞われ、その度に監督などのスタッフが関与しているという説や、ハッカーによる犯行説などが囁かれた。

しかし2019年頃からネットに出回りはじめた「無修正動画」は少し様子が違っていた。女性器、男性器ともに映っており、その形状や色は認識できるのだが、少しボンヤリとボケたようにも見える。アップになると陰唇の形まではっきりわかるが、カメラが引いた画面になるとその部分はモザイクがかかったようになる。90年代末に話題となった薄消しビデオのようにも見えるが、時々その部分がのっぺりと塗りつぶされたようになる瞬間もある。

実はこれは修正前の素材が流出したものではなく、モザイク修正され一般販売されている動画をAIで画像処理したものだった。動画などの解像度を高めるソフトを利用すると、修正された画像からAIが元の画像を疑似的に再現するため、モザイクが消えたように見えるのだ。つまり基本的にはどんなAVであろうとも、疑似的な無修正動画にすることができるわけである。もちろんあくまでも、疑似的な再現に過ぎず、無修正ではないのだが、それでも十分に無修正に見えてしまうクオリティなのだ。

「モザイク破壊」と呼ばれるこの疑似無修正動画も、有料で販売され、さらには希望のAVを「モザイク破壊」するというサービスをはじめる業者まで登場した。しかし2021年10月18日には「モザイク破壊」動画を販売していた業者が、著作権法違反とわいせつ電磁的記録媒体陳列の疑いで逮捕されている。約10カ月で1000万円以上を売り上げていたといわれ、その後の裁判では有罪の判決を受けている。

またAIを利用した同様の動画としては、「ディープフェイク」と呼ばれるものも同時期に流行した。こちらは動画内の人物の顔を他の人物の顔に差し替えることができる技術だ。これを利用して、無修正動画に出演している女性の顔を、人気女優やアイドルなどに差し替えてしまえば、彼女たちが出演している（ように見える）無修正動画が作れてしまうというわけだ。海外のアダルト系動画共有サイトには、多くのディープフェイク動画がアップされ、そのなかには日本人女優やアイドルのものもある。いわば90年代に流行したアイコラ（アイドルコラージュ）の動画版である。

そしてアイコラでは名誉毀損罪と著作権法違反での逮捕が相次いだように、ディープフェイク動画の制作者もまた2020年10月2日に2人の逮捕者を出している。罪状はやはり名誉毀損と著作権法違反であった。

モザイク破壊もディープフェイクも、ハイテク技術が進歩した現在だからこそ生まれた新しい「違法動画」であり、その技術は今後も進化していくだろう。そして、その先に待っているのは、モデルとなる生身の女性すら存在しない完全にCGで作られたバーチャルなAV女優なのではないだろうか。

配信時代の勢力図

VHSからDVDへ。そしてレンタルからセルへとその収録メディアと販売形態を移行してきたAVだが、その主流はインターネットを介した動画配信へと移り変わった。

AVの動画配信は90年代からおこなわれている。90年代の日本のデジタル系アダルトメディアをリードしていたKUKIは1995年にいち早く日本最初の商用アダルトサイト「K.U.K.I TOWER」を立ち上げ、1996年には他のAVメーカーも参加するポータルサイト「XCITY」（開設当初は「THE CITY」。運営はグループ会社のアルケミア）へと発展、1997年にオンデマンド型ストリーミングで動画配信を開始した。

現在、日本最大のAV配信・通販サイトであるFANZAの前身であるDMM.R18も1998年より動画配信をスタートさせている（当初はDMM夢工場）。とはいえ、この時期にはインターネットの環境もまだ整っておらず、動画配信が本格化するのは一般家庭にもブロードバンドが普及した2003年以降であった。

00年代前半には各AVメーカーも自社での配信サイトを立ち上げており、乱立状態にあったが、次第にDMM.R18などの大手総合配信サイトへと集約されていく。

２００６年には、フェチ系を中心としたマニアックな作品を数多く扱う「ＤＵＧＡ」もスタートし、DMM.R18とはまた違った層にアピールした。90年代のインディーズを思わせるニッチな嗜好のラインナップだが、10年代初頭には登録会員数が45万人を突破している。また「動画ファイルナビゲーター」などのＡＶのサンプル動画を無料で観ることができるサイトもこの時期に人気を集めたが、若い世代に「エロは無料」という意識を植えつけてしまったという面もあった。

00年代後半からは、こうした配信サイトに携帯電話でアクセスするユーザーが増加していく。アダルトサイトが公式メニューに登録されることもあり、そうなると利用料金の支払いもキャリア（電話会社）の通話料と一括で払えるなど、信頼性や利便性も高くなり、アダルトサイトに不信感をもっていた層も利用するようになった。

ａｕの公式サイトである「おとなのアダルト動画」のプロデューサーによれば「女性のユーザーも多く、全世代合わせると全体の三割になります」（『NAO DVD』２０１１年10月号）と、携帯電話でＡＶを観る女性ユーザーは増加していた。ショップに買いには行けず、通販の利用にも抵抗があるという層へも、携帯電話でのＡＶ視聴は歓迎されたのだ。いつでもどこでもひとりでこっそりと観ることができる携帯電話の手軽さも大きなメリットだった。

それは10年代のスマートフォンの普及により、さらに拡大する。DMM.R18でも、DVD通販の売上を動画配信が上回るようになり、AV市場は一気に配信時代を迎える。ただし、それでも物としての所有にこだわりたい人、ネットを利用しない人、クレジットカードを所有していないなどネットでの購入が難しい人などのニーズもあり、DVDは根強く支持された。さらに中古で売買できるというメリットも大きいようだ。

また、AV女優によるショップのイベントなどもDVDの売上に大きく貢献した。イベントでは該当のDVDを購入しないと、女優のサインがもらえなかったり、ツーショット撮影ができなかったりするのだ。これはアイドルがCDの売上を支えた状況と似ている。

配信時代を迎えて、AV業界の勢力図も大きく変化した。配信サイトとしてはFANZAが事実上の一強となり、ほとんどの「適正AV」メーカーは配信をFANZAに頼る状況となっていた。

しかし、そのなかでプレステージが運営するMGS動画は、規模こそ劣るものの唯一FANZAに対抗できる存在感を見せていた。鈴村あいりや涼森れむなどの超人気専属女優や、「絶対的美少女、お貸しします。」「家まで送ってイイですか?」などの人気シリーズを擁している点、そして素人系が充実しているというプレステージの強みがMGS動画を支えていた。

２０２１年の５月にはFANZAでのプレステージ作品の配信が終了する。ＤＶＤ作品の通販は継続しているが、配信においては完全に撤退したのだ。この時、マキシングやホットエンターテイメントなどのメーカーもFANZAから撤退している。さらに７月にはＳＯＤクリエイトも撤退するなど（翌年に復帰）、大きな変動がみられた。その理由としては、配信における手数料の引き上げに伴うものだといわれたが、真相は公表されていない。

そしてもうひとつ、新しい勢力として頭角を現したのが、U-NEXTのアダルトサービスであるH-NEXTだった。国内最大手の定額制動画配信プラットフォームであるU-NEXTは、以前から通常料金内でＡＶも視聴できたのだが、２０２０年からアダルト作品に力を入れはじめ、H-NEXTというブランドで、アダルト作品のみの月額プランもはじめた。さらに２０１８年からU-NEXT配信限定レーベルとしてスタートしたFALENO（後にFANZAなどでも配信）も、それまでの企画中心のラインナップから、単体中心へ路線変更。しかも天使もえや橋本ありな、吉高寧々などの超人気女優をエスワンから移籍させ、業界を驚かせた。プレステージ、ＳＯＤクリエイト、マキシング、ホットエンターテイメントなどのFANZA撤退メーカーの作品もH-NEXTでは観ることができた（これらの作品はＭＧＳ動画でも視聴可能）。

00年代には、ＣＡ（後のWILL）、ソフト・オン・デマンド、kmpが三強といわれていたＡＶ業界だが、配信時代においては、FANZA（WILLグループ）、ＭＧＳ動画（プレステージ）、

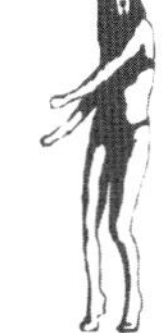

H-NEXTが三強だといってもいいだろう。

そして20年代に入ると、世界に大きな災難が襲いかかった。2019年12月に中国の武漢市で最初の感染者が報告されてから、わずか数カ月の間に世界的なパンデミックを引き起こした新型コロナウイルス感染症（COVID-19）である。

2020年4月には日本の主要都市で緊急事態宣言が発令され、外出の自粛が求められた。これによってショップでのAV女優のイベントや、トークイベントなども中止となり、こうしたイベントによる売上が見込めなくなったことで、DVDの販売はより厳しい状況に追い込まれた。その一方で、巣ごもり需要によって配信の売上は史上最高を記録し、配信とDVDのシェアの差はさらに開くことになる。

また、AVの撮影も中止になるなど、業界にも深刻な影響が見られた。2021年になると緊急事態宣言が1～3月、4～6月、7～9月と3度にわたって発令されるなど、コロナ禍は落ち着くところを見せないまでも、感染予防対策をしたうえでの撮影、イベントなどがおこなわれるようになり、少しずつ日常を取り戻しつつあった。

それが誕生から40周年を迎えた2021年のAV業界の状況だった。

終章 The History Goes On

41年目の混乱

突然の「AV新法」施行

2022年の6月、AV業界はこれまでにない大きな変化の波にさらされることとなった。

発端は、成年年齢を20歳から18歳に引き下げるという2018年に成立した民法改正だった。この時点では、それがAV業界に大きな影響を与えることになるとは、誰も考えていなかった。しかし、その施行が間近に迫った2022年の3月後半になって、「18歳以上であればAVへの出演契約が親の同意がなく結べるようになる」ことへの危険性が問題視されることになった。

つまり以前は、18、19歳で結んだ契約は未成年者取消権によって解消することができたのが、成年年齢引き下げによって不可能となる。これにより18、19歳のAV出演強要などの被害が拡大するのではないかと、3月の衆議院本会議で、野党から岸田文雄首相へ懸念がぶつけられたのだ。

ここから問題は急速に拡大していく。当初は18、19歳のAV出演に関する問題だったものが、いつのまにか全年齢を対象にしたAV出演への規制の検討となっていった。そして4月早々に自民党がAV出演規制に関する法案提出を決め、6月14日の国会において全会一致で可決。6月23日からの施行となった。問題が叫ばれてから、わずか3カ月という異例のスピードで「AV出演被害防止・救済法」、通称「AV新法」は施行されることとなったのである。

AV新法とはどんな法律なのか。朝日新聞の報道では「AVの制作・公表は出演者の心身の健康や生活に重大な被害を生じさせるおそれがあるとし、公表から1年間（施行後2年は2年間）は無条件で契約を解除し、販売・配信の停止をできるようにする。制作・公表者に撮影内容の詳細な説明、契約書の交付をさせることも義務づける。」（『朝日新聞』5月30日付、社説）となっている。これだけを読むと、発表された作品の発売を中止できるようにした法律だと思えるが、業界に大きな影響を与えたのは、それよりも作品が発売されるまでの過程に対する規制だった。

簡単にいえば、出演が決まり契約を結んでも撮影はそれから1カ月後、さらにその作品の公表は撮影から4カ月後にするということが定められたのだ。契約した後、あるいは撮影した後でも出演者の気持ちが変わったら、撮影自体をなかったことにできるというわけだ。断りきれずに無理やり契約させられた、あるいは一時の気の迷いで契約したとしても「心身の健康や生活に重大な被害を生じさせる」ような作品への出演をキャンセルできる、あるいは発表させないことにできるという救済が目的となっている。

この法律は当初の対象であった18、19歳だけではなく全出演者、つまりAV男優にい

たるまでが対象だ。

これによって、AV業界は大きな混乱に見舞われることとなった。契約には撮影の予定日時や場所、性行為にかかる姿態の具体的内容なども定められている。つまり当日に体調不良などの理由で出演できなくなってしまった場合でも撮影の延期はできず、改めて出演契約をし直したうえで、契約1カ月後以降の撮影ということになる。これまでなら、多くの場合はスケジュールのあう別の女優、男優を急遽呼んで代理出演させるという方法が取られたのだが、それは不可能となり、撮影は中止にするしかなくなる。

撮影が中止になっても、スタジオにはキャンセル料を払わなければならないし、メイクや照明、音声、ADなどスタッフへの報酬は発生する。しかしその経費を出演者に求めてはいけない。つまりメーカー、あるいは制作会社が損害を丸かぶりすることになる。

また出演者が多くなればなるほど、撮影中止・発売中止になるリスクはそれだけ増えるため、複数の女優・男優が登場する学園物やハーレム物、乱交物などの企画はメーカーが製作を避けるようになる。それは、人数物の作品を中心に活動していた企画女優の仕事がなくなるということを意味する。

小さいメーカーにとっては1本でも発売中止となる作品が出てしまえば大きなダメージとなる。制作本数を絞るメーカーも多く、施行直後の7、8月は仕事が激減し、悲鳴を上げる企画女優や、フリーの撮影スタッフが多く見られることとなった。さらに契約してから発売できるのが、最低5カ月先というスパンも、資金力のない小さなメーカーにとってはかなり厳しい状況となった。そして、毎回大量の契約書を書かなければならないという作業も出演者や制作側にとって大きな負担となる。

出演強要の被害者を救済するために作られた「AV新法」ではあったが、AV業界側の声は全く反映されないままに立案・施行されたために、当の出演者や制作者にとっては、あまりにも理不尽な法律となってしまっていたのだ。

変貌するAV女優像

立場的に声を上げにくいメーカーやプロダクションに代わって、「AV新法」に対して積極的に疑問を投げかけ、立ち上がったのはAV女優たちだった。AV新法の施行により、撮影の延期や中止が相次ぎ、仕事を奪われるAV女優が続出したのだ。

Twitterなどの SNS には彼女たちの悲鳴のような生の声が次々とアップされ、注目を集めた。

7月決まってたAVの撮影が全部中止…
AV新法で女優が守られるどころか仕事が無くなって現役の女優たちが苦しむ構図って誰得なん。
（金苗希実Twitter、2022年6月19日、原文ママ）

AV女優が所属するプロダクションの協会である「日本プロダクション協会」が430人の女優におこなった調査によれば、新法施行後に新規オファーが減ったという回答は51・9％、さらに新規のオファーが全くないという回答は16・7％、そして50％以上の収入が減ったと答えた女優は37％にも及んだという。

こうした状況に対して、一部のAV女優たちは危機感をもち、AV新法の見直し、あるいは撤廃を求めて署名活動や議員への陳情などを積極的におこなった。またSNSなどを使ってAV新法に異を唱え、自らの意見を述べる女優も多かった。

彼女たちの、毅然とした態度は、あくまでも男性のオナペットとして消費されていた、かつてのAV女優のイメージを大きく塗り替えるものであった。

その兆しは00年代終盤に恵比寿マスカッツの人気が女性層へも広がった頃にすでに見られた。AV女優に憧れる女性ファンが急増したのだ。

AV女優のサイン会やトークショーなどで女性客の姿が多く見られるようになった。『週刊SPA!』2015年10月6日号には「まるで宝塚！AV女優を追っかけるオンナたち」という記事が掲載されている。誌面にはAV女優のイベントに足を運ぶ熱心な女性ファンたちが登場し、そのなかには女優の追っかけをしているうちにAV女優としてデビューしたという七原あかり（後に彩奈リナに改名）のような女性もいた。

明日花キララや三上悠亜のように女性のトレンドリーダー、インフルエンサー的な存在となった女優もいる。明日花キララは2018年に「整形でなりたい芸能人ランキング」（高須クリニック調べ）でアイドルやタレントを抑えて1位に輝き、また女性向けスタイルブックを発売するや即完売になるなど、女性からの圧倒的な支持を得た。

一方、国民的アイドルグループからAV女優に転身した三上悠亜も、自身がプロデュースする女性向けアパレルブランドを成功させるなど、女性からの支持が高い。

また、その作品が第四十二回野間文芸新人賞の候補作に選ばれるなど、純文学の小説家としての評価も高い紗倉まな、エッセイストや映画監督としても活躍する戸田真琴など、文化方面でも実績を残すAV女優も珍しくなくなってきていた。彼女たちのそうした活動は、人気AV女優の知名度を利用したファン向けのサービスという枠を大きく超えたものだった。

興味深いのは、業界外での評価を得ながらも彼女たちは、あくまでも主業はAV女優だというスタンスを崩さなかったことだ。

AV新法に抗議したAV女優たちからも「自ら選んでこの仕事をやっており、仕事に対して誇りをもっている」という声が多く聞かれた。活躍している女優に憧れて業界の門を叩いたというAV女優も増えてきた。AV女優は、「自ら選んでなる職業」へと変わりつつあったのだ。

むしろ「なりたくても、なかなかなれない」職業という認識も広がっている。数千人と

いわれるAV女優のなかで活発に活動ができる女優は一握りに過ぎないという実態も知られるようになり、若い世代の間では「AV女優は選ばれた女性」というイメージも定着している。

近年、10年以上の活動歴をもつAV女優が珍しくなくなってきたのも、AV女優が職業として確立されてきたことの証明なのかもしれない。1997年にデビューして以来、2022年に前人未踏の25周年を迎えた風間ゆみを筆頭に、ロリ系女優から妖艶な美熟女へと変貌しつつ活動を続ける川上ゆうの17年、恵比寿マスカッツでも活躍した佐山愛の15年など、キャリア10年を遥かに超える女優も多くいる。

2019年に引退した吉沢明歩、2022年に引退したつぼみも、ともに16年間トップ女優であり続け、伝説的な存在となった。AV女優の寿命は長くて3~4年だといわれていた90年代までの状況を考えると、隔世の感がある。

活動の場を広げていくAV女優に比べると、00年代終盤以降、AV監督はすっかり表に出ることがなくなり、黒子に徹しているように見える。AV自体も、ユーザーの欲望のニーズをすくい上げるかたちで、観る者を興奮させるという機能を研ぎ澄ませる方向へ突き進んでいる。

AVというメディアの可能性を押し広げようと様々な実験を繰り広げた40年間の試行錯誤の結果が、現在のスタイルなのだといえるのかもしれない。そして、さらに10年後には、今とは全く違うかたちの「答え」にたどり着いているのかもしれない。

AV新法が施行されて5ヶ月後の2022年11月現在、女優をはじめとする一部の出演者、制作者の仕事の激減や現場の混乱といった影響は見られているが、さらにこの後にもっと大きな変化が業界に訪れる可能性もある。同法には、2年以内に見直すという条項が設けられているが、それが法規制の緩和ではなく、「本番行為の禁止」などさらに厳しい制限が課せられることも考えられるのだ。

AVは、全く違う形態への変化を迫られるかもしれない。

AV第一号といわれる『ビニ本の女 秘奥覗き』と『OLワレメ白書 熟した秘園』が1981年5月に発売されてから、40年以上の歳月が流れ、AVはその形態も内容も、取り巻く環境も大きな変化にさらされ続けてきた。

今回のAV新法施行に代表されるような規制や社会的な価値の転換、技術の進歩などによってAVは時代の状況にあわせて、その姿を変えて生き延びてきた。それは、性的な動画を観たいという人々の切実なまでの欲望が常に存在してきたからだ。

この先、AVがどのようなかたちに変わっていくのかは、わからない。しかし、人々の性欲がある限り、その歴史は続いていくだろう。

おわりに

本書は、Webサイト「NeWORLD」に2021年8月から1年間にわたって連載した「ニッポンAV40年史」を、加筆・編集したものである。

本来なら、AV誕生40周年となる2021年までの歴史を振り返るという内容になる予定で、執筆をはじめた。

しかし、2022年に「AV新法」なるAV業界を揺るがすような法律が突然施行されるという事件が起きたため、急遽「終章」として、その記述を加えなければならなくなった。これを書いている2022年11月現在では、「AV新法」の影響がどこまで広がるのか、そしてAV業界がどう変わっていくのかは、まだ不明だ。大きく変貌するかもしれないし、うまく適応していくのかもしれない。10年後に振り返ったとして、この2022年がどんな意味をもつのかは、その時になってみないとわからないだろう。

最後に筆者とAV業界の関わりについて触れておこう。

筆者が最初にAVに触れたのは、1984年、高校2年生の時だった。筆者

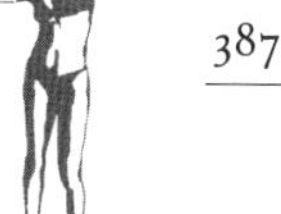

は親戚が経営していたコンビニエンスストアで生まれてはじめてのアルバイトをしてお金を貯め、ビデオデッキを購入した。そして買ったその日にさっそく近所のレンタルショップでAVを借りたのだった。当時はまだ年齢確認なども緩く、あっさりとAVを借りることができた。最初に借りたAVのタイトルは覚えていないのだが、凡庸な美少女本番物だったように思う。その後は、SM物やブラックパックなど、マニアックな作品にも手を出すようになっていった。

仕事としてAVに関わったのは19歳の時で、編集をしていたアイドル雑誌でAVの紹介ページを任されたのがきっかけだった。ここでAVレビューを書きはじめ、やがて他誌でもこっそりと原稿を書くようになった。その後、様々な編集部を転々としながらも、AV関係の原稿を書き続けた。ただしこの頃は、AVを観てレビュー原稿を書く仕事ばかりで、制作現場に足を踏み入れたり、女優にインタビューしたりということは、ほとんどなかった。

制作側へと接近したのは、ゴールドマン監督がきっかけだった。その頃、筆者はビデオ業界誌の編集部で仕事をしていたのだが、たまたま観た『着せかえ〝生肉〟人形』（アートビデオ、1989年）という作品に強烈なインパクトを受け、無理やりインタビューの企画を立てて、それを撮ったゴールドマン監督に会いに行ったのだ。

ゴールドマン監督とは意気投合して、彼の仕事を手伝うようになった。そこからカンパニー松尾、バクシーシ山下、平野勝之ら同世代の監督たちとも交流を深めた。AV業界に新しい波を起こしていた彼らに強く影響を受け、彼らの動きを原稿にするようになった。

1994年にフリーライターとして独立したが、まだライターの仕事での収入が不安定だったため、ゴールドマンたちから男優の仕事をもらうようになる。この頃は、本番も疑似ということが多く、現在のように男優に超絶的な能力も必要ではなく、ちょっとしたバイトという感じだったのだ。独立して最初の1年くらいは、ライターの仕事よりも男優の仕事の方が収入の割合は高かったかもしれない。

そのうち監督をしないかという話がくるようになった。男優と、ちょっとADのバイトの経験があるくらいでも、いきなり監督をさせてしまう。90年代のAV業界は、そんな緩い空気があったのだ。

メインはあくまでもライターではあったが、その後もAV監督としての仕事も並行して続け、結局100本弱のAVを撮っている。その多くが別名義や名前を伏せたものになっているが……。

2012年には、AV誕生30周年を記念して30社以上のメーカーが集結したプロジェクト「AV30」の監修者を務めた。これはメーカーの枠を超えたアンソロジー盤をリリースするという試みで筆者が第一期30本のセレクト、編集などを担当した。

そして気がつけば、AVについて書くライターとしては、最年長のクラスとなっていた。90年代に乱立していたAV雑誌も、ほぼなくなってしまい、先輩のライターたちも次々とAVのジャンルから離脱してしまった。つまり黎明期から現在までのAVの変遷について現場感をもって書ける人間も、ほとんどいなくなったということだ。

雑誌などでは、よく「AVの歴史」を振り返るような特集が組まれているのだが、書籍としてまとめられた本は、実は数えるほどしかない。2010年代以降の状況まで言及した本となると皆無だ。

2021年の初頭にケンエレブックスの五十嵐氏が「AVの歴史について書きませんか」とこの企画をもってきてくれた時は、正に渡りに船の気分だった。2011年の30周年の時は、「AV30」のような企画があったのだが、40周年の際には全くそんな話は聞こえてこなかった。40周年のタイミングで、歴史をまとめる作業は必要だと思っていたのだ。

当初の予定では40周年の2021年中に出版したいと考えていたのだが、それはやはり無理だった。結局執筆には1年以上を要してしまった。古書店やネットオークションで大量の書籍、雑誌を買い漁り、国会図書館に日参して週刊誌や新聞の記事を複写しまくって参考資料とした。

２０１０年以降について書いている時に痛感したのは、AV雑誌が壊滅してしまったために、この10年に関しては参考にすべき資料が極めて少なかったことだ。以前なら『オレンジ通信』『ビデオ・ザ・ワールド』といった雑誌を追えば、業界内の動きは把握できたのだが、今はそうした記事が掲載されているAV雑誌は無い。専門誌がなくなるということは、そのジャンルの歴史を調べることが難しくなるのだということを改めて思い知った。

本書は、できるだけ客観的にAV業界の流れを追っていこうという趣旨をもって書いた。いわば「AV業界の歴史教科書」を目指したのだ。そのため、AV女優個人に対しての記述は少なくなっている。女優を中心に書けば、また違った視点の「歴史教科書」となるだろう。

そもそも筆者自身の思い入れが強いのが、AVが最も「好き放題」にやっていた90年代なので、どうしてもその時代を中心に考えるという偏りがでてしまう。客観的であろうと努力はしたものの、やはり筆者史観のAV史となっているこ

とは認めざるを得ない。いずれ、また別の書き手が新たに別の史観からの「AV史」を綴ってくれるだろう。

50周年を迎える2031年には、AVはどのような変貌を遂げているだろうか。もっと市民権を得ているかもしれないし、なんらかの理由によって消滅しているかもしれない。これまでの歴史から鑑みても、全く変化がないことは考えられないからだ。

AVの歴史を見つめ続けていた立場からすれば、その変化は楽しみでもあるが、恐ろしくもあるのだ。

最後に。

本書も多くの人たちの協力をいただいて書き上げることができました。本文にもゴールドマン監督のパートナーとして登場する(Ya)matic studio／野田大和氏に単著をデザインしてもらうことは30年来の夢でした。期待通りの先鋭的なデザイン、ありがとうございました。そして、AVの歴史をまとめるというアダルト系ライターとしては最高に光栄なチャンスを与えてくれたケンエレブックスの五十嵐健司氏に感謝いたします。

安田理央

日本AV年表

❶

❷

❸

❹

1889	▼日本に映画が輸入される。
1910年代	▼ポルノ映画が秘密上映される。
1917	▼活動写真取締規則が発令。
1920年代	▼猥褻映画が国内でも盛んに撮影される。
1930	▼『この太陽』（日活）にて日本映画で初めてセックスを暗示するシーンが登場。
1932	▼日本初のポルノアニメ『すゞみ舟』が制作されるが当局に押収される。
1935	▼女性の全裸シーンが話題になったチェコ映画『春の調べ』❶が日本公開。
1939	▼映画法施行。映画は軍国主義を前面に。
1945	▼終戦。
1948	▼戦後初のブルーフィルム『情慾』が制作される。
1949	▼GHQ主導で映画倫理規定管理委員会（旧映倫）発足。 ▼京マチ子主演の映画『痴人の愛』（大映）公開。
1950	▼映画『乙女の性典』（松竹）公開。性典映画ブームに❷。 ▼バスコン映画ブーム。
1951	▼ブルーフィルムの黄金期。名作『風立ちぬ』が制作される。
1953	▼ブルーフィルムにカラー16ミリ作品登場。
1954	▼マリリン・モンロー来日。
1955	▼映倫、「成人向」指定を開始。
1956	▼映画『太陽の季節』（日活）❸公開。成人向指定を受けるも大ヒット。太陽族映画ブームに。 ▼映画『女真珠王の復讐』（新東宝）❹公開。前田通子が吹き替えなしのオー

         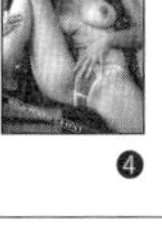 

                  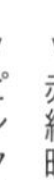         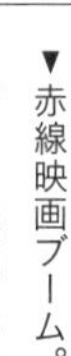      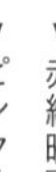                                      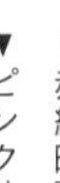        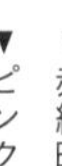             

 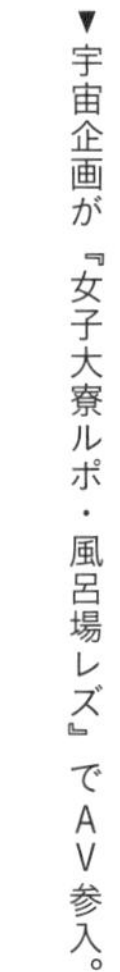 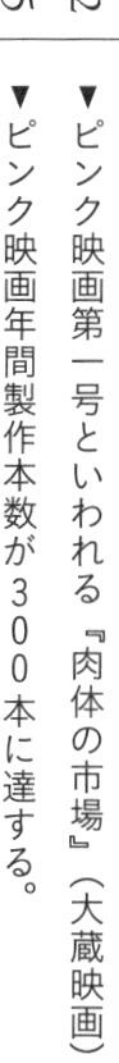    

ルヌードを披露し、肉体女優ブームに。

1957 ▼売春防止法施行。暴力団がブルーフィルム業界に参入し、粗製乱造に。
▼赤線映画ブーム。

1962 ▼ピンク映画第一号といわれる『肉体の市場』（大蔵映画）公開。

1965 ▼ピンク映画年間製作本数が300本に達する。

1971 ▼日活ロマンポルノ第一弾『団地妻・昼下がりの情事』❶、『色暦大奥秘話』公開。

1972 ▼ビニール本第一号といわれる『少女と下着』（松尾書房）❷発売。
▼日活の撮り下ろしビデオ作品（業務用）が徳島県で摘発される。
▼日本ビデオ倫理協会（成人ビデオ倫理自主規制懇談会）発足。

1976 ▼日本ビクターが家庭用VHSのビデオデッキ第一号を発売。
▼大島渚監督作品のハードコアポルノ映画『愛のコリーダ』（日仏合作）❸公開。

1979 ▼にっかつロマンポルノの短縮版ビデオが個人向けに発売される。
▼裏ビデオ第一号『星と虹の詩』流通。

1980 ▼ビニール本『慢熟』（恵友書房）❹発売。ビニ本ブーム。

1981 ▼日本初の販売用ビデオ撮り下ろし作品『ビニ本の女 秘奥覗き』❺、『OLワレメ白書 熟した秘園』（日本ビデオ映像）が発売される。
▼愛染恭子主演の本番映画『白日夢』（松竹）❻公開。
▼愛染恭子主演の『淫欲のうずき』（日本ビデオ映像）❼がヒット。
▼宇宙企画が『女子大寮ルポ・風呂場レズ』でAV参入。

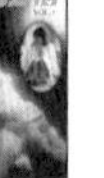

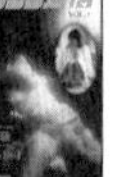

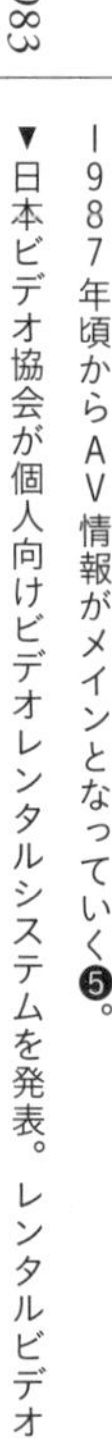

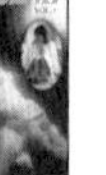

❶ ❷ ❸ ❹ ❺ ❻ ❼ ❽

1982

▼代々木忠監督「ドキュメント・ザ・オナニー」シリーズ（日本ビデオ映像）❶が大ヒット。

▼裏ビデオの話題作『洗濯屋ケンちゃん』が出回りはじめる。

▼VIPエンタープライズ（VIP）、SAMM（芳友舎／h.m.p）❷、日本ビデオ出版（トロイ）などが次々と参入。

▼日活ロマンポルノで人気の美保純が『狂った果実／狂熱の乱交』（日本ビデオ映像）❸でAVデビュー。

▼SM専門メーカー、アートビデオ設立。第一作『地下室の淫魔』で峰一也、監督デビュー。

▼初のAV専門誌『ビデオプレス』（大亜出版）❹創刊。

▼『オレンジ通信』（東京三世社）創刊。当初は普通のエロ本だったが、1987年頃からAV情報がメインとなっていく❺。

▼日本ビデオ協会が個人向けビデオレンタルシステムを発表。レンタルビデオが合法化。

1983

▼ビデ倫の年間審査本数1000本突破。

▼『隣のお姉さん』（ポニー）❻で八神康子がAVデビュー。『ビデオプレス』の第一回ビデオクィーンコンテストで1位を獲得。

▼『少女M』（日本ビデオ映像）発売。ロリータブームを巻き起こす。

▼小路谷秀樹、『SM初体験・早見純子の場合』（宇宙企画）❼で監督デビュー。

▼アテナ映像、九鬼（KUKI）などが参入。

▼元祖インディーズビデオ、ブラックパックが登場。❽

❶ ❷ ❸ ❹ ❺ ❻ ❼ ❽

1984

▼『ビデオ・ザ・ワールド』（白夜書房）❶創刊。

▼ビニール本を過激化したベール本が登場。

▼『ミス本番・裕美子19歳』（宇宙企画）❷発売。美少女本番ブームに。

▼『私を女優にして下さい』（宇宙企画）❸で竹下ゆかりがAVデビュー。

▼裏本で大人気だったモデルの「マリア」が渡瀬ミクの名前でAVデビュー。

▼『ビデオスキャンダルー 個室アイドル戦争 いかせてあげる』（VIP）で高槻彰が監督デビュー。

▼クリスタル映像が参入。村西とおる、監督デビュー。

▼アダルトアニメ「くりぃむれもん」シリーズ（フェアリーダスト）❹がスタートし、大ヒット。

▼『ビデオボーイ』（英知出版）❺創刊。

▼青木琴美、イヴ、城源寺くるみ、滝川真子、橋本杏子、早見瞳（吉沢有希子）、デビュー。

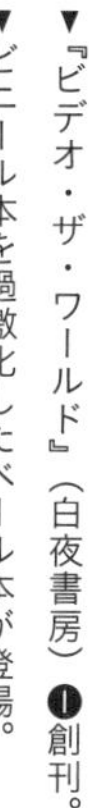

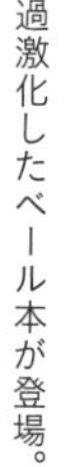

1985

▼家庭用ビデオデッキの普及率が27・8％に。

▼日本ビデオ映像が倒産。

▼豊田薫が『少女うさぎ・腰ひねり絶頂』（KUKI）❻で監督デビュー。8月には話題作『マクロボディー 奥まで覗いて』（SAMM）❼も発売。

▼中野D児、自主制作AVレーベル、D.TIME-45❽をスタート。

▼ヘンリー塚本監督、FAプロ設立。

▼愛染恭子主演のAV『ザ・サバイバル』が裏流出。

▼新風俗営業法施行。

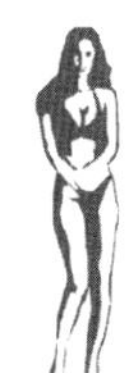

❶ ❷ ❸ ❹ ❺ ❻ ❼ ❽ ❾

1986

▼高田馬場のヘルス「サテンドール」で風俗アイドルとして人気を集めていた早川愛美が『ヒロイン・愛美』（宇宙企画）でAVデビュー。❶

▼青木さやか、井上あんり❷、梶谷直美、菊池エリ、杉田かおり、杉原光輪子、立川ひとみ、永井陽子、中川えり子、中沢慶子❸、早瀬沙樹、森田水絵、デビュー。

▼『オレンジ通信』【読者が選ぶモデルベスト1位】竹下ゆかり❹。『ビデオプレス』の第4回ビデオクィーンコンテストでも1位を獲得。

▼黒木香が『SMっぽいの好き』（クリスタル映像）❺でAVデビュー。

▼村西とおる、ハワイで逮捕。

▼小林ひとみAVデビュー（デビュー作は松本かおり名義）❻。

▼秋元ともみ、『卒業します』（宇宙企画）❼でAVデビュー。

▼「インモラル女校生」シリーズ（シネマジック）❽スタート。1991年より「インモラル天使」に改題。

▼鬼闘光、芳賀栄太郎、監督デビュー。

▼V&Rプランニングが参入。

▼山口美和、杉原光輪子、森田水絵の3人が初のAVアイドルユニット、美光水（レイクス）としてレコードデビュー。

▼レンタルビデオ店が1万軒を突破。

▼相原久美、麻生澪❾、樹ますみ、宮條優子、小泉ユキ、沙羅樹、篠宮とも子、新田恵美、姫宮めぐみ（星真琴）、岬まどか、百瀬まりも、デビュー。

▼『オレンジ通信』【読者が選ぶモデルベスト1位】秋元ともみ。

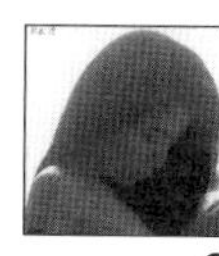

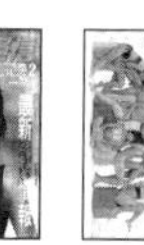

❶ ❷ ❸ ❹ ❺ ❻ ❼ ❽

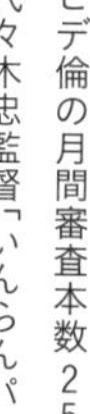

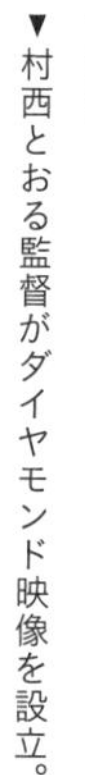

1987

▼ビデ倫の月間審査本数250本突破。

▼代々木忠監督「いんらんパフォーマンス」シリーズ（アテナ映像）❶スタート。

▼かわいさとみのデビュー作『ぼくの太陽』（宇宙企画）❷がオリコンのビデオチャートでベスト10入り。

▼AV最長シリーズとなる「ザ・ナンパスペシャル」（アリーナ・エンターテインメント）❸がスタート。

▼黒木香『小娘日和』❹、小林ひとみ『ピンクのカーテン』など、AVアイドルのレコードデビューが相次ぐ。

▼ゴールドマン、日比野正明、監督デビュー。

▼大陸書房が書店ルートで廉価版AV「ピラミッドビデオ」シリーズを発売。

▼『ベストビデオ』（三和出版）創刊。

▼にっかつがポルノ女優によるアイドルユニット、ロマン子クラブ❺を結成。

▼東清美、石川真理絵、桂木麻也子、工藤響子、後藤沙貴、斉藤唯、冴島奈緒、咲田葵、沢木夕子、立原友香、葉山みどり、姫野真利亜、藤あかね、藤沢まりの、前原祐子、美穂由紀、デビュー。

1988

▼『オレンジ通信』【読者が選ぶモデルベスト一位】立原友香❻。

▼豊丸が『吸淫力』（SAMM）❼でデビュー。淫乱ブームを牽引する。

▼元アイドルの葉山レイコが『処女宮』（ミス・クリスティーヌ）❽でデビュー。

▼秋元ともみらが所属する事務所トゥーリードなど3社が、労働者派遣法違反で摘発。

▼村西とおる監督がダイヤモンド映像を設立。

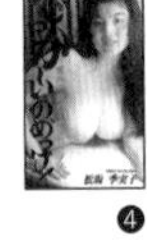

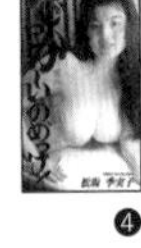

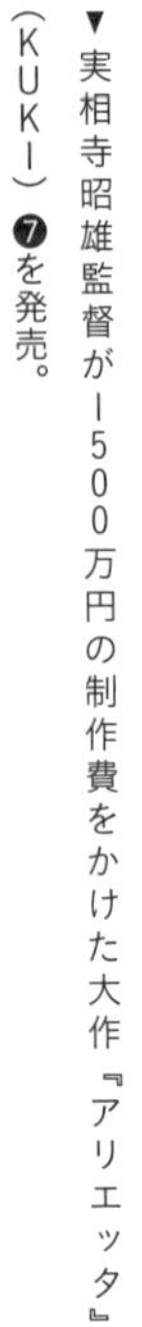

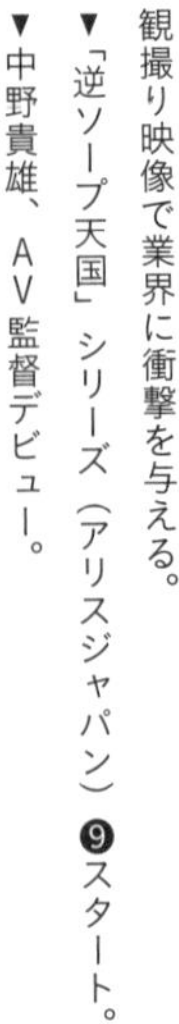

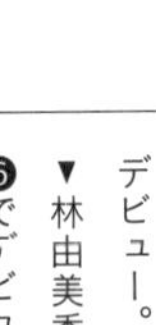
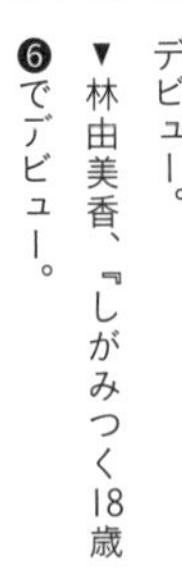

❶ ❷ ❸ ❹ ❺ ❻ ❼ ❽ ❾

1989

▼ほぼ全編をハメ撮りで撮影した伊勢鱗太朗監督の『勝手にしやがれ』(KUKI)が発売。

▼カンパニー松尾、斉藤修、ラッシャーみよし、監督デビュー。

▼加藤鷹、男優デビュー。

▼にっかつロマンポルノ終了。

▼鮎川真里、伊藤友美、植田千珈、沖田ゆかり、後藤えり子、坂上真琴、沙也加、直木亜弓、仲村梨沙、日向まこ、牧本千幸(つかもと友希)❶、松本まりな、水木彩、御藤静、村上麗奈❷、森村あすか、デビュー。

▼『オレンジ通信』【読者が選ぶモデルベスト1位】斉藤唯❸。

▼松坂季実子が『でっか～いの、めっけ!』(ダイヤモンド映像)❹でデビュー。巨乳ブームへ。

▼樹まり子、『素晴らしき日曜日』(青木さえ子名義、ダイヤモンド映像)❺でデビュー。

▼林由美香、『しがみつく18歳 お嬢様はしたない』(ミス・クリスティーヌ)❻でデビュー。

▼実相寺昭雄監督が1500万円の制作費をかけた大作『アリエッタ』(KUKI)❼を発売。

▼ゴールドマン監督『なま』(アートビデオ)❽発売。8ミリビデオによる主観撮り映像で業界に衝撃を与える。

▼『逆ソープ天国』シリーズ(アリスジャパン)❾スタート。

▼中野貴雄、AV監督デビュー。

❽ ❼ ❻ ❺ ❹ ❸ ❷ ❶

1990

▼田淵正浩、男優デビュー。

▼インクスティック芝浦ファクトリーにて「宇宙少女レビュー」開催。

▼裏ビデオが流出物中心に。

▼『anan』（マガジンハウス）が「セックスできれいになる」❶で初のセックス特集。

▼ダイヤルQ2スタート。

▼東京・埼玉連続幼女誘拐殺人事件。

▼浅田純子、いとうしいな、今井静香、小沢奈美、木田彩水、工藤ひとみ、五島めぐ、小森愛、庄司みゆき、高倉真理子、早瀬理沙、デビュー。

▼『オレンジ通信』【AVアイドル賞】樹まり子❷。

▼桜樹ルイ、『突然、炎のように』（VIP）❸でAVデビュー（一ノ瀬雅子名義では前年にも出演）。

▼星野ひかる、『処女宮・第2章　天使の濡れた丘』（ティファニー）❹でデビュー。

▼代々木忠監督『チャネリングFUCK　悪霊と精霊たち』（アテナ映像）❺が話題に。

▼バクシーシ山下『女犯』（V&Rプランニング）❻で監督デビュー。

▼自主制作映画で活躍していた平野勝之がAV監督デビュー。

▼芳賀栄太郎監督による熟女AV『ババァ〜！　こんな私でもAV出れますか？』『おふくろさんよ！』（ビッグモーカル）❼発売。

▼ラッシャーみよしのインディーレーベル、ハウスギルドがスタート❽。

▼後にCAの母体となる北都が石川県加賀市で設立。

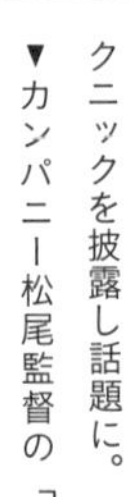
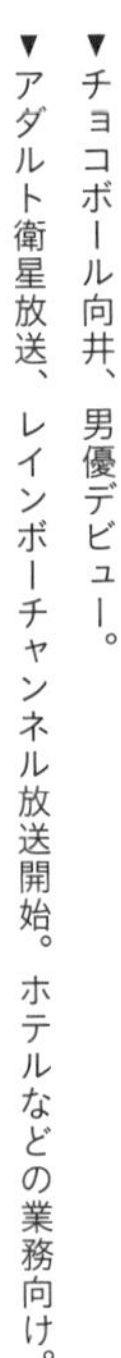

▼ブルセラショップがオリジナルビデオを制作・販売しはじめる❶。
▼チョコボール向井、男優デビュー。
▼アダルト衛星放送、レインボーチャンネル放送開始。ホテルなどの業務向け。
▼有害コミック規制騒動。
▼『11PM』（日本テレビ系）放送終了。
▼あいだもも❷、貝満ひとみ、小林里穂、沢木まりえ、沢口梨々子、白石ひとみ❸、田中露央沙、野坂なつみ、林かづき、卑弥呼❹、藤崎あやか、藤本聖名子、美雪沙織、森川いづみ、乃木真梨子、デビュー。
▼『オレンジ通信』【AVアイドル賞】桜樹ルイ❺。
▼レンタルビデオ店が1万6000店から1万店以下に。
▼ダイヤモンド映像が事実上の倒産。
▼ホットエンターテイメント設立。
▼『性感Xテクニック』（アテナ映像）❻でエステティシャン南智子が性感テクニックを披露し話題に。
▼カンパニー松尾監督の「私を女優にして下さい」シリーズ（V&Rプランニング）❼スタート。
▼人権団体がバクシーシ山下監督の『女犯2』（V&Rプランニング）を問題視。
▼鷲本ひろし、ブルセラビデオで監督デビュー。
▼盗撮ビデオ『和歌山アクション倶楽部』制作者逮捕。
▼篠山紀信撮影の樋口可南子の写真集『water fruits』発売。さらに宮沢りえ『Santa Fe』（ともに朝日出版社）の発売により事実上のヘア解禁に。

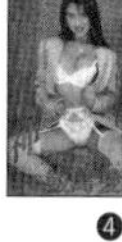

❶ ❷ ❸ ❹ ❺ ❻ ❼ ❽ ❾

1992

▼『ギルガメッシュないと』（テレビ東京系）放送開始。

▼朝岡実嶺、有吉奈生子、五十嵐こずえ❶、伊藤真紀❷、きららかおり、小嶋美愛、小林愛美、小林美和子、早紀麻未、沢口梨々子、白鳥慶子、鈴木奈緒、橘ますみ、原田ひかり、藤小雪、水沢ひとみ、デビュー。

▼『オレンジ通信』【AVアイドル賞】朝岡実嶺❸。

▼飯島愛、『激射の女神 愛のベイサイドクラブ』（FOXY）❹でAVデビュー。

▼「女尻」シリーズ（アリスジャパン）❺スタート。女優が尻を突き上げた印象的なパッケージ写真が話題に。

▼バクシーシ山下監督『ボディコン労働者階級』❻、平野勝之『水戸拷悶 大江戸ひき廻し』❼（ともにV&Rプランニング）が話題に。

▼予算削減の影響か、企画モノAVが急増。

▼井口昇、宇佐美忠則、AV監督デビュー。

▼アロマ企画リリース開始。

▼松下一夫監督の「美少女スパイ拷問」シリーズ❽、佐藤義明監督の「SMマニア撮り」シリーズなど、自主制作の通販ビデオが人気を集める。

▼流出裏ビデオが急増し、撮り下ろし裏ビデオがほぼ消滅。

▼AV人権ネットワーク結成。

▼コンピューターソフトウェア倫理機構発足。

▼浅倉舞、綾乃、希志真理子、北原志穂、佐伯祐里、早乙女美紀、芹澤あゆみ、高倉みなみ、田村香織、観月マリ、憂木瞳❾、デビュー。

❶

❷

❸

❹

❺

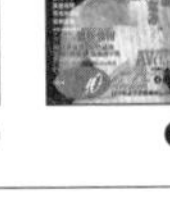

❻

❼

❽

1993

▼『オレンジ通信』【AVアイドル賞】白石ひとみ❶。

▼セルビデオチェーン、ビデオ安売王がフランチャイズ展開。セルビデオ時代を切り開く。

▼代々木忠監督「ザ・面接」シリーズ（アテナ映像）❷、日比野正明監督「THE・FUCK FUCK FUCK」シリーズ（クリスタル映像）スタート。

▼ダイヤモンド映像から裏ビデオが大量流出。

▼辻幸雄監督が「制服美少女たちの放課後」シリーズをリリース。ブルセラの帝王と呼ばれるも逮捕。

▼BROAD、野外露出作品『真・M女の昼』❸、『真・M女の夜』発売。

▼ブルセラショップ、ロペ渋谷店、フリー＆フリー、アドなどが摘発される。

▼インターネット一般開放。

▼日本初のアダルトCD-ROM『HYPER AV』（ステップス）発売。

▼吉村卓、AV男優デビュー。

▼かわいなつみ、国見真菜、樹里あんな、新堂有望、杉本ゆみか（石井みずほ）、高原愛美、西野美緒、林かれん、氷高小夜❹、平井由美、藤谷しおり、藤田リナ、松本コンチータ❺、美里真理、デビュー。

1994

▼『オレンジ通信』【AVアイドル賞】憂木瞳❻。

▼豊田薫監督のヘアビデオ『Mary Jane／河合メリージェーン』（ケイネットワーク）❼発売。

▼痴女AVの元祖『憎いほど男殺し』（アロマ企画）❽発売。主演は三代目葵マリー（水樹千春名義）。

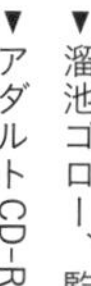

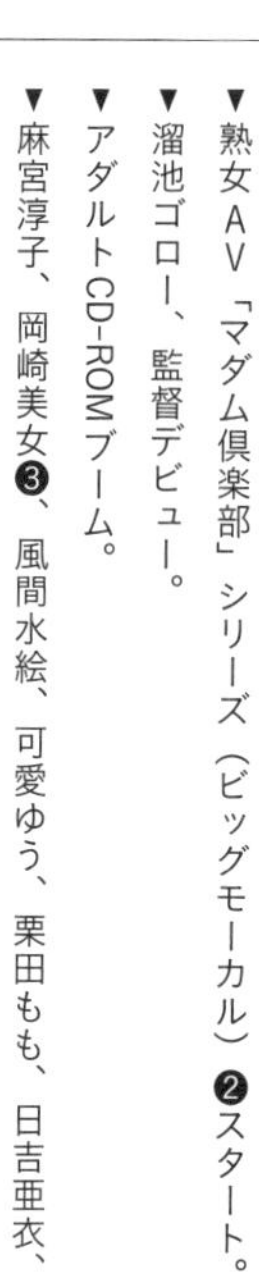

❶ ❷ ❸ ❹ ❺ ❻ ❼ ❽

▼ゴールドマン監督の「ザ・フーゾク」シリーズ（クリスタル映像）❶など風俗AVがブームに。
▼熟女AV「マダム倶楽部」シリーズ（ビッグモーカル）❷スタート。
▼溜池ゴロー、監督デビュー。
▼アダルトCD-ROMブーム。
▼麻宮淳子、岡崎美女❸、風間水絵、可愛ゆう、栗田もも、日吉亜衣、細川しのぶ、細川百合子、松田ちゆり、水沢早紀、水野愛、矢吹まりな、デビュー。
▼『オレンジ通信』【AVアイドル賞】氷高小夜❹。

1995

▼ビデオ安売王、事実上崩壊。
▼ソフト・オン・デマンド、シャトルジャパン、ワイルドサイド、桃太郎映像出版設立。
▼ゴールドマン監督「私は痴女」（クリスタル映像）❺シリーズをスタート。
▼二村ヒトシ、AV監督デビュー。
▼日本初のアダルトサイト、Tokyo Topless開設。
▼AVメーカーのKUKIが、KUKI TOWER開設。
▼麻生早苗、川浜なつみ❻、川奈由依、北原梨奈、桜沢菜々子、城麻美、橘未稀、星野杏里、水原美々、宮木汐音、夕樹舞子、デビュー。
▼『オレンジ通信』【AVアイドル賞】北原梨奈❼。

1996

▼豊田薫監督のセルレーベル、リア王始動。
▼ソフト・オン・デマンド『50人全裸オーディション』❽が大ヒットするも、総製作費9000万円の超大作「地上20メートル空中ファック」シリーズは

❶

❷

❸

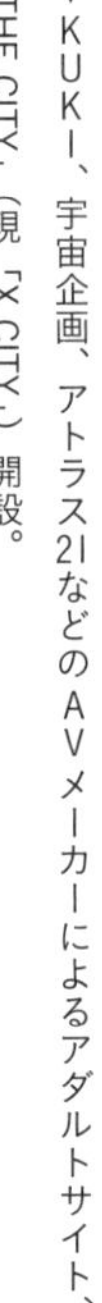

❹

❺

❻

❼

❽

1997

大失敗。

▼アダルトDVD第一作『桃艶かぐや姫・危機一髪 小室友里』❶（芳友メディアプロデュース）発売。

▼松本和彦監督、エムズより「一期一会」❷全12作を発売。大ヒットを記録。

▼ソフト・オン・デマンド、「爆走！マジックミラー号がイク！」❸シリーズ開始。

▼インディーズで野外露出ブーム。

▼KUKI、宇宙企画、アトラス21などのAVメーカーによるアダルトサイト、「THE CITY」（現「X CITY」）開設。

▼裏ビデオ「援助交際白書」シリーズが人気。

▼永沢光雄によるインタビュー集『AV女優』（ビレッジセンター）が話題に❹。

▼小沢まどか、加納瑞穂、光月夜也、小室友里、桜木亜美、沢口みき、七瀬あゆみ、瞳リョウ、三原夕香、矢沢ようこ、デビュー。

▼『オレンジ通信』【AVアイドル賞】麻生早苗❺。

▼風間ゆみ、18歳でAVデビュー（当時の芸名は鈴川ちか）❻。

▼平野勝之監督の『わくわく不倫旅行』（V&Rプランニング）が『由美香』❼と改題されて劇場公開。

▼凌辱専門メーカー、アタッカーズ設立。

▼菅原ちえ、『初めてのkiss』（ソフト・オン・デマンド）❽で監督デビュー。

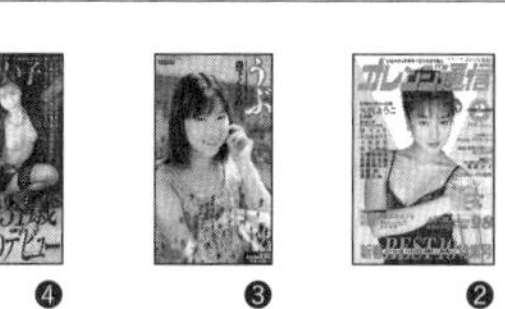

❼ ❻ ❺ ❹ ❸ ❷ ❶

1998

▼カンパニー松尾監督「テレクラキャノンボール」シリーズ（h.m.p）❶スタート。

▼「ザ・筆おろし」シリーズ（クリスタル映像）スタート。

▼夕樹舞子、香港でのサイン会が騒動になり中止に。

▼メディア倫理協会発足。

▼アメリカで、XVideosがスタート。

▼青沼ちあさ、小川明日香、金沢文子、河合美奈、涼木もも香、藤崎みなみ（英知バウ子）、夏樹みゆ、水野はるき、みなみありす、若菜瀬名、吉野サリー、吉村彩、デビュー。

▼『オレンジ通信』【AVアイドル賞】矢沢よう子❷。

▼森下くるみがソフト・オン・デマンドと12本契約の専属女優としてデビュー❸。

▼牧原れい子『31歳 恥じらいデビュー』（クリスタル映像）❹でAVデビュー。

▼菅原ちえ監督『淫語しようよ！』（ソフト・オン・デマンド）❺が大ヒット。

▼ワープエンタテインメント発足。単体女優を起用したぶっかけAV「ドリームシャワー」シリーズがスタート。

▼『最後の露出』❻を最後にソフト・オン・デマンドが野外露出から撤退。野外露出ブーム終結へ。

▼桃太郎映像出版がデジタルモザイク（デジ消し）作品を発売。

▼ハリウッドフィルムから小室友里出演の薄消しで話題になった「ルームサービス」❼シリーズが発売。

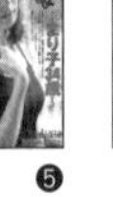

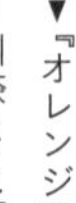

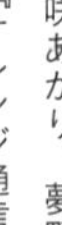
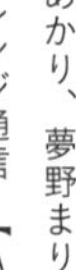
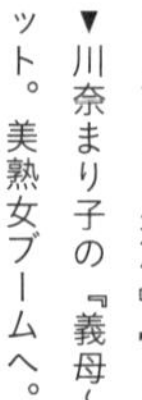

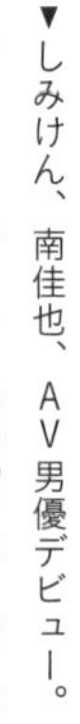
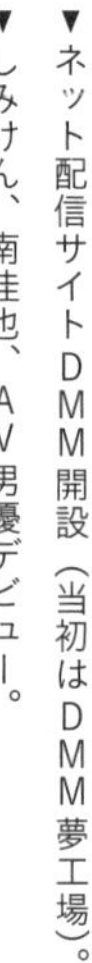
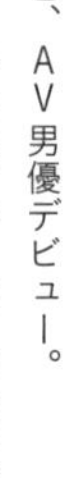

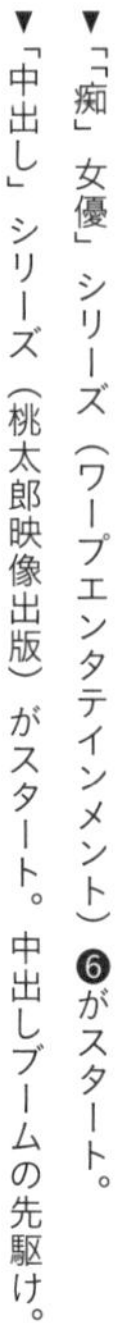
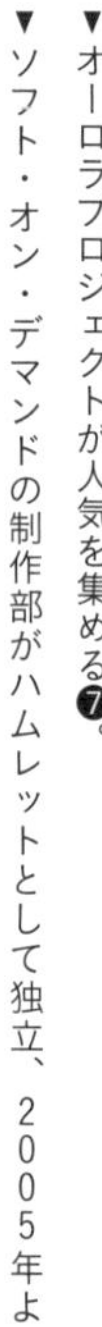

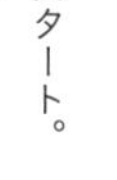

❶ ❷ ❸ ❹ ❺ ❻ ❼ ❽

1999

▼薄消しビデオ『すけべっ子倶楽部』(K's)❶が大ヒットするも制作スタッフが逮捕。
▼逆輸入ビデオが裏ビデオとして人気に。
▼『ギルガメッシュないと』放送終了。
▼CSでアダルト専門のチェリーボム、パラダイステレビ放送開始。
▼ネット配信サイトDMM開設(当初はDMM夢工場)。
▼しみけん、南佳也、AV男優デビュー。
▼天宮かのん、川島和津実❷、椎名舞、鈴木麻奈美❸、遠野ゆき美、三田友穂、山咲あかり、夢野まりあ、吉井美希(伊沢涼子)、デビュー。
▼『オレンジ通信』【AVアイドル賞】若菜瀬奈❹。
▼川奈まり子の『義母〜まり子34歳〜』(ソフト・オン・デマンド)❺が大ヒット。美熟女ブームへ。
▼「"痴"女優」シリーズ(ワープエンタテインメント)❻がスタート。
▼「中出し」シリーズ(桃太郎映像出版)がスタート。中出しブームの先駆け。
▼オーロラプロジェクトが人気を集める❼。
▼ソフト・オン・デマンドの制作部がハムレットとして独立、2005年よりSODクリエイトに改称。
▼ナチュラルハイ、ディープス発足。
▼朝霧浄、キョウセイ監督デビュー。
▼「プレミア」(ワイエム商会)、「COOL」(インタージャパン)など超薄消しビデオがブームになるも摘発が相次ぐ❽。

❶ ❷ ❸ ❹ ❺ ❻ ❼ ❽

2000

▼援交ビデオ「関西援交」シリーズが人気に。
▼AV通販サイト、DMM開設。
▼無修正画像配信サイト、ASIAN HOT（亜熱）開設。後に動画配信も。
▼FC2設立。
▼児童ポルノ禁止法施行。
▼改正風営法施行により、デリヘルが認可される。
▼黒田悠斗、森林原人、AV男優デビュー。
▼葵みのり❶、秋菜里子、秋本那夜、秋本優奈、鮎川あみ、小池亜弥、小泉キラリ（菅野桃）、桜井風花❷、桜真琴、長瀬愛、葉山小姫、広末奈緒❸、宝生奈々、森野いずみ、デビュー。
▼『オレンジ通信』【AVアイドル賞】森下くるみ❹。
▼アダルトDVDリリース本格化。
▼ムーディーズ発足。
▼中出しブーム。
▼WATARUX監督の「素人ギャルズ［LEVEL A］」シリーズ（アリスジャパン）❺スタート。企画女優ブームの火付け役に。
▼司書房が旧作AVをDVD化したムックを販売❻。
▼『月刊DMM』（ジーオーティー）❼創刊。
▼飯島愛『プラトニック・セックス』（小学館）がベストセラーに❽。
▼ファイル交換ソフトWinMXが登場。
▼サンプル動画のポータルサイト、動画ファイルナビゲーター開設。

❶

❷

❸

❹

❺

❻

❼

❽

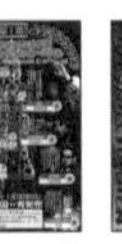

❾

2001

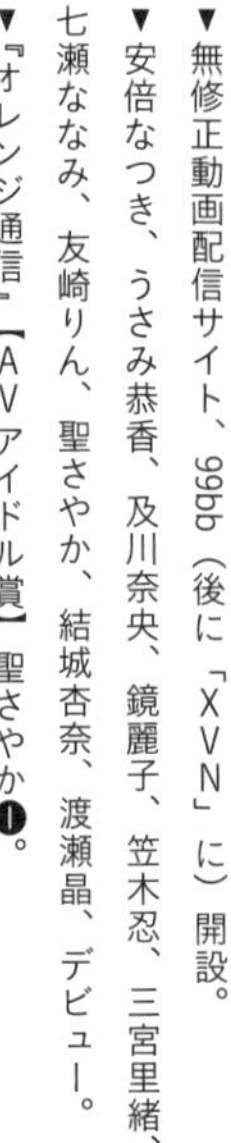

▼無修正動画配信サイト、99bb（後に「XVN」に）開設。

▼安倍なつき、うさみ恭香、及川奈央、鏡麗子、笠木忍、三宮里緒、遠野小春、七瀬ななみ、友崎りん、聖さやか、結城杏奈、渡瀬晶、デビュー。

▼『オレンジ通信』【AVアイドル賞】聖さやか❶。

▼キカタン（企画単体女優）ブーム。長瀬愛❷、笠木忍、堤さやか、桃井望などが人気に。高橋がなり、TV番組『マネーの虎』（日本テレビ系）出演で一躍注目を集める。

▼TOHJIRO監督、ソフト・オン・デマンドでDogmaレーベルを発足。翌年、メーカーとして独立❸。

▼二村ヒトシ監督、『痴女行為の虜になった私たち3 巨乳女医は男の乳首が好き』（ソフト・オン・デマンド）❹で男の乳首への愛撫をクローズアップする。

▼超人気シリーズの第一弾『Moodyzファン感謝祭 バコバコバスツアー』（ムーディーズ）❺リリース。2003年からシリーズ化。

▼「超高級ソープ嬢」シリーズ（SODクリエイト）❻、「ドリーム学園」シリーズ（ムーディーズ）❼、「みるスポ！」シリーズ（みるきぃぷりん♪）スタート。

▼エムズが「ザーメンチャンピオンカーニバル」❽を主催。

▼神戸たろう、監督デビュー。

▼無修正DVD第一号『D-mode PASSION』❾発売。海外制作の無修正DVDが人気を集める。

▼及川奈央の無修正DVDが出回る。

❶ ❷ ❸ ❹ ❺ ❻ ❼ ❽

2002

▼朝河蘭、天野こころ、彩名杏子、音咲絢、神谷沙織、神田もも、黒沢愛、堤さやか、デヴィ、長谷川瞳、長谷川留美子、早坂ひとみ、桃井望、デビュー。
▼『オレンジ通信』【AVアイドル賞】長瀬愛❶。
▼ケイ・エム・プロデュース❷、プレステージ❸発足。
▼工藤澪監督、実録出版❹を設立。
▼ソフト・オン・デマンド、それまで4000円だった定価を2980円に値下げ。
▼DMM、ダウンロード販売開始。
▼南波杏、『Number.!!』(ムーディーズ)❺でAVデビュー。
▼4時間ノンストップで女優をイカセ続ける「イカセ4時間」シリーズ(ミリオン)❻スタート。
▼初めて会った人妻と一泊二日の旅行に行くドキュメント「人妻不倫旅行」シリーズ(ゴーゴーズ)❼スタート。
▼杉浦ボッ樹、男優デビュー。
▼菊淋、沢庵、K*WEST監督デビュー。
▼長瀬愛、堤さやか、桃井望、樹若菜がアイドルグループ「minx」を結成しCDデビュー❽。
▼DMMでビデ倫メーカー作品も配信を開始。
▼カリビアンコムが無修正動画の配信を開始。
▼ファイル交換ソフトWinnyが登場。
▼蒼井そら、小沢菜穂、黒崎扇菜、沢口あすか、白石ひより、友田真希、春菜

❶ ❷ ❸ ❹ ❺ ❻ ❼

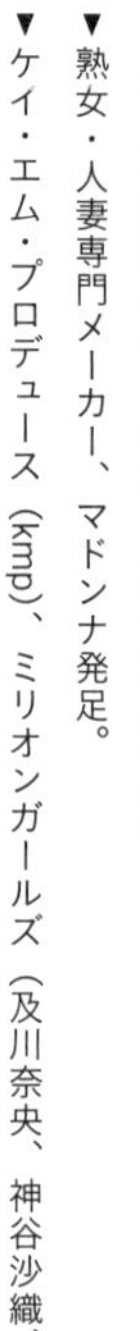

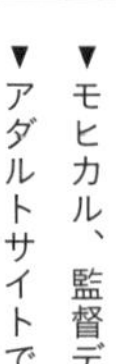
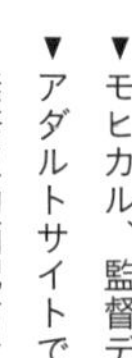
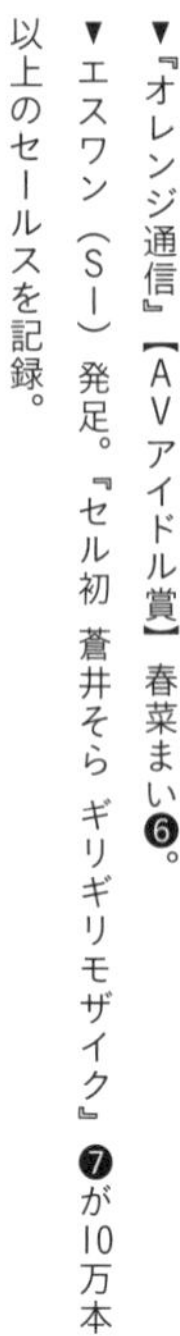

まい、星月まゆら、松島かえで、三田愛、紋舞らん、美竹涼子、デビュー。
▼『オレンジ通信』【AVアイドル賞】及川奈央❶。

2003

▼熟女・人妻専門メーカー、マドンナ発足。
▼ケイ・エム・プロデュース（kmp）、ミリオンガールズ（及川奈央、神谷沙織、長谷川瞳、早坂ひとみ、紋舞らん）結成❷。
▼ビジュアルソフトコンテンツ事業組合（VSIC）が、通産省から協同組合として正式に認可される。
▼『2003年度 ソフト・オン・デマンド 社内健康診断』（ソフト・オン・デマンド）❸から「SOD女子社員」シリーズがスタート。
▼朝河蘭、一年で304作に出演するも、引退へ❹。
▼モヒカル、監督デビュー。
▼アダルトサイトでも静止画から動画へ比重が移りはじめる。
▼無修正動画配信サイト、TOKYO HOT（東京熱）開設。
▼日本人女優を起用したアメリカの無修正AVメーカー、XオンエアがジャパンXレーベルをスタートさせる❺。
▼朝比奈ゆい、小倉ありす、君嶋もえ、古都ひかる、坂下麻衣、桜朱音、里美ゆりあ（小泉彩）、白鳥さくら、高樹マリア、nao.、姫咲しゅり、水元ゆうな、紫彩乃、吉沢明歩、デビュー。
▼『オレンジ通信』【AVアイドル賞】春菜まい❻。

2004

▼エスワン（S1）発足。『セル初 蒼井そら ギリギリモザイク』❼が10万本以上のセールスを記録。

❽ ❼ ❻ ❺ ❹ ❸ ❷ ❶

▼紅音ほたる、立花里子、乃亜❶、寧々などの痴女系女優が次々とデビュー。
▼元アイドルの小沢なつき、『決心』（アリスジャパン）❷でAVデビュー。
▼新人がデビューを飾る「First Impression」シリーズ（アイデアポケット）❸スタート。
▼カンパニー松尾監督らのメーカーHMJMがリリース開始❹。
▼ベイビーエンターテイメント、「女体拷問研究所」シリーズをスタート。イカセ物ブームへ。
▼「タオル一枚 男湯入ってみませんか?」シリーズ（SODクリエイト）❺スタート。
▼TMA、人気アニメをモチーフにした『マリア様がみている』❻発売。忠実な再現が話題となり、以降アニメ系パロディ作品を連発。
▼ソフト・オン・デマンドがVHSの販売を終了。
▼V&Rプランニング、ビデ倫脱退。
▼女優に暴力的な撮影をおこなったバッキービジュアルプランニングの社長など関係者が逮捕される。
▼『ビデオメイトDX』の「読者が選ぶ人気メーカーランキング」でムーディーズが、長年王座を独占していたソフト・オン・デマンドを押しのけて首位に。
▼過激な着エロ「AV未満」シリーズ（エリスコーポレーション）❼が人気に。
▼麒麟、監督デビュー。
▼無修正AVメーカー、スカイハイ設立❽。
▼付録にDVDをつける雑誌が増える。

❶

❷

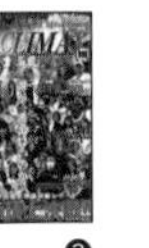

❸

❹

❺

❻

❼

2005

▼チョコボール向井、ハプニングバーでの公然わいせつ罪で逮捕される。

▼都内風俗店一斉摘発。

▼一徹、AV男優デビュー。

▼あいだゆあ、天衣みつ、大塚咲（小野沙樹）、片瀬あき、川上ゆう（森野雫）、如月カレン、佐山愛、夏目ナナ、長谷川ちひろ、萩原舞、藤沢マリ、星りょう、穂花、仲村もも、西野翔、二宮沙樹、デビュー。

▼『オレンジ通信』【AVアイドル賞】夏目ナナ❶。

▼赤坂ルナと紫彩乃がミリオンマダムス就任❷。

▼インディーズ系メーカーがレンタルに進出。

▼トライハートコーポレーション、クリスタル映像がビデ倫脱退。新審査団体、日本映像ソフト制作・販売倫理機構（制販倫）設立。

▼レアルワークス設立。

▼ドグマ主催の監督対抗戦「D-1クライマックス」開催❸。

▼女子プロレスラー、東城えみが『緊急強行発売！ 東城えみ電撃AVデビュー』（ナチュラルハイ）❹でAVデビュー。リングで撮影をしたことが問題に。

▼高橋がなり、ソフト・オン・デマンド代表取締役社長を辞任。

▼ささきうずまき監督「時間よ止まれ！」シリーズ（V&Rプロダクツ）❺スタート。時間停止物ブームに。

▼TOHJIRO監督「Mドラッグ」シリーズ（ドグマ）スタート。

▼主観デート物「癒らし。」シリーズ（アウダーズ）❻スタート。

▼オシャレ系AV「TOKYO流儀」シリーズ（プレステージ）❼スタート。

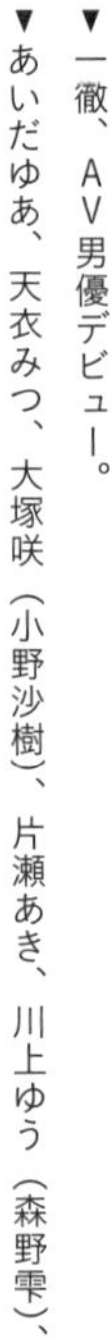

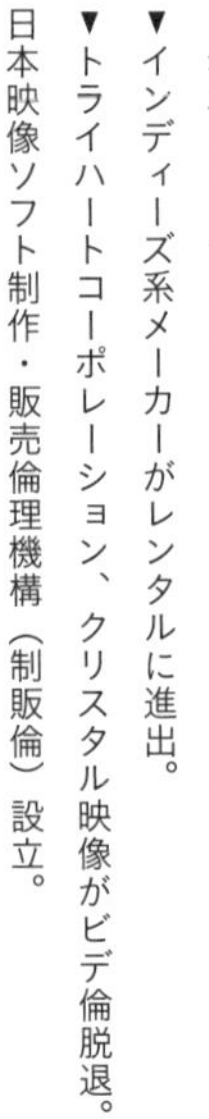
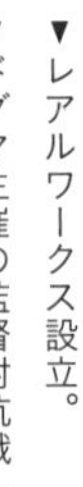

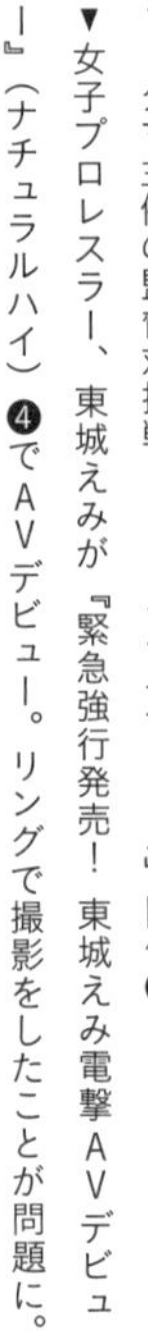

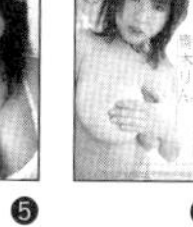

❶ ❷ ❸ ❹ ❺ ❻ ❼ ❽

2006

▼SM大河ドラマ「奴隷島」シリーズ（アタッカーズ）スタート。
▼熟女物「母子交尾」シリーズ（ルビー）❶スタート。
▼林由美香、急死。
▼Tora-Tora-Tora、エッチな4610など、無修正動画配信サイトが急増。
▼ブログをはじめるAV女優が急増。
▼貞松大輔、AV男優デビュー。
▼晶エリー（大沢佑香）、麻美ゆま、天海麗、小澤マリア、かすみ果穂、君島みお（京本かえで）、倖田梨紗、志保、鈴木杏里、長澤つぐみ、松野ゆい、Marin.、みひろ、峰なゆか、Rio（柚木ティナ）、吉崎直緒、デビュー。
▼『オレンジ通信』【AVアイドル賞】南波杏❷。
▼メーカー16社対抗「AV OPEN」開催❸。
▼青木りんが『現役アイドル ギリギリモザイク Kカップ×ギリギリモザイク』（エスワン）❹、範田紗々が『芸能人 範田紗々デビュー』（SODクリエイト）❺でAVデビュー、芸能人AVブームへ。
▼つぼみ、『新人ギリギリモザイク つぼみ』（エスワン）❻でAVデビュー。ロリ系女優のトップとして長く活躍する。
▼マキシング、Kawaii*参入。
▼溜池ゴロー、Nadeshiko、WOMANなど熟女メーカーが次々と設立。
▼ビデ倫、ヘア・アナルを解禁し基準を緩和。
▼「脅迫スイートルーム」シリーズ（ドリームチケット）❼、「しょう太くんのHなイタズラ」シリーズ（グローリークエスト）❽、「WATER POLE」シリー

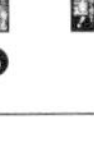

❶ ❷ ❸ ❹ ❺ ❻ ❼

2007

ズ（プレステージ）スタート。

▼グレイズが世界初のハイビジョンAV『立花里子の奴隷部屋 野々宮りん』❶を発売。

▼『anan』のセックス特集号で夏目ナナ主演のDVDが付録につく❷。

▼マニアックな動画配信サイト、DUGA開設。

▼同人ダウンロード販売サイト、DL.Getchu.com開設。

▼紋℃、監督デビュー。

▼糸矢めい、加藤ツバキ、北島玲、小坂めぐる、早乙女優、竹内あい、浜崎りお、春咲あずみ、北条麻妃（白石さゆり）❸、まり子、美波さら、桃瀬えみる、デビュー。

▼『オレンジ通信』【AVアイドル賞】紅音ほたる❹。

▼「日本アダルト放送大賞」【女優賞】あいだゆあ、【熟女女優賞】友崎亜希。

▼ビデ倫、わいせつ図画販売幇助容疑で家宅捜索。

▼第二回「AV OPEN」❺でSODクリエイトの不正が発覚し、優勝取り消し。

▼「AVグランプリ」開催❻。

▼「D-1クライマックス」第三回で終了。

▼AVメーカーなどのアダルト関連企業によるイベント「アダルト・トレジャー・エキスポ2007」が幕張メッセで開催。

▼痴女ブーム終息へ。

▼櫻井ゆうこ、琴乃❼、板垣あずさなどSODクリエイトから芸能人AV女優が続々デビュー。

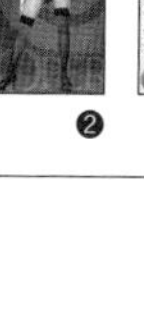

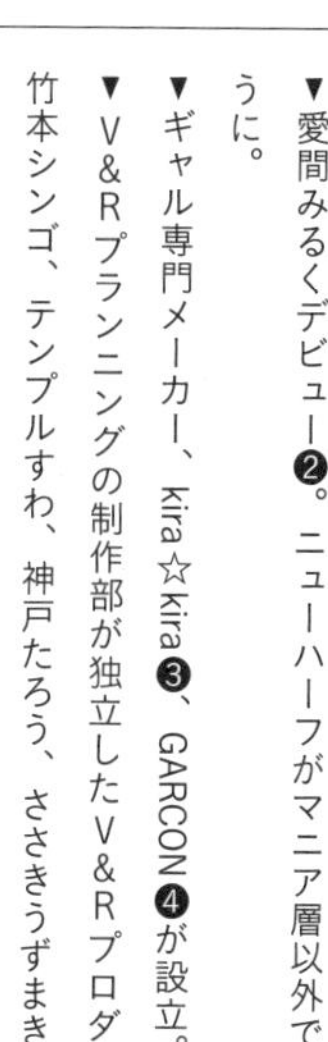

❶ ❷ ❸ ❹ ❺ ❻ ❼ ❽

2008

▼コスプレイヤーのきこうでんみさ、『芸能人♥デビュー!! きこうでんみさ』（クリスタル映像）❶でAVデビュー。アキバ系アイドルのAV進出が目立つように。

▼イカセ物、浣腸物など過激なジャンルがブームに。

▼愛間みるくデビュー❷。ニューハーフがマニア層以外でも受け入れられるように。

▼ギャル専門メーカー、kira☆kira❸、GARCON❹が設立。

▼V&Rプランニングの制作部が独立したV&Rプロダクツが分裂。社長の竹本シンゴ、テンプルすわ、神戸たろう、ささきうずまきらは退社し、翌年に新メーカーROCKETを設立。

▼東京都の迷惑行為防止条例改正によりナンパ物の撮影が困難に。

▼英知出版倒産。

▼FC2動画開設。

▼Tora-Tora-Tora、突如閉鎖。

▼浅尾リカ❺、明日花キララ❻、綾波優、大橋未久、艶堂しほり、かすみりさ❼、佐山愛、田中亜弥、辻さき、七海なな、初音みのり、原更紗（夏目彩春）、冬月かえで、堀口奈津美、水城奈緒、宮嶋かれん、デビュー。

▼『オレンジ通信』【AVアイドル賞】松野ゆい❽。

▼「日本アダルト放送大賞」【女優賞】穂花、【熟女女優賞】翔田千里。

▼ビデ倫審査業務終了。新審査団体「日本映像倫理審査機構」（日映審）が受け皿になる。

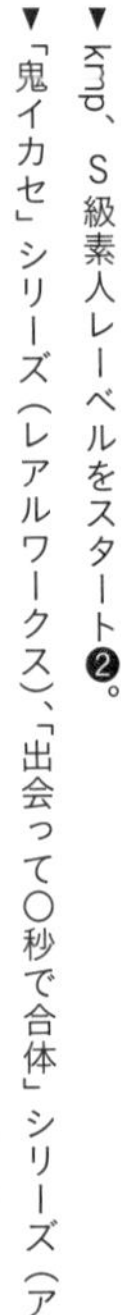

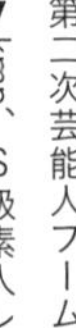
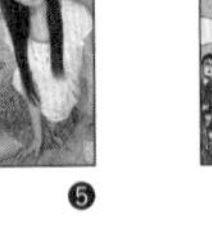
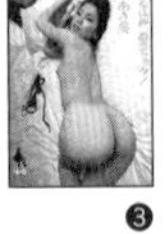

❶ ❷ ❸ ❹ ❺ ❻

2009

▼芸能人専門メーカー、MUTEKI発足。『吉野公佳 インパクト』❶が大ヒット。第二次芸能人ブームへ。

▼kmp、S級素人レーベルをスタート❷。

▼「鬼イカセ」シリーズ(レアルワークス)、「出会って○秒で合体」シリーズ(アリスジャパン)、「交わる体液、濃密セックス」シリーズ(エスワン)❸スタート。

▼嵐山みちる、タイガー小堺、監督デビュー。

▼『おねがい!マスカット』(テレビ東京系)放送開始。恵比寿マスカッツ結成❹。

▼当時最大規模の無修正配信サイトXVNが突如閉鎖。

▼及川奈央、『炎神戦隊ゴーオンジャー』(テレビ朝日)にレギュラー出演。

▼飯島愛、急死。

▼伊東遙、大槻ひびき、佳山三花、希崎ジェシカ❺、希志あいの、澤村レイコ(高坂保奈美)、辰巳ゆい、月野りさ、長澤あずさ、並木優、波多野結衣、初美りおん、原紗央莉、Hitomi、藤井シェリー、みづなれい、横山美雪、デビュー。

▼「日本アダルト放送大賞」【女優賞】Rio、【熟女女優賞】望月加奈。

▼ブルーレイAVリリース本格化。

▼女性向けAVメーカー、シルクラボがスタート。

▼小澤マリア、蒼井そらなどが海外で話題に。

▼真梨邑ケイが52歳でアダルトイメージビデオ『情事』(アリスジャパン)❻に出演。

❶ ❷ ❸ ❹ ❺ ❻ ❼ ❽

2010

▼成瀬心美、素人女性役でAVデビュー❶。たちまち注目され、500本以上出演の超人気女優に。

▼三島六三郎、監督デビュー。

▼なぎら建造監督の「あなた、許して…。」シリーズ（アタッカーズ）❷スタート。NTRブームの代表的作品に。

▼「素人娘、お貸しします。」❸シリーズ（プレステージ）スタート。

▼AV女優・真咲南朋（安藤なつ妃）が『トライアングルレズビアン』（クリスタル映像）❹で監督デビュー。人気監督となる。

▼老舗AV誌『オレンジ通信』休刊❺。

▼エスワン、ムーディーズなどを擁する最大手メーカー北都がCAに改名。

▼動画配信サイト、MGS動画がオープン。

▼あいださくら❻、秋山祥子、天海つばさ、泉麻那、小沢アリス、KAORI、かさいあみ、菅野しずか（神納花）、希内あんな、北川エリカ、妃悠愛、希美まゆ、周防ゆきこ、友田彩也香、藤浦めぐ（めぐり）、まりか、恵けい、デビュー。

▼「スカパー！アダルト放送大賞」【女優賞】明日花キララ、【熟女女優賞】小池絵美子。

▼日映審（旧ビデ倫）とCSAが統合し映像倫に。

▼3DAV発売。あまり盛り上がらず❼。

▼やまぐちりこ『日本中が待望した国民的アイドルやまぐちりこAV DEBUT』（アリスジャパン）❽、ほしのあすか『元ミスマ○ジン 芸能人ほしのあすか AV Debut』（SODクリエイト）など、アイドルのAVデビューが相次ぐ。

❶

❷

❸

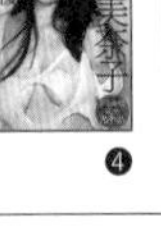
❹

❺

❻

❼

❽

2011

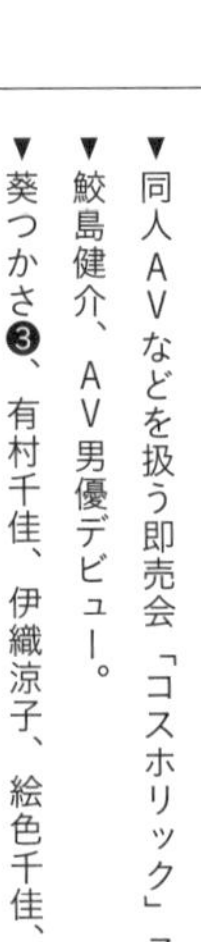

▼『夫よりも義父を愛して…。浜崎りお』（マドンナ）❶のヒットにより、若妻ブームに。
▼Twitterをはじめる AV女優が激増。
▼『ビデオメイトDX』（コアマガジン）休刊❷。
▼知的財産振興協会（IPPA）設立。
▼同人AVなどを扱う即売会「コスホリック」スタート。
▼鮫島健介、AV男優デビュー。
▼葵つかさ❸、有村千佳、伊織涼子、絵色千佳、小倉奈々、北川瞳、琥珀うた、篠田あゆみ、篠田ゆう、JULIA、仁科百華、初美沙希（しずく）、春菜はな、瑠川リナ、デビュー。
▼「スカパー！アダルト放送大賞」【女優賞】原紗央莉、【熟女女優賞】堀口奈津美。
▼小向美奈子、『AV女優 小向美奈子』（アリスジャパン）❹でAVデビュー。AV史上最高の20万本の売上を記録。
▼ニコニコ生放送で話題となった片桐えりりかが『AV Debut 片桐えりりか』（SODクリエイト）❺でAVデビュー。
▼国際派女優、島田陽子がMUTEKIから『密会』❻、『不貞愛』を発売。
▼代々木忠監督のドキュメンタリー映画『YOYOCHU SEXと代々木忠の世界』❼劇場公開。
▼平野勝之監督、林由美香の死を巡るドキュメンタリー映画『監督失格』❽劇場公開。

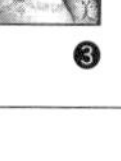

❶ ❷ ❸ ❹ ❺ ❻ ❼ ❽

2012

▼AIKA、上原亜衣、丘咲エミリ、沖田杏梨、奥田咲、小倉ゆず、音市美音、神咲詩織、小島みなみ、さとう遥希、渚ことみ、星美りか、真木今日子、南梨央奈、源みいな、由愛可奈❶、デビュー。

▼「スカパー！アダルト放送大賞」【女優賞】麻倉憂、【熟女女優賞】川上ゆう。

▼アダルトビデオ30周年記念企画『AV30』スタート❷。

▼成瀬心美、企画女優から宇宙企画専属女優に❸。

▼冴島奈緒、癌のため死去。

▼結城結弦、男優デビュー。

▼麻生希、あべみかこ、あやみ旬果❹、尾上若葉、乙葉ななせ（山下優衣）、佳苗るか、神波多一花、神谷まゆ、川上奈々美❺、木村つな、古川いおり、小早川怜子、紗倉まな❻、白木優子❼、神ユキ、春原未来、蓮実クレア、浜崎真緒、デビュー。

▼「スカパー！アダルト放送大賞」【女優賞】成瀬心美、【熟女女優賞】北条麻妃。

2013

▼カリスマ男優・加藤鷹引退。

▼3月に引退した麻倉憂が、半年後にカリビアンコムの無修正作品『女熱大陸 File.032』で復帰。

▼麻美ゆま、卵巣の境界悪性腫瘍を告白。

▼恵比寿マスカッツ解散。

▼『ビデオ・ザ・ワールド』（コアマガジン）休刊❽。

▼愛須心亜、阿部乃みく、安齋らら（宇都宮しをん）、一之瀬すず、推川ゆうり、

❶ ❷ ❸ ❹ ❺ ❻ ❼

希島あいり、桜井あゆ、白石茉莉奈、鈴木心春、鈴村あいり、千乃あずみ、通野未帆、成宮ルリ、水野朝陽、湊莉久、夢乃あいか、吉川あいみ、デビュー。
▼「スカパー！アダルト放送大賞」【女優賞】さとう遥希、【熟女女優賞】星野あかり。

2014

▼AV OPEN 2014開催。
▼男の娘・大島薫がkmpの専属女優に❶。
▼『劇場版　テレクラキャノンボール2013』❷公開。異例のロングランヒット。
▼「Japan Adult Expo 2014」開催。
▼中国の反日デモで、「尖閣諸島は中国のもの。蒼井そらは世界のもの」というフレーズが話題となる。
▼『超乳Jカップ　澁谷果歩パイパンデビュー』（アリスジャパン）❸でAVデビューした澁谷果歩が、東京スポーツ新聞の記者だったことが話題に。
▼「一般男女モニタリングAV」シリーズ（ディープス）❹、「我慢できれば生中出しSEX！」シリーズ（ワンズファクトリー）❺スタート。
▼天使もえ❻、霧島さくら、佐倉絆❼、さくらゆら、涼川絢音、辻本杏、桃谷エリカ、初川みなみ、松岡ちな、麻里梨夏（成海うるみ）、宮崎あや、由來ちとせ（七草ちとせ）、デビュー。
▼「スカパー！アダルト放送大賞」【女優賞】波多野結衣、【熟女女優賞】一条綺美香。
▼「DMMアダルトアワード」【プラチナ賞】上原亜衣。

❶

❷

❸

❹

❺

❻

2015

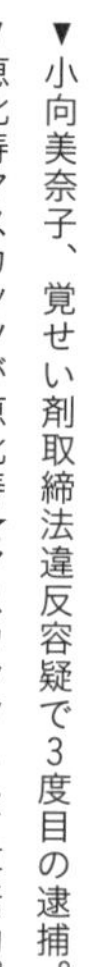

▼小向美奈子、覚せい剤取締法違反容疑で3度目の逮捕。

▼恵比寿マスカッツが恵比寿★マスカッツとして再活動。『マスカットナイト』（テレビ東京系）放送開始。

▼アイドルの三上悠亜が『Princess Peach』（MUTEKI）❶でAVデビュー。

▼上原亜衣が無修正配信動画に出演。

▼AV女優によるアイドルグループがブームに。

▼大手動画投稿サイトFC2の代表者が逮捕。

▼ビデ倫裁判、最高裁で有罪確定。

▼児童ポルノの単純所持禁止に。

▼跡美しゅり、あおいれな❷、伊東ちなみ、市川まさみ、佐々木あき❸、椎名そら❹、園田みおん、高千穂すず、花咲いあん、深田結梨（浅田結梨）、本田莉子、松下紗栄子、三原ほのか、向井藍、桃乃木かな❺、若菜奈央、デビュー。

▼「スカパー！アダルト放送大賞」【女優賞】紗倉まな、【熟女女優賞】篠田あゆみ。

▼「DMM.R18アダルトアワード」【最優秀女優賞】湊莉久。

2016

▼AV女優への出演強要が社会問題化。モデルプロダクションなどが逮捕される。

▼出演強要問題を受け、表現者ネットワーク（AVAN）が設立。

▼グラビアアイドルの高橋しょう子が『グラビア四天王たかしょー MUTEKI Debut 高橋しょう子』（MUKTEKI）❻でAVデビュー。

▼バラエティタレントの坂口杏里がANRI名義で『芸能人ANRI What a day!!』

❶

❷

❸

❹

❺

❻

❼

(MUTEKI)❶でAVデビュー。
▼『泥酔BBQNTR 妻の会社の飲み会ビデオ』(JET映像)❷発売。NTRブームに。
▼鈴木リズ「ヤリマンワゴンが行く」シリーズ(桃太郎映像出版)❸で監督デビュー。
▼さもあり、監督デビュー。
▼アダルトVRリリース本格化。
▼エスワン、ムーディーズなどを擁する最大手メーカーCAがWILLに改名。
▼ディープス、SODグループから離脱。
▼相沢みなみ、あず希、羽咲みはる❹、栄川乃亜、凰かなめ、妃月るい、桐谷まつり、笹倉杏、戸田真琴❺、新村あかり、二階堂ゆり、橋本ありな❻、姫川ゆうな、三島奈津子、宮沢ゆかり、桃園怜奈、デビュー。
▼「スカパー！アダルト放送大賞」【女優賞】初美沙希、【熟女女優賞】成宮いろは。
▼「DMM.R18アダルトアワード」【最優秀女優賞】大槻ひびき。
▼出演強要問題を受け、AV人権倫理機構が設立。適正AVルールを発表。
▼出演強要問題を受け、モデルプロダクションの協会として、日本プロダクション協会、第二プロダクション協会が設立。
▼お菓子系アイドルとして活躍した仲村みうが『Fade In 仲村みう』(MUTEKI)❼でAVデビュー。
▼太田みぎわ、監督デビュー。

2017

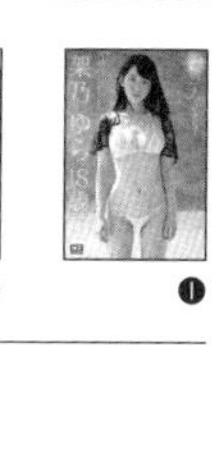

❼ ❻ ❺ ❹ ❸ ❷ ❶

2018

▼明里つむぎ、小倉由菜、河南実里、架乃ゆら❶、吉高寧々❷、枢木あおい、桜空もも、桜もこ、神宮寺ナオ、高杉麻里、永井みひな❸、七沢みあ、八乃つばさ、星奈あい、松本菜奈実、水卜さくら、美谷朱里、山岸逢花、優月まりな、デビュー。

▼「スカパー！アダルト放送大賞」【女優賞】AIKA、【熟女女優賞】羽月希。

▼「DMM.R18アダルトアワード」【最優秀女優賞】三上悠亜。

▼出演強要問題を受け、AVメーカー、制作者による映像制作者ネットワーク協会が設立。

▼フリーランス女優の協会、フリー女優連盟が設立。

▼朝霧浄監督『彼女が3日間家族旅行で家を空けるというので、彼女の友達と3日間ハメまくった記録（仮）川上奈々美』（アリスジャパン）❹発売。3日間ブームへ。

▼豆沢豆太郎監督『出張先のビジネスホテルでずっと憧れていた女上司とまさかまさかの相部屋宿泊 黒川すみれ』（マドンナ）❺発売。相部屋ブームへ。

▼DMM.R18がFANZAに改名。

▼人気AV女優の無修正動画がネットに大量流出。

▼同人AVがブームに。

▼明日花キララ、「整形でなりたい芸能人ランキング」1位に。

▼伊藤舞雪、楓カレン❻、河合あすな、河北彩花、坂道みる、宝田もなみ、唯井まひろ、二宮ひかり、深田えいみ、本庄鈴❼、凛音とうか、デビュー。

▼「スカパー！アダルト放送大賞」【女優賞】天使もえ、【熟女女優賞】花咲い

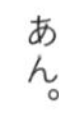

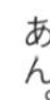

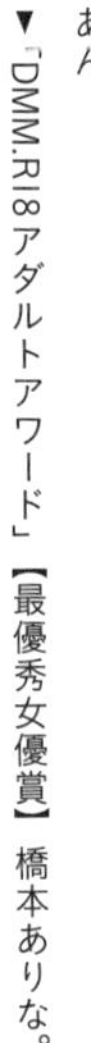
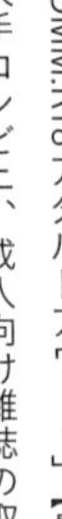

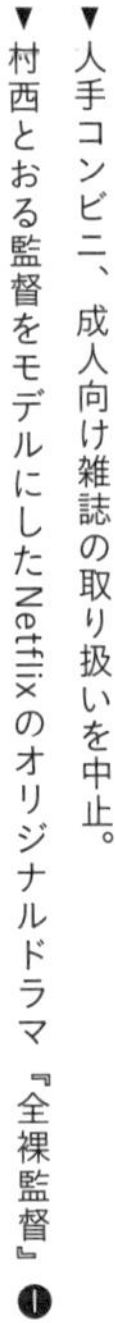
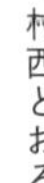
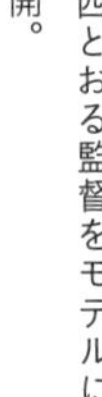
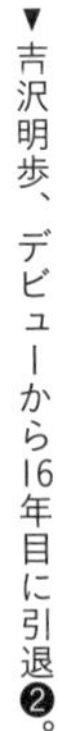
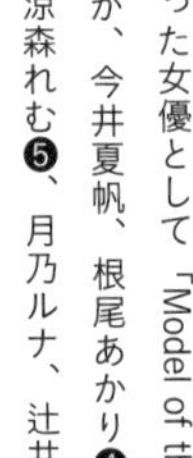
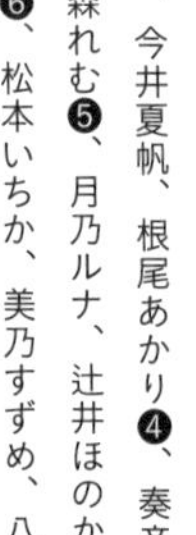

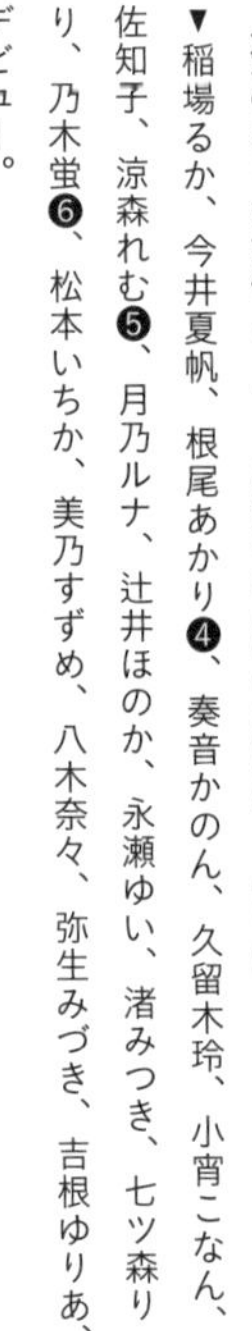

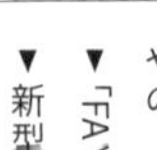
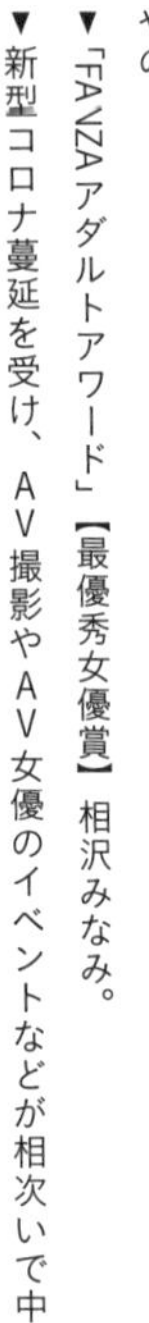

❶ ❷ ❸ ❹ ❺ ❻

あん。

2019

▼「DMM.R18アダルトアワード」【最優秀女優賞】橋本ありな。

▼人手コンビニ、成人向け雑誌の取り扱いを中止。

▼村西とおる監督をモデルにしたNetflixのオリジナルドラマ『全裸監督』❶が公開。

▼ディープフェイク、モザイク破壊など、AIを駆使した違法動画がネットでブームに。

▼吉沢明歩、デビューから16年目に引退❷。

▼H tomi、アメリカの有名巨乳サイト「SCORELAND」で10年間において最も人気のあった女優として「Model of the Decade」を受賞❸。

▼稲場るか、今井夏帆、根尾あかり❹、奏音かのん、久留木玲、小宵こなん、佐知子、涼森れむ❺、月乃ルナ、辻井ほのか、永瀬ゆい、渚みつき、七ツ森りり、乃木蛍❻、松本いちか、美乃すずめ、八木奈々、弥生みづき、吉根ゆりあ、デビュー。

▼「スカパー！アダルト放送大賞」【女優賞】戸田真琴、【熟女女優賞】加藤あやの。

▼「FANZAアダルトアワード」【最優秀女優賞】相沢みなみ。

2020

▼新型コロナ蔓延を受け、AV撮影やAV女優のイベントなどが相次いで中止に。

▼配信特化型AVメーカー、FALENOが活動を本格化。大物女優と次々に専属契約。

❶

❸

❹

❺

❻

❷

▼紗倉まな、3冊目の小説『春、死なん』❶が、野間文芸新人賞の候補作に。
▼世界最大級の動画投稿サイトPornhubが数百本の動画を凍結。
▼「スカパー！アダルト放送大賞」【女優賞】佐倉絆、【熟女女優賞】綾瀬麻衣子。
▼「FANZAアダルトアワード」未開催。
▼葵いぶき、天音まひな、有栖花あか（汐世）、石原希望、小野六花❷、花音うらら、木下ひまり、沙月恵奈、さつき芽衣、三宮つばき、白桃はな❸、白峰ミウ、田中ねね、東條なつ、夏目響、二階堂夢（本郷愛）、姫咲はな、藤森里穂、宮島めい、八掛うみ、デビュー。

2021

▼プレステージ、マキシング、ホットエンターテイメント、SODクリエイトなどがFANZAから撤退。
▼SODクリエイトの無修正動画素材がネットに大量流出。
▼乳首責め物、エステ物など男性が受け身になる作品が人気に。
▼梁井一監督の「ギャルすたグラム」シリーズ（HMJM）❹が大ヒット。
▼青木桃、朝田ひまり、天宮花南、石川澪❺、稲森美優、小倉七海、花狩まい、北野未奈、工藤ララ、倉本すみれ、琴音華、小宵こなん、日向なつ、水原みその、MINAMO、安位カヲル、山手梨愛、結城りの、楪カレン❻、横宮七海、デビュー。

2022

▼AV新法が突然施行され、AV業界が大混乱に。
▼SODクリエイト作品、FANZAでの取り扱い再開。
▼FANZAでマスターカードでの決済が利用停止に。

❶

❷

❸

❹

▼日本適正男優連盟が発足。
▼戸田真琴が、監督、脚本、編集を手掛けた映画『永遠が通り過ぎていく』が全国の劇場で公開❶。
▼デビュー16年目のつぼみ❷をはじめとして、川上奈々美、Hitomi、古川いおり❸、あべみかこ、高橋しょう子などレジェンド級のAV女優が続々と引退。
▼定額制動画配信サービス「DMM TV」スタート。WILLのAVも一部定額観放題の対象に。
▼無修正動画アップロードで逮捕されていた映像制作会社社長が、出演女性に契約書を渡さなかった件で12月に再逮捕。AV新法初の逮捕者に。
▼安達夕莉、五芭、九野ひなの、小湊よつ葉、恋渕ももな、宍戸里帆❹、穂花あいり、日向かえで、三葉ちはる、宮下玲奈、八蜜凛、デビュー。

書籍

阿久真子『裸の巨人――宇宙企画とデラべっぴんを創った男 山崎紀雄』双葉社、2017年
足立倫行『アダルトな人びと』講談社、1992年
飯島愛『プラトニック・セックス』小学館、2000年
井川楊枝『モザイクの向こう側』双葉社、2016年
井川楊枝『封印されたアダルトビデオ』彩図社、2012年
荻上チキ『セックスメディア30年史――欲望の革命児たち』ちくま新書、2011年
織田祐二『グラビアアイドル「幻想」論――その栄光と衰退の歴史』双葉新書、2011年
帰山教正『映画の性的魅惑』文久社書房、1928年
カンパニー松尾・井浦秀夫『職業AV監督』秋田書店、1997–1998年
桑原稲敏『切られた猥褻――映倫カット史』読売新聞社、1993年
佐野亨編『【昭和・平成】お色気番組グラフィティ』河出書房新社、2014年
週刊朝日編『戦後値段史年表』朝日文庫、1995年
鈴木義昭『ピンク映画水滸伝――その誕生と興亡』人間社文庫、2020年
谷川建司・呉咏梅・王向華『拡散するサブカルチャー――個室化する欲望と癒しの進行形』青弓社、2009年
東良美季『アダルトビデオジェネレーション』メディアワークス、1999年
東良美季『代々木忠 虚実皮膜――AVドキュメンタリーの映像世界』キネマ旬報社、2011年
中村幻児『わがAVに関する雑感』未発表
永江朗『アダルト系』アスペクト、1998年
長澤均『ポルノムービーの映像美学――エディソンからアンドリュー・ブレイクまで 視線と扇情の文化史』彩流社、2016年
バクシーシ山下『セックス障害者たち』太田出版、1995年
長谷川卓也『いとしのブルーフィルム』青弓社、1998年
平野勝之・柳下毅一郎『「監督失格」まで――映画監督・平野勝之の軌跡』ポット出版、2013年
藤井良樹『女子高生はなぜ下着を売ったのか?』宝島社、1994年
藤木TDC『アダルトメディア・ランダムノート』ミリオン出版、2004年
藤木TDC『アダルトビデオ革命史』幻冬舎新書、2009年
三木幹夫『ブルーフィルム物語――秘められた映画75年史』世文社、1981年
宮淑子『メディアセックス幻想――AVにつくられる女と男の性文化』太郎次郎社、1994年
本橋信宏『アダルトビデオ――村西とおるとその時代』飛鳥新社、1998年
本橋信宏『全裸監督――村西とおる伝』太田出版、2016年
本橋信宏『新・AV時代――全裸監督後の世界』文藝春秋、2021年
森口以佐夫『走れビデオ産業――ビデオで儲かる百項目』文藝春秋、1971年
森ヨシユキ『アダルトビデオ「裏」の世界』宝島社、2012年

雑誌・ムック・新聞

『アサヒ芸能』(徳間書店)
『アップル通信』(三和出版)
『噂の真相』(噂の真相)
『えろちか』(三崎書房)
『映画評論』(映画日本社)
『オレンジ通信』(東京三世社)

『警察研究』（良書普及會）
『芸術新潮』（新潮社）
『月刊ニューメディア』（ニューメディア）
『月刊レジャー産業資料』（綜合ユニコム）
『サーカスマックス』（ＫＫベストセラーズ）
『サイゾー』（サイゾー）
『ザ・ベストマガジン』（ＫＫベストセラーズ）
『ザ・ベストマガジン スペシャル』（ＫＫベストセラーズ）
『実業の日本』（実業之日本社）
『実話BUNKAタブー』（コアマガジン）
『週刊朝日』（朝日新聞出版）
『週刊現代』（講談社）
『週刊新潮』（新潮社）
『週刊ＳＰＡ！』（扶桑社）
『週刊サンケイ』（サンケイ出版）
『週刊サンデー毎日』（毎日新聞出版）
『週刊大衆』（双葉社）
『週刊プレイボーイ』（集英社）
『週刊宝石』（光文社）
『週刊ポスト』（小学館）
『小説CLUB』（桃園書房）
『セクシードール』（宝島社）
『ダ・カーポ』（マガジンハウス）
『宝島』（宝島社）
『創』（創出版）
『熱烈投稿』（少年出版社）
『ビデオアクティブ』（東京三世社）
『ビデオ・ザ・ワールド』（白夜書房／コアマガジン）
『ビデオフリーク』（晋遊舎）
『ビデオプレス』（大亜出版）
『ビデオプレスDELUXE』（大亜出版）
『ビデオメイトＤＸ』（コアマガジン）
『ビデオボーイ』（英知出版）
『ビデパル』（東京三世社）
『フライデー』（講談社）
『ブラックボックス』（バウハウス）
『ぺっぴんＤＭＭ』（ジーオーティー）
『ボディプレス』（白夜書房）
『本当にあったＨな話』（ぶんか社）
『BUBKA』（コアマガジン）
『ＤＶＤパーフェクト』（日本ビジュアルソフト販売）
『ＥＸ大衆』（双葉社）
『imago』（青土社）
『NAO DVD』（三和出版）
『PENT-JAPANスペシャル』（ぶんか社）
『Ｓ＆Ｍスナイパー』（ワイレア出版）
『アダルトビデオ10年史』（東京三世社）１９９１年
『アダルトビデオ20年史』（東京三世社）１９９８年
『いやらしい2号』（データハウス）２０００年
『インディーズ王』（東京三世社）１９９９年
『インディーズのおんなのこVol.1』（コアマガジン）２００２年
『インディーズ・ビデオ・ザ・ワールド'98』（コアマガジン）１９９８年
『裏モノFILE １９９９〜２０００』（東京三世社）２０００年
『映画秘宝 悪趣味邦画劇場』（洋泉社）１９９５年
『女優別裏ＤＶＤ大全集２０００〜２００９』（コアマガジン）２００９年
『日本昭和エロ大全』（辰巳出版）２０２０年
『ビデオソフト研究Vol.4』（さんぽプロ）２０２０年
『別冊宝島 昭和史開封！ 男と女の大事件』（宝島社）２０１５年
『マニアビデオ大全集』（コアマガジン）１９９８年
『80年代ＡＶ大全』（双葉社）１９９９年
『AV Open 公式ガイドブック』（東京三世社）２００６年
『AV Open 公式ガイドブック２００７』（東京三世社）２００７年
『Ｄ−１クライマックス公式ガイドブック２００７』（ジーオーティー）

2007年

『DMM DVD別冊　AVグランプリ2008』（ジーオーティー）2008年

『DMM DVD別冊　AVGP2009』（ジーオーティー）2009年

『DVD秘蔵ブルーフィルム』（三和出版）2007年

『朝日新聞』

『京都新聞』

『東京スポーツ』

『毎日新聞』

Web

アダルトVR速報 [https://vr-adultporn.com/]

うらびでおウィキ [https://urvd.wiki.fc2.com/]

しらべぇ [https://sirabee.com/]

ダ・ヴィンチWeb [https://ddnavi.com/]

ねとらぼ [https://nlab.itmedia.co.jp/]

メンズサイゾー [https://www.menscyzo.com/]

モデルプレス [https://mdpr.jp/]

週刊現代デジタル [http://wgen.kodansha.ne.jp/]

AV Watch [https://av.watch.impress.co.jp/]

FANZA [https://www.dmm.co.jp/]

GAME Watch [https://game.watch.impress.co.jp/]

JBpress [https://jbpress.ismedia.jp/]

MoguLive [https://www.moguravr.com/]

PANORA [https://panora.tokyo/]

VR Watch [https://www.watch.impress.co.jp/vr/]

WEBスナイパー [http://sniper.jp/]

withnews [https://withnews.jp/]

XCITY [https://xcity.jp/]

Yahoo!ニュース [https://news.yahoo.co.jp/]

zakzak [https://www.zakzak.co.jp/]

論文・報告書

鳩飼未緒「日活ニュー・アクションと日活ロマンポルノの連続性」『映像学』vol.100、日本映像学会、2018年

ヒューマンライツ・ナウ「ポルノ・アダルトビデオ産業が生み出す、女性・少女に対する人権侵害 調査報告書」ヒューマンライツ・ナウ、2016年

ポルノ・買春問題研究会「ポルノ被害とたたかう」『論文・資料集』第Ⅱ期第1号（通巻11号）、ポルノ・買春問題研究会、2016年

「最新3D市場の現状と店舗」（NPリサーチ）2010年

『AV30 メーカー横断ベスト!!! カンパニー松尾8時間』ライナーノート（オールアダルトジャパン）2011年

「AV人権倫理機構――2021年活動報告書」AV人権倫理機構、2021年

協力

大坪ケムタ

東風克智

hide（ピンクサイドを歩け）

TAKA（うらびでおウィキ）

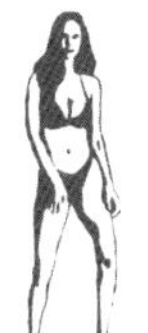

【か】

【き】

【く】

【こ】

人名・
団体名
索引

著者略歴

安田理央（やすだ・りお）

1967年埼玉県生まれ。ライター、アダルトメディア研究家。美学校考現学研究室卒。主にアダルト産業関連をテーマに執筆。特にエロとデジタルメディアの関わりや、アダルトメディアの歴史の研究をライフワークとしている。AV監督やカメラマン、漫画原作者、トークイベントの司会者などとしても活動。

主な著書として『痴女の誕生――アダルトメディアは女性をどう描いてきたのか』（2016年）、『巨乳の誕生――大きなおっぱいはどう呼ばれてきたのか』（2017年）、『日本エロ本全史』（2019年、いずれも太田出版）、『AV女優、のち』（角川新書、2018年）、『ヘアヌードの誕生――芸術と猥褻のはざまで陰毛は揺れる』（イースト・プレス、2021年）などがある。

日本AV全史

2023年1月26日　初版第1刷発行

著者――安田理央
編集――五十嵐健司
装丁&本文DTP――(Ya)matic studio
発行者――石山健三
発行所――ケンエレブックス
〒101-0064　東京都千代田区神田猿楽町2-1-14 A&Xビル4F
☎03-4246-6231　FAX 050-3488-1912
URL：http://books.kenelephant.co.jp/　E-MAIL：info.books@kenelephant.co.jp
発売元――クラーケンラボ
〒101-0064　東京都千代田区神田猿楽町2-1-14 A&Xビル4F
☎03-5259-5376　FAX 050-3488-1912
印刷所――株式会社ユーホウ

ISBN 978-4-910315-22-5　C0095